週刊だえん問答

コロナの迷宮

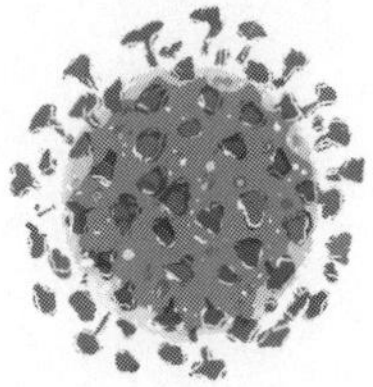

序文

だえんで眺めるポストコロナ世界

若林恵

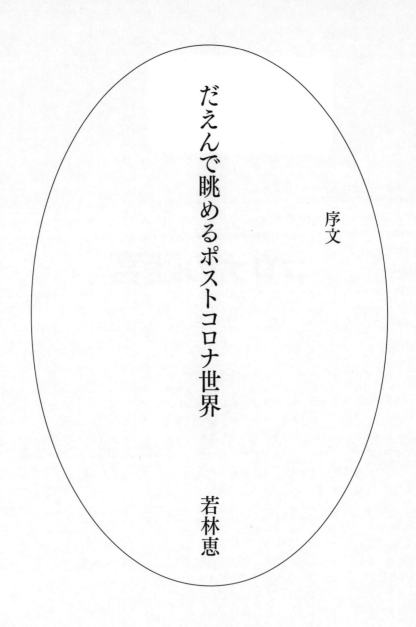

週刊だえん問答

コロナの迷宮

目次

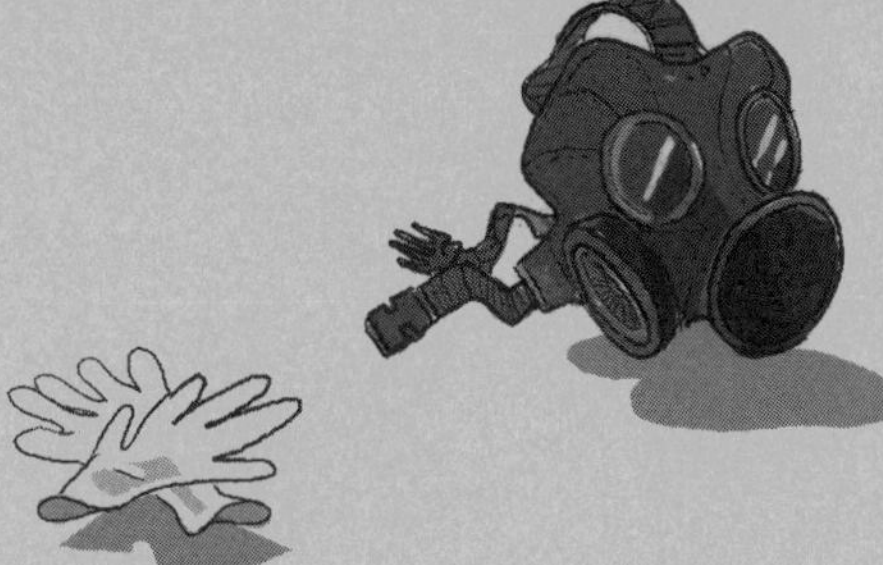

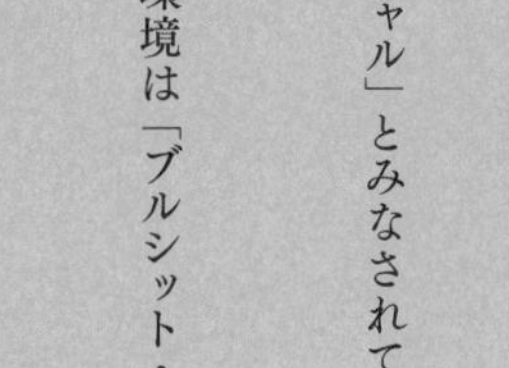

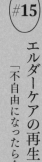

表紙イラスト＝宮崎夏次系　写真＝鈴木悠生　AD・デザイン＝藤田裕美
印刷＝中央精版印刷株式会社

若林恵と申します。コンテンツディレクターという要領を得ない肩書きを使っておりますが、基本は編集者だと思っています。ただ、編集者ということばは、つくるもののアウトプットがどうしても本や雑誌といった印刷物だろうという印象を与えてしまいがちですので、そうした狭い意味で取られてしまうのはどうかと考えたところから横文字の肩書をこさえてみたりするのですが、やっていることは「編集」だと思っています。

膨大な情報のなかから、これという情報を選別し、大小をつけたり並べ替えたりしながら、ひとつらなりのロジックをつくっていく。そんな作業をずっと仕事としてきましたので、それが得意ですし、自分でいうのもなんですが結構向いていると思っています。さして興味のない対象であっても、この作業自体が好きだったりしますので、苦にせず頭と手を動かすことができたりします。

ここに掲載した読み物は、「Quartz」というアメリカのニュースメディアの日本版に連載したもので、毎週日曜日にニュースレターという形式で配信されています。日本に上陸したのが比較的最近のメディアですし、有料ですので、読まれたことのある方はそこまで多くないかと思います。「Quartz Japan」の編集長をしておりますトシヨシ氏は、私がかつて「WIRED」日本版というメディアで働いていたときに副編集長を務めていた人物で、それなりに長い付き合いがあります。そのトシヨシ氏が編集長に就任し「何か連載をしましょうよ」と声がけいただいたのが、この連載のそもそものきっかけです。

声がけいただいたはいいのですが、週刊連載は自分にとって初めてのことですので、それなりにしんどいなと感じていました。しんどいのは毎週原稿を書く作業そのものではなく、むしろ「お題」を探すところです。原稿を書くためには素材が必要で、もちろん自分で素材を探すことはとても大切な作業なのですが、個人的には「素材をどう料理してやろうか」のプロセスのほうが楽しかったりしますので、毎週料理するのはいいが、毎週素材を仕入れにいくのはめんどくさいというのがぶっちゃけた心持ちでした。めんどくさいことは結局長続きしませんので、ルーチンで毎週作業をする以上、なるだけこうしたリスクは回避したいところです。

というわけでトシヨシ氏とふたりで頭を悩ませていたのは、放っておいても「お題」が自律的に生成されるような仕組みをどうしたらつくることができるかということでした。と言ってしまうと、いかにもズボラに聞こえるかもしれませんが、毎週持続的にネタが釣り上がってくるほど波乱万丈な毎日を送っているわけでもありませんので、こうした戦略性は必要なのです。といって手持ちのカードだけで毎週作業をするというのもつまらないものです。手持ちのカードは自分にとって既知のものですから、それについて書くことは、万一読む人にとって面白かったとしても、書く側にとってはそこまで楽しくなかったりします。つまらないと思いながらやることはだいたいこれも長続きしませんので、サステイナビリティが大事な連載においては、これまた重大なリスクとなるのです。

というなか、アメリカ版の「Quartz」を眺めていましたら〈Field Guides〉という記事枠があることを発見しました。〈Field Guides〉は、週に一度月曜日に公開されるシリーズで、毎回決まった「お題」に即して視点や角度の違う記事5~10本ほどを束ねたミニ特集です。過去のお題を見てみたらこんなラインナップでした。「中国のグローバルアプリ」「会計の曲がり角」「学生ローンの未来」「AIと社会的不平等」「生殖ビジネス」「スタートアップがコケるとき」「世界 vs. コロナウイルス」「Z世代の要求」等々。これこれ。これこそまさに求めていた理想的な「お題」。というわけで〈Field Guides〉という、このミニ特集を素材として、それを読み解いて「ニュース解説」とする連載の骨子が固まることとなりました。スタート時の連載タイトルは「〈Guides〉のガイド」でした。

〈Field Guides〉が理想的だったことには、私のズボラさのほかに別の理由もあります。海外メディアの日本版の仕事を長くやっていたこともあって、海外（といってもアメリカですが）のメディアを日本のコンテクストに即してローカライズすることについては少しは勘所があったりします。アメリカ版の「Quartz」編集部がどういった視点やコンテクストから毎回の「お題」を取り上げてくるのかを解説することもできますし、日本と海外のニュースでは同じ題材を取り上げていても「論点」がまったく違っていることも多々ありますから、そのズレ自体を指摘することで連載の価値とすることもできそうです。

仮に「お題」が日本のコンテクストとはまったく関係のないアメリカローカルでしか通用しないものであったとしても、なぜそれが特集になりうるほど重要であると考えられているのかを考えてみることは「日本ではなぜそれがまったく問題にならないのか」を知ることでもありますので、日本に即した話題になり得たりもします。

もっとも連載を始めてみると、それこそコロナによるステイホーム期間中に連載が始まりましたので、「日本は無関係」と言ってほっかむりできそうな話題はいまのところ皆無でして、グローバリゼーションとデジタライゼーションによって世界はすべてつながってしまったというのはよく指摘されることですが、それが疑うことなくその通りであることを毎回思い知ることになるのです。

というわけで、これらの読み物は、私の純粋な制作物というよりは建て付けの賜物とでも言うべきものでして、アメリカ版の編集部が頭をひねってつくりだした企画を、一読者にすぎない者が、遠い日本からあれこれレスポンスしてみるという構成である点で、すでにしてふたつの焦点をもった企画になっているということができます。本誌のタイトルとなっている「だえん問答」の呼び名は、まず、このことに由来しています。

さらに、この連載では、私がかねてより重用してきた「仮想対談」という形式を用いています。なかには、この連載は、毎週私とトシヨシ氏が実際に会話したものを書き起こしたものだとお考えになる方もいらっしゃったりするのですが、そうではなく、聞き手の言うことも話し手の言うことも、すべて私が書いたものです。この手法が自分にとって大変使い勝手がよいのは、視点を少なくともふたつ設定できることでして、そうすることによって「どっちとも言えないよなあ」といった話題を「どっちとも言えないよなあ」という状態のまま差し出すことが可能になったりします。

このご時世は「どちらとも言い難い」ことだらけであるにもかかわらず、どちらかの陣営に押し込めようとする圧力がことさら強く、「どちらとも言えない」という立場が存在しづらくなっています。加えて多くの人が「自分もどちらかに決めなくてはいけない」と思い込んでしまっている節も感じられます。「私はこちらの陣営！」と固く心に誓った方々はそれでいいのでしょうけれど、私のようないい加減な人間にとって多くのことはたいがい「どっちでもいい」ですし、もっと別の視点から見ていけば、その対立軸そのものが無効になったりもしますので、そうした立場から何かを言うには、「私が私として物申す！」という記述スタイルでないやり方はなにかと都合がよいのです。

聞き手も私で話し手も私である、ということはどういうことかと言いますと、厳密には、どちらも私ではないということでもあります。自分で対談するという作業は、言ってみれば脚本や台本を書く作業に近いものですから、「仮想対談」ということばが表している通り、なかばフィクションでもあります。そして、そこに登場人物がふたりばかりおりますので、ここでも焦点はひとつではなくふたつあります。「だえん問答」の呼び名は、もうひとつ、このことに由来してもいます。

この読み物をつくる作業が、ことさら面白いものであったのは、初見で読んだ記事の束をどういう筋道で理解していけば遠い日本にいる環境においてもメイクセンスするのかを、行き当たりばったりに考えていかなくてはならないという点で、それは言ってみれば、さまざまな考え方や物の見方の仮説を、ふたりの登場人物に仮託して検証し合うようなものです。ここに書かれたすべての意見が自分の意見かといえば決してそうではなく、「こういう考えもありうるかもな」と、自分なりに想像をふくらませていったものと言えるかと思います。

日曜日の午前中に配信される記事ですので、土曜日中には編集をしてくださるトシヨシ氏に原稿を渡すことになります。平日にはなかなかまとまった時間も取れませんので、土曜日の夕方に虎ノ門にある作業場にきて〈Field Guides〉の個々の記事にひと通り目を通し、そこから構成も考えずにいきなり対話をスタートさせるのが通例となっています。

そのままだいたい5〜6時間をかけて一気に最後まで書き上げるというやり方でつくっていますので、「行き当たりばったり」というのは謙遜でもなんでもなく、推敲はおろか読み直すこともせぬままトシヨシ氏に送ったりもするほどですから、実際想像される以上に行き当たりばったりなのですが、こうして外部から与えられたお題を、ほとんど反射神経だけで打ち返していく作業はわれながら実にスリリングです。

先週言ったことが今週にはすでに無効になったり、あとで見たらトンチンカンなことを言ってしまっていたりするかもしれないリスクとスリルに身を浸しながら、その場の思いつきで、考える前に「ああでもなくこうでもなく」書いてみることは、コロナウイルスによって激震に見舞われた世界の先行きの見えなさ、答えのなさと向き合うのに、少なくとも自分にはしっくりくるやり方です。

できるだけ乱暴なやり方で情報を投げ散らかすような、そういう読み物ですので、後生大事に付箋を貼って答え合わせをするように向き合うものでもなかろうと思っています。トイレで読むくらいがちょうどいい、そんな読み物としてテキストをこさえています。ニュースは肩肘張って読むばかりのものでもなかろうと思いますし、せめてトイレにいるときくらいは、誰しもが「自分がどの陣営か」なんてことは忘れているのではないかとも思いますし。

#1

The paradox of medical crowdfunding

April 26

メディカル・クラファンの矛盾

「クラウドファンディングは正義や公正を実現するものではないし
弱者を助けるものでもない。
経済格差、階級格差を是正するやり方としてはまったく話にならない。
物乞いはフェアなシステムとは呼べない」

――本日から始まる新シリーズですが、これがどういうものかを簡単に言いますと、US版の「Quartz」がウィークリーで展開している〈Field Guides〉というシリーズを週ごとに解説していくというものになります。という理解でいいですよね？

はい。〈Field Guides[※1]〉は「Quartz」の目玉企画のひとつと言っていいと思うのですが、例えば直近のテーマを見てみますと、コロナの話題はもちろんですが、Z世代だったり、AIだったり、ゲームだったり、プラスチックだったり、あるいは意外なところだと「会計」といった幅広い対象を扱っていまして、そのお題を5〜10本ほどの記事を通してさまざまな角度から深掘りしていくという、そういう企画です。

――〈Field Guides〉、面白いんですよね。

面白いです。専門メディアではない、いわゆる総合メディアの意義って、単にニュースを情報として提供するだけではなく、「論点」とか「テーマ」をきちんと読者に授けるところにもあると思うんです。

――と言いますと。

例えば試しに「肉の未来」（The future of meat）という回を見てみますと、トピックとしては当然「人工肉」といった話題がメインなんですが、それ以外にも「畜産農家や漁師の仕事はどうなる？」といった記事や「ハラルやコシャーの未来？」なんていう記事もありまして、もちろんこれで「肉の未来」のすべてをカバーできるわけもないのですが、肉をめぐる多様な「論点」が、かなりくっきりと浮かび上がってはきます。

そうやって論点――あるいは「コンテクスト」でも「テーマ」でも言い方はなんでも構わないのですが――をきちんと捉えておくというのはとても大事で、それはなぜかというと、「世の中の動き」

というのはすなわち「論点の動き」にほかならないからなんですね。

――どういうことですか？

例えばiPhoneの入出力の規格で「ライトニング」というものがあったりしますよね。

――あ、はい。

やれ「サンダーボルトだ」やれ「ライトニングだ」、最近でも「いや、USB-Cだ」という議論は、Appleというところから離れてもう少し広い視点から見てみますと、マシン同士のインターオペラビリティの話であるわけですし、IoTなんていう話とも密接に関わる社会的に大きな影響力をもつもので、そうやって複数の論点にまたがっているからこそ「規格変更」は語るべき事象となるわけですよね。

――ああ、なるほど。たしかに。Appleが趣味でやってる話じゃないですもんね。

そうなんです。ところがニュースを点で拾っていってしまうと、ひとつひとつの情報が、まさに「趣味の問題」になっていっちゃうんです。「おれはそれ好きじゃない」みたいな。

――SNSのコメントってだいたいそんなのですよね。

ちゃんと「論点」をもっていないとそうなってしまいがちですよね。ものごとには複雑に錯綜した「論点」があって、簡単に言えば、社会的なもの、文化的なもの、政治的なもの、哲学的なもの、技術的なもの、メディア的なものなど、たくさんあるわけですね。そうやってニュースを多角的にぐるりとめぐって、そこに錯綜している複数の論点をもって見られるようにならないと、その背後にある意義や意図、もっと言えば、そこに込められているはずの戦略なども見えてきませんよね。ですし、それが見えてきますと今後何が起きるのかを見通す上でも役立つようにも思います。

――文脈がわかっていると、筋道がある程度読めてくるわけですね。

そういう意味で〈Field Guides〉は非常にいい勉強になると思いま

※1

すが、ここで間違ってはいけないのは、「肉」というのはあくまでも対象であって、「論点」ではないということなんです。「畜産農家どうなる?」という記事の論点は、むしろ「雇用」や「肉食文化」といったところにあります。そこを間違えないようにしたいですね。

——取り扱っている対象と、そこで語られているテーマをきちんと分けて考えないと、ということですね。

　そうなんです。すみません、前置き長くなってしまいました。

——いえいえ。で、さっそく栄えある1回目というわけでして、今回の「テーマ」は……っていうとダメなのか。1回目に扱う「対象」は……でいいですか?

　はい。

——「メディカル・クラウドファンディング」です。

　はい。いいお題ですよね。メディカル・クラウドファンディングというのは、医療関連の資金をクラウドファンディングで調達するということですが、新型コロナウイルスの発生以後、特に広まっているのを受けてこういう企画が出てきたんだと思いますが、やはり非常に悩ましいというか、とても難しい問題です。

——そうですか。

　今回の〈Field Guides〉のタイトルは「メディカル・クラファンの矛盾」(The paradox of medical crowdfunding)というもので、それ自体がすでに難しさを表していますが、ここでの大きな論点のひとつは、医療がもつべき「公共性」と「クラウドファンディング」というものの相性の悪さなんですね。といってこれが新しい問題なのかというと必ずしもそういうわけではありません。

——と言いますと。

　クラウドファンディングって、簡単に言うと、新しい事業を立ち上げるための資金を、株式市場や銀行ではないところから調達しようというアイデアで、ゲームとか本とか家電とか映画とか、そういうものをつくりたいので「ぜひ出資お願いします」と一般に呼びかけて、それに賛同した人たちが小口の出資をしていくというものです。それがコマーシャル（商業）プロダクトであれば、例えばその映画を観たいなと思う人が、映画がつくられる前にお金を払うということですので、どっちにしろお金を払うわけですから、お金を払うタイミングが違うだけと言えなくもありません。

――たしかに。

もちろん、なんらかの理由で製作が頓挫するということもあるにはありますが、出資する側にはそこまで大きなリスクはないですし、であればこそ出資する側される側双方にとって望ましいということになるわけです。

――はい。

ところが、ある時期から――これはクラウドファンディングというサービスの論理的帰結として当然出てくるのですが――ある個人が「自分が何かをしたいから投資してくれ」という案件が出てくるようになります。

――なるほど。

たしか7～8年前だと思うんですが、「大学を卒業したいのだけれども学費が払えない」という女子学生を支援することをきっかけに、学生支援の新しいクラウドファンディングプラットフォームが立ち上がったことがありまして、これがあまり本質的ではない不備が多々あったことからも非難が殺到して大炎上、閉鎖したという出来事がありました。

――どういう非難があったんですか？

もちろん賛同者もたくさんいたので、すぐに希望額を達成したんですが、やはりこれって、先ほど言ったようなコマーシャルな事業と違ってデリケートなんですね。ブロガーのやまもといちろうさんがこの案件をめぐって、「助成対象者は商品じゃないんですよ」と当時ブログで批判[※2]をされていて、このことばが問題の核心をついているように思います。

――教育や医療を民営化することの是非にも似た議論ですね。

※2

まさにそうなんです。これはどういうことかというと、医療や教育といった公共性の高い事業は、公平性こそが大事で、それを商業的な原理で動いているプラットフォームにのせてしまうと、その公平性が損なわれてしまうということです。この辺は、先のブログでやまもとさんが詳細に書かれていますので、ちょっと引用させてください。

「私も、例年薄額ではありますが児童養護施設に寄付をしておりましたが、就学希望の学生の選別や、方針について、不公正とならぬよう、それでいて助成がきちんと実を結ぶよう、関係者一同かなり丁寧に議論を積み重ねて、就学希望者に資するような事業を行っていただいております。（略）ひとつひとつ判断して『君にはこれだけ出す』あるいは『君には出せない』とする、この判断の重さというのは常に付きまといます」

——重たいですね。

同じ論点が〈Field Guides〉のなかの「医療クラファンの隠れたコスト※3」（The hidden cost of medical crowdfunding）でも出されています。「自分の窮状をうまく伝えることはみんなに平等にあるスキルではない」と、ある研究者のことばが引用されていまして、この研究者はさらにこう続けます。「ツールへのアクセスも同様です。いいカメラを買うことのできる人は、より上質な写真や動画をつくることができます。そして、それが寄付の額を決めてしまうわけです」。

これはつまり、クラウドファンディングというものは放っておくと、ツールをうまく使えてプレゼンの上手な人たちが有利なゲームになってしまうということなんですね。

——なるほど。

アメリカでとりわけメディカル・クラウドファンディングが成長したのは、国民皆保険ではない国の保険システムの問題からです。保険の適用がないので、バカ高い医療費が請求されることになります。アメリカで足を骨折して入院したら2000万円の請求が来たと知り合いが言ってました。

——ひー。そりゃ払えないですね。

払えないんですよ。そういう不

平等なシステムのなかで医療費が払えない人がそもそもクラウドファンディングをやっているはずなのに、クラウドファンディングでも、結局お金のないプレゼン下手な人は不利なんですね。

加えてインターネット上のネットワークは「新しい人と出会える」と言いながらも、実は自分に近い人とのつながりしか構成していかないので、お金持ちならお金持ち、有色人種なら有色人種といったように似た者同士でしかつながっていきません。その結果として、記事内のリサーチは、得られる寄付金の額が人種によって異なっていることを明かしています。言うまでもなく有色人種が不利ですし、LGBTQ、女性や障がい者も不利だそうです。

——色んな意味でフェアではない、と。

記事内では手厳しい指摘が出ています。

「これは正義や公正を実現するものではないし、弱者を助けるものでもない。経済格差、階級格差を是正するやり方としてはまったく話にならない。物乞いはフェアなシステムとは呼べない」

——なるほど。物乞いをオンライン化しただけ、というわけですね。

「乞食！」という言い方は、それこそ学費クラウドファンディングのときにもよく出た罵声で、自分のパーソナルな物語を晒してお金を集めるのは、まあ、たしかにそういう側面は強いわけですよね。

なので、〈Field Guides〉内の記事、「成功する医療クラファンに必要なこと※4」（The elements of a successful medical crowdfunding campaign）は、言うなれば「物乞い」のためのティップス集とも読めてしまうものですから、正直あまり気持ちのいいものではないですよね。

——でも、逆に言えばそれだけ切実な問題でもあるわけですよね。

おっしゃる通りです。保険や医療制度がうまく作動していたら、こんなことは起きないわけですから、やはりこれは行政上の重要問題なんですね。そのことは「国民をクラファンに向かわせるインドの医療システムの落とし穴※5」（The chasm in India's healthcare system forces many people to turn to

※3 ※4 ※5

crowdfunding）という記事がレポートしているインドの状況でもわかる通りです。世の中の多くの人が現状の行政システムの限界を認めているからこそ、賛同して寄付しようとも思うわけですし、肝心のシステム自体が、もう構造上どうしようもないところに来ていて、行政が税金で賄えるキャパシティを超えていってしまっていることも明らかではあるので、クラウドファンディングを、そうした不足を補うための補助的なシステムとして使うのは、一方で非常に合理的であるとも考えられます。

——そうですよね。

『Next Generation Government: 次世代ガバメント 小さくて大きい政府のつくり方※[6]』というムックのなかで書いたのですが、例えば小学校や幼稚園の夏場の体育館が暑すぎるのでクーラーを入れたいといった市民の要望は、公立の施設であれば行政が予算を分配して設置していくことになるわけですが、こんな話は、クラウドファンディングでやってしまってもいいと思うんですね。親御さんや学校のOBといった関連ステークホルダーのなかで少しずつファンディングしたら実現できちゃうような気もするじゃないですか。で、その支払い分は税金として扱われるようになればフェアでもありますし。いわばふるさと納税のマイクロ版と言いますか。

——たしかにそれだとあまり不公平な感じがしませんね。とすると、先の学費や医療のクラファンとクーラーのクラファンって、いったい何が違うんですかね。

そこなんです。特集内に「医療クラファンに寄付する人のねじれた道徳心※[7]」（The messy morals of donating to medical crowdfunding campaigns）という「人の利他性」をテーマにした記事があるのですが、その利他性みたいなものが重要なポイントなのかもしれません。記事では主に寄付する側の利他性に焦点をあてていますが、個人的に注目したいのは、どちらかというとキャンペーンを打つ側の利他性なんです。

——と言いますと。

クーラーの場合って、想定しうるキャンペーン主体って学校とか

PTAじゃないですか。で、そのときの直接の受益者は子どもたちですよね。さらに、そこには、今後その学校を利用する未来の児童や生徒さんも含まれます。ファンディングの主体が「受益当事者ではない」というのは、医療や教育といった公益性の高い寄付活動では、案外重要なことなのかもしれません。これは先のやまもとさんも指摘しています。彼はこう書いています。

「お願いしたいことは、個人の就学希望を助成するのではなく、就学希望の資金を提供しようとしているNPOや財団に対して、寄付行為を募る活動にして欲しいということです。それであれば、NPOも財団法人も社団法人も、ネットでお金を集められるのであれば頑張って実績や方針、実務上のこともプレゼンするでしょうし、その中で、もっともっと顔の見える慈善行為ができるようになると思います」

――「おれを助けてくれ」ということではなく「この人たちを助けたいから援助してくれ」という間接性があるほうが、あからさまにならないというか、えげつなくならない、ということですね。

イタリアの事例を紹介した「記録破りのクラファンキャンペーンがイタリアのCOVID-19対策を救う※8」(A record-breaking crowdfunding campaign in helping Italy fight Covid-19) はまさにその好例で、これは記録的な支援額を集めたキャンペーンのストーリーなのですが、このキャンペーンの主体は病院なんです。ミラノの私立病院がパンデミックを受けて集中治療室の増設のために5億円以上も資金を調達したという内容です。

ただし、記事でも指摘されていることですが、こと人命に関わる問題ですから、こうした「利他的」なキャンペーン主体の責任、アカウンタビリティは不可欠で、そうした中間的な団体が集めた資金をネコババしたり、約束した内容と違うことに資金を使ってしまったりすることは、クラウドファンディングではありがちとはいえ、医療や教育といった人の人生にダイレクトに関わる事業においては許されません。

といって審査を厳しくしたり参入者を制限したりしてしまえば、クラウドファンディングのメリッ

※8 ※7 ※6

トであるスピードや、「誰でもできる」が阻害されてしまうことになりますので、そのバランスは実際とても難しいのだと思います。

——ほんとですね。

このイタリアの記事は、COVID-19関連のクラウドファンディング事例が「GoFundMe」のプラットフォームだけで2万2000件立ち上がり、3月20日時点で総計4000万ドルの資金調達を達成したことを明かしつつ、記事をこう締めくくっています。

「この数字は、危機に際して人がいかに寛容であり、クラウドファンディングビジネスがいかに儲かり、また世界の医療制度にとっていかにクラウドファンディングが不可欠なものであるかを表している」

問題は多いけれども、すでにして不可欠。この地点から、今後のクラウドファンディングのあり方を考えていかなくてはならないということでしょうね。

——なるほど。勉強になりました。ありがとうございます。

こちらこそ大変勉強になりました。

Field Guides を読む #1

The paradox of medical crowdfunding

Apr. 26, 2020

https://qz.com/guide/medical-crowdfunding/

◉成功する医療クラファンに必要なこと
The elements of a successful medical crowdfunding campaign

◉医療クラファンに寄付する人のねじれた道徳心
The messy morals of donating to medical crowdfunding campaigns

◉国民をクラファンに向かわせるインドの医療システムの落とし穴
The chasm in India's healthcare system forces many people to turn to crowdfunding

◉記録破りのクラファンキャンペーンがイタリアのCOVID-19対策を救う
A record-breaking crowdfunding campaign in helping Italy fight Covid-19

◉医療クラファンの隠れたコスト
The hidden cost of medical crowdfunding

#2

The delivery dilemma

May 3

デリバリーのジレンマ

コロナ禍が明らかにしたのは、デリバリーの仕事というのは
国にとって「エッセンシャル」なものだということです。
ところが、そのデリバリーに従事する多くの人たちは
きちんとした社会保障どころか社会的な信頼や敬意もないところで
危険に晒されてしまっていることが露呈しています。
エッセンシャルな仕事であるにもかかわらず
まったく保護されない使役になってしまっているのです。

——先週から始まった「Guidesのガイド」ですが、反響のほうはいかがでしたか？

いや、特になかったですよ（笑）。

——あれ、おかしいですね。編集部には、ちらほらといい反応があったそうですよ。

そうなんですか。ならよかったです。

——はい。やはり、前回おっしゃっていた「論点」の整理ですね。そこが大事という声もあったそうで。特にメディアの仕事って何だと考えたときに、ニュースをただ「点」として出していくだけでは価値の提供にはなかなかなりませんので、どうしたら「線」にできるのかというところで、ひとつ面白い試みになっているといった感想があったそうです。

それはそもそもの〈Field Guides〉というシリーズの手柄だと思いますよ。いずれにせよ、ウェブメディアは、どうしたって「点」の情報にさせられてしまうシステム由来の課題にどう抗うのかをずっと考えてきたわけですが、やっぱりなかなかうまい解決策が見つかりませんね。

これはテクニカルな建て付けの問題だけではなく、世の事象をどう切り取るかという、それこそ「論点」の面白さがあってこそ建て付けが生きるものだとも思いますので、デリバリーのパッケージをどうするのかということとセットで、やはりコンテンツのありようをちゃんと考えないとですよね。

——今回のお題ですが、いままさにおっしゃった「デリバリー」の問題ですね。といっても、コンテンツの話ではなく、「物流」としてのデリバリーということですが。

そういえばマスクは届きました？

——小さい布製のヤツですか？国支給の。

はい。

——いや、まだ来ないですね。届きました？

家にはまだ来ないんですけど、会社には届いたんですよ。

——えっ。会社？　あれ世帯ごとに届くんじゃないんですか？

そう思っていたんですが、よくよく但し書きを読んだら「1住所あたり2枚」って書いてあるんですね。

——あ、そうなんですね。

そうなんです。うちみたいな数人しかいない会社は、まあ、規模的には家庭みたいなものですから、2枚だけがペロッと届いても、そこまで違和感はないのですが、これが数千人とかいる会社のポストに2枚だけ届くのかと思うと、なかなかな感じしますよね。実際大企業に配られているのかどうかはよくわかりませんが。

——さすがに除外してるんでしょうか。

よくわからないのですが、謎だな、とは思いまして。なぜそんなことを気にしているかといいますと、ここにきてのコロナ下で、世界的に郵便システムが改めてクローズアップされているのが面白いなと思うからです。

——郵便、ですか。

そうなんです。郵便って、言ってみればデリバリーシステムの「元祖」みたいなものじゃないですか。

——言われてみればそうですね。

先日アメリカのメディアで、とある上院議員の書いたオピニオン記事※1を読んでいたら郵便制度について書かれていました。郵便システムって日本でも小泉改革でメタメタにやられたわけですが、これはアメリカでも同様でして、USPS（アメリカ合衆国郵便公社）は国営公社で「独立連邦機関」ということになっていて民営化はされていないのですが、財政的にはかなりカツカツでやらされてきたらしいんですね。

ところが、パンデミックのよう

※1

な全土的な国難となると、全国津々浦々まできめ細かく配達網を行き渡らせている郵便システムは、やはりなにかと便利なんですね。というわけで、このオピニオン記事は「いまこそUSPSを救うべきだ」と書いているわけです。

——ふむ。

例えばこれはインドの事例なんですが、郵便局がロックダウンされている市民に食料やマスクやキャッシュなどを届けるサービスを始めたりしていまして、郵便システムは何も「郵便物」を届けるだけじゃなくてもいいんじゃないか、という方向に進んでいたりします。

——へえ、面白い。

パイプはすでにあるわけですから、そのパイプにどんどん色んなものを流しちゃえ、ということですね。

——いいですね。

さらに、先のオピニオン記事には面白い一節がありまして、何を言っているかといいますと「郵便制度は合衆国憲法より古い」ということなんです。

——え、そうなんですか？

そうらしいです。この辺、実はすごく面白いんです。やや遠回りなんですが、デヴィッド・グレーバーという文化人類学者の書いた『官僚制のユートピア：テクノロジー、構造的愚かさ、リベラリズムの鉄則※[2]』という本がありまして、これは自分が『次世代ガバメント※[3]』というムックをつくった際に、大いに参考にさせていただいた本なのですが、グレーバーが本書で指摘しているのは、近代国家のOSともいえる「官僚制度」というのは、もともと軍隊の指揮系統システムを応用したものだったそうですが、その仕組みを一般社会のなかで実装した最初の事例は、ドイツの郵便制度だったということなんです。

——へえ。

このあたりの経緯を、少し長いのですが、自分のムックから引用しておきますね。ここ面白い話なので。

――お願いします。

「グレーバーは、近代西洋の行政システムの原点には近代軍隊のガバナンスの仕組みがあり、それを最初に一般の社会のなかで卓越したやり方で応用したのはドイツの郵便事業だったと説明している。郵便や小包が空気圧によりパイプを通してベルリン市内を縦横無尽に行き来する、その『大発明』は世界中の多くの『イノベーター』に大きなインスピレーションを与えたそうで、とりわけその偉業に魅せられたのはレーニンだったとされる。

『全国民経済を郵便にならって組織すること、しかもそのさい、技術者、監督、簿記係が、すべての公務員とおなじく、武装したプロレタリアートの統制と指導のもとに、〈労働者の賃金〉以上の俸給を受けないように組織すること――これこそ、われわれの当面の目標である』

そうレーニンは語ったというが、このシステムに魅了されたのはなにも『東側』の人間ばかりではない。その仕組みを国家機関ではなく民間組織に適用することに躍起になったのはむしろアメリカ人で、一九世紀末に三年ほどベルリンに滞在したマーク・トゥエインは、その仕組みの効率の良さを絶賛したという。その仕組みを貪欲に取り込んだことで、ある時期までアメリカでは行政といえば郵便システムを指していたほどだったそうで、実に公務員の七割を郵便局員が占めていた時代もあったという」

――へえ、めちゃ面白いですね。

そうなんです。つまりソビエト連邦は、レーニンの頭のなかではドイツの郵便システムと同様のシステムをもって国をオペレートすることを理想としていたわけですし、アメリカもまた、国家システムの基盤に郵便システムというものがあった、ということになるわけです。

――にしても、公務員の7割が郵便局員ってすごいですね。

すごいですよね。なので、ここで改めて思うのは、郵便、あるいは郵便局員というものは、私たちがそのなかで生きている近代国家の、ひとつの原風景とさえ言えるんじゃないかということです。郵便局員、特に配達員って、どこか日常生活から遊離した、それでい

※2

※3

てどこかノスタルジックでもある、ちょっと不思議な存在じゃないですか。

——たしかに。

それがいま、積極的に肯定されようとしているのはどういうことかといいますと、私たちが生きる近代国家の根幹にあるのは、やっぱり「デリバリーシステム」なんだということが改めて浮き彫りになったということなんじゃないかと思うんです。

——どういうことでしょう。

これは、『次世代ガバメント』のなかでも散々指摘したことですが、いまの国のOSって「配給型」のシステムなんです。つまり国が一括して国民全員に何かを支給するためのシステムだということです。

去年の段階では、このシステムはもういかにも古いからアップデートがなされなくてはならない、といったことを書いたのですが、ここにきて国や自治体がマスクから食料から補助金からありとあらゆるものを「デリバリー」しなくてはならなくなってしまったので、改めて「デリバリーシステム」こそが生活の最も重要な基盤であるということが浮き彫りになったのかなと思います。

——いま、人をどんどん雇っているのは「デリバリー」の領域だけですもんね。

今回の事態は、ロックダウンおよび自宅待機という特殊な状況下で、人が出歩けず、窓口にも行けない状況があって新たな「デリバリー需要」が生まれているわけですが、その一方で、デジタル化によるカスタマイゼーションによって「自分の好きなときに、好きな場所で、好きなものを受け取る」という事態は進行していたわけですから、いま起きている事態は「昔ながらの配給システムをデジタル技術を用いてどうアップデートするのか」という問いをめぐって動いていることになるのだと思います。

——ははあ。なるほど。

今回の〈Field Guides〉の「デリバリーのジレンマ」（The delivery dilemma）では、AmazonやUber Eats的なデジタルプラットフォーマーの躍進というところがまずは話題になっています。

「世界がデリバリーにサインアップした月※4」(The month the entire world signed up for delivery) という記事、あるいは「ロックダウンはインドのオンライン食料品店主たちの好機となるか※5」(India's coronavirus lockdown has given online grocers the opportunity of a lifetime)は、今回の危機が、いわゆるデリバリー系スタートアップの伸長にどれだけ貢献しているか、あるいは、これまで一般化するのが困難だった生鮮食品や生活雑貨といったもののデリバリービジネスに千載一遇のチャンスをもたらすかといったことが、インドの事例なども挙げながらレポートされています。

——なるほど。その辺は、これまでのテックイノベーションっぽいコンテクストですよね。

はい。加えて、より小さな経済圏のなかで生鮮食品などを地産地消していこうという動きがデジタルサービスによって加速していることをレポートした「COVID-19がアメリカをローカルフードに目覚めさせる※6」(Food delivery during Covid-19 is reawakening the US to local food) は、今回の事態によって一般化するかもしれないポジティブな「ニューノーマル」の事例を取りあげていますが、いずれにしましても全世界の3分の1の人びとがロックダウンされている状態のなかで、デリバリーが唯一の「成長産業」であることは間違いなさそうです。

——はい。

Amazon のようなECはもとより、フードデリバリーサービスから郵便局、さらについ先日読んだ記事によるとポートランドのストリップクラブが飲食のデリバリーを開始した※7なんて話もありますから、極端に言えば、もはやこの世にはデリバリーしか仕事が残ってない感すらあるわけです。

——ストリップクラブが、ですか。

ストリッパーが食事を届けてくれるそうです。

——面白いですね。

たしかに面白いのですが、それくらい状況は逼迫しているという

※7 ※6 ※5 ※4

ことでもありますし、実際、職にあぶれた人は、デリバリーしか新たな仕事がないというのも事実なのだと思います。

――笑いごとじゃないですね。

これはギリシャのデリバリー運転手たちを取材した「新経済危機のなかのギリシャのデリバリーワーカーたち[※8]」（The delivery workers on the frontline of Greece's new economic crisis）でも如実に描かれていますが、ロックダウンのさなかにデリバリーの仕事に従事しているというのは、本来はおかしなことなわけですよね。

ギリシャは国民に対して非常に厳しい外出禁止令を課していますので、配達員たちは場合によってはルールに反して仕事をしているわけですが、それはそうしないと生活を維持できないからです。加えて、言うまでもなく常に感染リスクに晒されることにもなります。

――はい。

これは記事内で、あるドライバーが語っていることですが、「コロナ以前からそうなんだけど、デリバリーする人を劣った人たちとみなす人は結構いる」そうで、実際デリバリーの仕事は、この状況下にあって、生活に困らない人のために生活に困っている人たちが奴隷労働させられているという状況によって成り立っています。

これは、そもそも『ウーバーランド：アルゴリズムはいかに働き方を変えているか[※9]』といった本でも指摘されていたことですが、ワーカーたちが奴隷化させられてしまうという、そもそもギグエコノミーが抱えていた問題が、ここにきて極めて先鋭的に可視化されてしまっているわけです。

――なるほど、「いまデリバリーを頼むのは倫理的にありなのか」という内容の記事が今回の〈Field Guides〉に掲載されていますが、これはその辺の事情を映したものですね。

はい。「パンデミック下で倫理的にデリバリーを頼む方法[※10]」（How to ethically order takeout food during a pandemic）という記事ですが、これはシビアな問題ですね。

もちろんほとんどのデリバリーサービスはビジネスですので、いまこそそのビジネスを後押ししてあげることがワーカーたちの経済支援として意味があるというのもその通りではあるのですが、とはいえ、一方で、ギリシャのレポートが明かしているように、デリバリーの仕事は感染リスクの高い危険なものでもあるわけですから、その危険に人を晒すのはどうなのかという問題はやはりあるわけです。

――なるほど。悩ましい。

しかも現状のデリバリーサービスは、働く人たちに対するセーフティネットが十全とは言えません。サービスプラットフォーマーたちがどのように働き手を待遇しているかについては「配送サービスをコロナ期間中の労働者の待遇別に比較してみた[※11]」(How different delivery companies are treating workers during coronavirus)という記事に詳細に明かされていますが、ひと通りあげておきますと、〈DoorDash〉〈Deliveroo〉〈Ocado〉〈Amazon〉〈Fresh Direct〉〈Zomato〉〈Meituan〉〈Uber〉〈Instacart〉〈Grubhub〉といった企業のなかで、コロナリスクに対する手当、もしくは昇給を実施していると明言している企業は、〈Ocado〉〈Amazon〉〈Instacart〉だけです。今後参入者も増えて競争が熾烈になって価格競争が起き、ワーカーへの金銭的な締め付けも必然的に厳しくなるのだとすれば、デリバリービジネスの奴隷化はどんどん進行していきかねません。

――たしかに。

倫理の話に戻りますと、記事のなかにマンチェスター・メトロポリタン大学哲学科の教授の言葉が引用されているのですが、彼は、「いまデリバリーを頼むことが倫理的なのかと問うこと、それ自体に意味がない」、「それは社会的な問題なのであるから、個人で引き受けるものではない」ときっぱりと語っています。なんなら、そうやって「個々人の責任の問題」にすることは「危険ですらある」と言っているんですね。「その問題の解決はシステミックなものでなくてはならない」と、こうおっしゃるわけです。

――はあ。

もちろん心優しい消費者であれば良心の呵責は当然あるわけです

※11　※10　※9　※8

が、それを個人の消費活動のなかで解消しようとすると、結果としてそのシステムを肯定し補強してしまうことにもなりますし、そうやって個人レベルに問題を引き落ろしてしまうことは「自己責任論」を強化していくことにもなるので、政策、法整備のレイヤーにおいて解決されることを考えるべきだというのが、この教授の指摘です。

つい先日、5月1日の金曜日には、〈Amazon〉〈Instacart〉〈Whole Foods〉〈Walmart〉〈Target〉〈FedEx〉などのワーカーたちがゼネラルストライキを敢行しましたが、そうしたシステミックな変革を促す行動は、やはりとても重要なものだと思います。

——はい。

2019年にはカリフォルニア州で、Uberをはじめとするライドへイリングプラットフォームに対して、運転手たちを契約事業者ではなく雇用者であるとみなすことを求める「AB5」(Assembly Bill 5)という法案が提出されましたが、これもかなり激しいストライキを受けてのことでした(註:この法案は2020年11月に棄却された)。こうした法整備があって初めて顧客とサービス供給側が安心して商取引ができるわけですから、市場というものがちゃんと機能するためには、そこには当然フェアなルールが必要ですよね。

——そりゃそうですね。

英国では消防士が医療物資のデリバリーを手伝っているなんていう話も聞きますが、例えばデリバリーの仕事に従事する人たちが、消防士のような人たちのように公務員であれば、まだ気分的には安心ですよね。その補償をどうするかという問題はありますし、「公務員なら危険な目に合わせてもいいのか」というところはありますが、消防士が火災のなかに飛び込んでいくことを倫理的にやましく思うことはないはずで、それはなぜかというと、彼らの生活や職業を、みんなの税金で支えているからだと思うんです。

——はい。

「自分たちの代わりに危険を肩代わりしてくれている」ということをみんなが知っていて、同時に消防団員である彼ら/彼女ら自身もそのことをわかった上で、みんなの期待に応えるべく最善を尽くすという、そういう信頼関係があるわけですよね。

「税金を払ってるんだからお前らがやれ」ということではなく、みんなで公共的に必要なサービスを守っているという暗黙の合意がそこにはあったはずですが、「民営化」して市場原理をどんどん導入していくなかで、主客が一体であったはずのサービス提供者と受益者の関係が、だんだん「サービス提供者とクライアント」といった主従の関係へと分断させられていったように感じます。

——なるほど。「こっちは金払ってるんだから、おまえが命を落としても自分のせい」と消防士の方や警察の方に言うのは、だいぶイヤな感じしますよね。

そうなんです。今回のコロナの事態のなかで、高いリスクに晒されているのは医療従事者であったりケアワーカーだったりするわけですが、イギリスは、NHS（国民保険サービス）の職員で新型コロナウイルスで命を落とした人たち100人のために国をあげて黙祷の時間を設けていました。

——そうなんですか。

それって、なんというか、自分たちの代わりに危険に身を晒してくれた人たちに対するせめてもの敬意の表し方なのだと、少なくともイギリスでは、そう理解されているということなのだと思います。きっとなかには「こっちは税金払ってんだから、それで死んだからといってそれも仕事の内」と考える人もいるとは思いますが、おそらく大半の人は、ちゃんと敬意を表したいと思うはずですよね。だって、その人たちは、自分たちの代わり、つまりは自分たち自身であるわけですから。

——ですね。

今回の〈Field Guides〉の記事のすべてに通底している認識は、コロナ禍が明らかにしたのは、デリバリーの仕事というのは国やコミュニティにとって「エッセンシャル」なものだということです。ところが、そのデリバリーに従事する多くの人たちは、きちんとした社会保障どころか社会的な信頼や敬意もないところで危険に晒されてしまっています。それが大きな矛盾として露呈してしまったんですね。

さらに、これはマルクスの言葉だそうですが、資本主義経済のなかにずっと温存されてきた「隠された奴隷制」が、デリバリーの仕事を通してあからさまに可視化されてしまったことがもたらす動揺の核心には、「うっかり仕事にあぶれたら、自分たちがやれる仕事はおそらくデリバリーしかない」という恐怖があるようにも感じます。

――たしかに怖いですね。

最初の話に戻るのですが、デリバリーという「エッセンシャルな仕事」は、そもそも振り返ってみると、近代国家というものの基盤だったわけですね。ところが、それをどこかで忘れてしまった帰結がいまのこの事態だとすると、私たちに問われているのは、デリバリーや物流といったものを、ただ闇雲に市場化するのではなく、「やっぱりみんなにとってエッセンシャルなものだよね」という観点から、社会のなかにどうやって再実装するのかということのような気がします。

――大きな課題ですね。

かつての郵便局員というものが、ある意味ノスタルジーの対象であり、かつ近代社会を象徴するひとつの職業の類型だったのだとすると、コロナ以後の世界においては、デリバリーサービスの配達員が、社会のありようを規定する人間類型のひとつになるのかもしれないと思ったりするんですね。

「デリバリーをする人」をどうポジティブに社会のなかに置くのかというテーマは、コロナの危機が過ぎ去ったあとも重大な問題として残るように思うのですが、そうした観点から見ると、ゲームクリエイターの小島秀夫さんが昨年発表された『デス・ストランディング』※12は、非常に先見的な作品だったように思います。

――そうなんですか？

「配達員の孤独」というテーマは、まさに今回の〈Field Guides〉が明かしていたテーマであるわけで、これは、とても重い、重要なテーマだと思います。

※12

Field Guides を読む #2

The delivery dilemma

May 3, 2020

https://qz.com/guide/delivery/

◉ロックダウンはインドのオンライン食料品店主たちの好機となるか
India's coronavirus lockdown has given online grocers the opportunity of a lifetime

◉世界がデリバリーにサインアップした月
The month the entire world signed up for delivery

◉COVID-19がアメリカをローカルフードに目覚めさせる
Food delivery during Covid-19 is reawakening the US to local food

◉パンデミック下で倫理的にデリバリーを頼む方法
How to ethically order takeout food during a pandemic

◉配送サービスをコロナ期間中の労働者の待遇別に比較してみた
How different delivery companies are treating workers during coronavirus

◉新経済危機のなかのギリシャのデリバリーワーカーたち
The delivery workers on the frontline of Greece's new economic crisis

#3
The home fitness boom
May 10

ホームフィットネスの意義

フィットネスというのは、日々刻々と変わり続ける
カラダをメンテナンスすることが
本質なんじゃないかと思うんです。
農業やガーデニングなんかに近い行為と言いますか。

――早いもので3回目です。前回「デリバリーのジレンマ」は、いい反応がありました。

そうですか。

――ええ。ありがたいツイートもありました。「読む価値ある。ハッとする」とか「他の人にはない視点だわ。え、そんなこと考える？ってところと、落とし所の納得度の高さ」とか。

プレッシャーかけてます？

――いや、そういうつもりはありませんが。

いずれにせよ、週刊連載というのはやっぱりそれなりにキツいですね。うかうかしていると、あっと言う間に1週間経ってしまいます。

――じきに慣れるのではないかと。

そうだといいのですが、ちゃんと習慣にならないと長く続けるのは大変ですよね。

――習慣としてやられていることってなにかあります？

うーん、特にないですね。朝起きたらタバコを吸うとか？

――それ、習慣ではなくて依存ですよ（苦笑）。

そうすか。でも、そこ面白いですね。習慣と依存。どこに線引きがあるんですか？

――たしかに。

難しいですよね。習慣って、それがないと人は生きていけないわけですが、とはいえ生活のすべてが「習慣」でいいのか、というのもありますよね。

習慣はすぐ惰性になるものじゃないですか。仕事でも習慣を組織化していくことは効率の観点からはものすごく重要ですが、危機的な状況や、予測不能な事態が起きると、それが足枷になりもします。

——はい。今回のお題は「フィットネス」なんです。何か関係ありそうな話ですか？

どうでしょうね。先日、ニューヨーク在住のジャーナリストの佐久間裕美子さんとご一緒しているポッドキャスト「こんにちは未来[※1]」で、佐久間さんがヨガをやっているという話をされていまして、それがものすごく良いのである、とおっしゃるんですね。もちろんヨガの効能を疑うつもりは毛頭ないのですが、その「良さ」は、ヨガ自体ではなく、それが習慣化したことにあるのではないか、とちょっとまぜっ返しをしてみたんです。

——ヨガというコンテンツそのものではなく、それを毎日なり定期的にやることにこそむしろ意味がある、ということですか。

そうです。習慣というものが大事なのは、それがリズムになるところなのかもしれません。生活に拍が刻まれるというか。適正なテンポを見つけられると、なんというかグルーヴしてくるみたいなことなのではないでしょうか。基本、生活にグルーヴがない人間なので、あまり体感的にはわからないのですが（笑）。

——いいですね。生活のグルーヴ。

今回取り上げる「ホームフィットネスの意義」（The home fitness boom）は、フィットネスビジネスが新型コロナウイルスによってどのような影響を受けたかという内容です。簡単に言いますと、ロックダウンによってジムに行けなくなったおかげでオンラインフィットネスが活況だということなのですが、これはそこまで驚く話でもないですよね。

——そうですか？

今回の〈Field Guides〉を読んで自分も改めて気づいたのですが、フィットネスのオンライン化はそこまで進行していなかったとしても「ホーム化」はずっと進行していたわけです。つまり、『ビリーズブートキャンプ』のようなものはアメリカに限らず日本でも大ヒットしたわけですし、おかげでビリーさんは大金持ちのはずですが、ホームフィットネスは、コロナ以

※1

前からずっと大人気のビッグビジネスだったわけです。

——たしかに。

特集内の「ホームフィットネス小史：紀元前600年から現在まで※2」（A short history of home fitness, from 600 BC to today）という記事をまず見てみますと、それこそホームフィットネスは、紀元前のインドやローマ時代にもあったそうですが、現代におけるホームフィットネスに大きなエポックがあるとしたら、1977年ということになるそうです。

——その年に何があったんですか？

VHSの登場です。家庭用ビデオ再生機ですね。

——あ、なるほど。

VHSの普及によって映像コンテンツを家で繰り返し観ることができるようになるわけですね。そこに注目したのがフィットネス業界で、家でもできるワークアウトの「教則ビデオ」というものが出てくるようになり、それで一大ブームになるのが女優のジェーン・フォンダのエアロビ教則ビデオ『Jane Fonda's Workout』です。これ、YouTube※3にトレイラー動画があがっていますので、ぜひ観ていただきたいです。

——おー、時代感ありますね。

これは実はビデオよりも先に本がありまして、この教則本も2年間にわたって「The New York Times」のベストセラーランキングに入り続けたという爆発的ヒットで、追って出たビデオ版も大ヒットします。これがあったおかげで一般家庭にまでVHSプレイヤーが普及したと言われるほどだそうです。

——日本のテレビ普及における、皇太子ご成婚みたいな話ですね。VHSにおけるそれがジェーン・フォンダだったと。

はい（笑）。ホームフィットネスというのは、ここから長い時間をかけて一般化していくことになるのですが、面白いのは、その端緒となったジェーン・フォンダが女性だということです。

——ほお。

先の記事の解説を読むと、ジェーン・フォンダ登場以前のスポーツジムというのは「ボディビルディング」を価値のコアに置くもので、あまり女性が好んで行く場所でもなかったそうです。要はマッチョな空間だったわけですね。

——なるほど。

女性が男性ほどには「ボディビルディング」に興味がなかったということなのかどうかはわかりませんが、といって女性が体のことを気にしないのかと言えば当然そんなことはなく、にもかかわらず、それまで「女性が自分のカラダに取り組む空間」というものが社会のなかになかった、もしくは非常に少なかったんです。ジェーン・フォンダと彼女のフィットネスビジネスを仕掛けた人たちの慧眼は、そのことを踏まえた上で、「社会のなかにそれがないならつくってやれ」と考えるのではなく、むしろ「家でできるようにしてしまえ」と考えたところです。

——ああ、なるほど。そもそも家事に縛り付けられている女性は外にワークアウトに行く時間もないでしょうしね。

うまいですよね。外でみんなの前でワークアウトさせないやり方を取ることで、結果的に「こっそりやりたい」とか「人に見られたくない」といった心情に訴えたかたちにもなりましたし、ビデオを通じたワークアウトは、なによりも「自分がやりたいときに、やりたいようにやる」というメッセージを広く行き渡らせました。

これは、ジェーン・フォンダという人が70年代のフェミニズムの闘士※4のひとりだったことを考えるとソシオポリティカルなコンテクストにおいても大きな意義をもっていたとも考えられます。大げさな言い方をするなら、「スポーツジム」という空間や「カラダを鍛える」という行為の意義が、男性原理の「ボディビルディング」だったのが、そこから女性原理による「フィットネス」へと転回していく大きな契機でもあったということなのかもしれません。

——ははあ。でも、その転回が意味するのは、どういうことなんでしょう。

※2 ※3 ※4

これは最近流行りの「ウェルビーイング」ということばを考える上でも重要な転回なのではないかと思うのですが、「ボディビル」は、それが競技になっていることからもわかるように、優劣の物差しが単一で明確に存在するゲームなんですね。つまり「パーフェクト」もしくは「100点満点」が存在しているものです。

ですから、その「100点」を目指してせっせと肉体を改造していくことになるわけですが、人間の身体というのは工学機械ではないので、100点という状態を単一の物差しで規定するのが、本来は難しいはずです。

また「100点満点」があってみんながそこを目指さなくてはいけないゲームが優勢になると、人は100点からの差分、つまり減点分で規定されることになっていきます。人がジムに行くのが恥ずかしいと思うのはなぜかと言えば、このゲームがハナから自分の減点にばかり目が向く構造になっているからです。

——なるほど。

ところが、そこに「フィットネス」ということばが入ってくると価値の転倒が起こります。つまり「ビルド」から「フィット」に価値が移行するわけです。

「フィット」というのは「洋服がカラダにフィットする」といったときのフィットですから、「最適」とか「ぴったり合う」という意味ですよね。自分を自分に最適化するということなんです。

そうすると物差しは人の数だけ出てくることになりますから、「競争」の概念が消えてしまいます。

さらに言えば「フィット」は、100点を目指すというよりも「プラスマイナスゼロの状態」を目指すものですから、そこでは「バランス」とか「調和」といった概念に、より重きが置かれるようになっていきます。

——「家でやる」というのも、まさにそのことと符合しますね。自分の都合のいいときに、自分にとっていいやり方で、自分のカラダの面倒を見てあげる、ということですもんね。

これはまったく関係ない話なのですが、カート・ヴォネガットというアメリカの大作家が、「人間の欠陥は、みんなつくりたがるばかりで、誰もメンテナンスをしようとしないことだ」といったことを書いているとどこかで読んだのですが、この問題意識は「ビルド」と「フィット」の価値観の違いをうまく言い当てているような気がします。

――「フィット」はすなわち「メンテナンス」だということですか。

おそらくヴォネガットは、機械や制度などの人工物をめぐるビルドやメンテナンスを問題にしたのだと思いますが、ましてカラダという、そもそも「ビルド」できないものにそのことばを当てはめてみると、カラダというものを「ビルド」の対象としていたそれまでの価値観の不自然さは際立ちますよね。フィットネスというのは、日々刻々と変わり続けるカラダをメンテナンスすることが本質なんじゃないかと思うんです。農業やガーデニングなんかに近い行為と言いますか。

――ヨガとかピラティスとか、その後人気になるようなプログラムは、たしかにそうしたメンテナンス的なところに主眼を置いたものが多いですね。ちなみに『ビリーズブートキャンプ』は、どっちなんですかね？

どうでしょうね。どちらでもあるのがヒットの要因かもしれません。というのも、自分にとって調子のいいカラダになればいい、と心では思っていても、いい具合にシェイプアップできちゃったりしますと、どうしても人に見せたくなったりもするでしょうから、「自分のため」だけだと長続きしないということもあるのだと思います。そうした自尊心というか競争心や虚栄心みたいなものを燃料にしないと人はモチベートされない、というところをないがしろにもできませんよね。

――ですね。

ワークアウトのビデオはそういう意味でも面白いものです。ビリーなりジェーンなりが師範代としてひとりでワークアウトしているだけでも良さそうなものを、あえてたくさんの人と一緒にワークアウトするじゃないですか。しかも、上級者から初心者まで色々いますよね。あれはやっぱり観ている人が、自分より下の人間を見て安心し、自分より上の人間を見て発奮するという心理的な効果を狙ったものだそうで、「オンラインワークアウトの心理的・社会的メリット※5」（The psychological and social benefits of online workouts）という記事では、ワークアウトをする人たちの心理的な綾を神経科学の専門家が解説しています。

――「自分と同じように苦闘している人を見て『あの人にできるなら私にもできる』とモチベートされる人もいれば、素晴らしくフィットな人を見て『すげえ』とやる気をだす人もいる」というあたりですね。

はい。その一方で、こうしたグループエクササイズの問題点も指摘されていまして、「はりきりすぎたり無理をしたりして怪我する人も多い」というリサーチ結果も紹介されています。

――〈Field Guides〉内の最後の記事は、まさに「ケガなく在宅ワークアウトをする方法：専門家が解説※6」（A fitness experts' guide to avoiding injury while working out from home）という記事です。

いいカッコをしようとしてしまうんですね、どうしても人は。とはいえ、もちろんグループでやることの効能というのもありまして、それは必ずしも競争原理の導入によるモチベーションの向上だけではありません。

――そうなんですね。

新型コロナウイルスによるロックダウンという状況のなかで、ホームフィットネスが大事なイシューだとされているのは、いかに身体的にフィットであるかという問題だけでなく、人と会えなくなっているという問題もあるからです。

フィットネスジムやヨガスタジオは、単なるカラダの「メンテナンス工場」ではなく「社交場」でもあるということですが、先に挙げた「オンラインワークアウトの心理的・社会的メリット」では、リモート化したリアルタイムフィットネスプログラムに、いかにソーシャルな機能を盛り込むかをめぐるサービスプロバイダーの試行錯誤の例が取り上げられています。

また、「COVID-19によって小規模なローカルフィットネススタジオは大規模なジムチェーンよりも優位になる※7」(The edge local fitness studios have over big gym chains during Covid-19) という記事では、大手チェーンではないローカルなヨガやダンススタジオなどのサバイバルの物語が綴られていますが、ここでのメインのトピックは、やはり「コミュニティ」です。

——そうですね。

記事の締めはこんな文章です。

「多くの人にとって、フィットネススタジオは精神的な逃げ場でもある。それが家で行われることで、人はより素の状態になる。弱さがさらけ出され、恥ずかしさもあるけれど、それが終局的にはより深いつながりへと変わる。同時にそれはこれまでフィットネスクラブに及び腰だった人たちにも扉を開く。こうしたさまざまなつながりがあるからこそ、人は、状況が変わってもフィットネスクラブに通い続ける」

——ちょっと泣けちゃいますね。

実際、初めてオンラインでプログラムをやったときに、参加者が泣いていたというエピソードなどが紹介されていますが、社交場としてのフィットネスジムというのは、とても大事な観点ですよね。

毎日ジムに通っていた高齢の父親がロックダウンで行けなくなって困っているという話を、私も知人から聞きましたが、高齢者にとっては、ジムだけが社会との接触回路という場合もあるでしょうから、それが絶たれることは大きな問題ですよね。それは体のメンテナンスというよりメンタルのメンテナンスに関わる問題です。

——心身双方のメンテナンス空間としてのフィットネス。

空間ということで言いますと、コロナによって明らかになった面白いことのひとつは、リアル空間がシャットダウンされたことで、空間とサービスとが明確に切り離されてしまったことです。

——と言いますと？

例えばこれまでのレストランは、空間とサービスが一体になっていましたよね。でも、お店という空間がシャットダウンされてしまい、それでも何らかの方法でビジネス

※5 ※6 ※7

を継続させられないかと考えたら、デリバリーをやるしかなくなり、結果、空間の価値に依存しないやり方で、自分たちのサービスを見つめ直さないといけなくなります。

病院もいい例ですが、例えばPCR検査は、病院という不動産をもっていなくても、ポップアップで展開できるサービスであることが明らかになったわけですよね。移動できない設備が必要なサービスは別ですが、そうでないものについては、お客さんにわざわざある特定の場所に来させるのではなく、お客さんがいるところに出向いてサービス提供することがもはや可能なわけです。

こうしたサービスのモバイル化／ポップアップ化はコロナ前から進んでいた趨勢ですが、コロナによって一気に進行しました。そうしたなかで、例えばライブハウスのような空間も、いま一度自分たちのサービスの立脚点を見直すことを迫られているはずです。

それとまったく同じように、フィットネスクラブがオンライン化したことで自分たちのサービスの本質を再発見しているということが今回の〈Field Guides〉の主題なのだと思います。

——自分もホームフィットネスやってみようって気になってきました？

「いますぐ自宅で試したいフリートライアル※8」(Our favorite free trials for home workouts to try right now) という記事は、フリートライアルできるおすすめワークアウトの紹介記事で、ざっと見てみましたが、個人的には厳しそうですね。

——そうですか。「コミュニティ感」を欲したりはしません？

基本人見知りなので、あまりそういう欲求もないんです。でも、一時鍼灸院に通ってたことがあって、別に誰と仲良くなるわけでもないのですが、カラダのあちこちに不調を抱えた人たちが、それこそスポーツやダンスをやっている若者からお年寄りまで待合室に集まっていて、それはなんかとてもいい感じだったんですよね。

——いいですね。

自分はさいとう・たかをの漫画でもっぱら知っているだけですが、池波正太郎の『仕掛人・藤枝梅安』

では、待合に人が集まって和気あいあいとやっている光景が折に触れて出てきて、それを見るにつけ鍼灸院ってのは社交場なんだなと感じます。身体のウェルネスとメンタルのウェルネスがちゃんとリンクしているんですね。そうしたメンテナンス空間は、これからの社会において欠くことのできない重要なものではないかと思います。

——でも、鍼はオンライン化が難しいですね。整体とかマッサージとかもですが。

電話やSkypeで遠隔で整体をしてくれる先生がいるという話を聞いたことありますよ。めちゃくちゃ効くらしいです。画面越しに気を飛ばすらしいのですが。この話、ご興味あります？

——いや、大丈夫です。

※8

Field Guides を読む #3

The home fitness boom

May 10, 2020

https://qz.com/guide/fitness-boom/

◉フィットネスの未来は「ホーム」にあり
The future of fitness is at home

◉いますぐ自宅で試したいフリートライアル
Our favorite free trials for home workouts to try right now

◉ホームフィットネス小史：紀元前６００年から現在まで
A short history of home fitness, from 600 BC to today

◉オンラインワークアウトの心理的・社会的メリット
The psychological and social benefits of online workouts

◉COVID-19によって小規模なローカルフィットネススタジオは大規模チェーンよりも優位になる
The edge local fitness studios have over big gym chains during Covid-19

◉ケガなく在宅ワークアウトをする方法：専門家が解説
A fitness experts' guide to avoiding injury while working out from home

#4

The virtual conference reboot

May 17

ビデオカンファレンスの混線

何かを決定する。新しい情報を共有する。
みんなで考える。とりあえず儀式として集まる。
さまざまな目的がごっちゃになって
いままで会議というものが行われていたのだとすると
オンライン化によって、それらを明確に定義する
必要が出てきているのだと思います。

——今回のお題は「ビデオカンファレンス」です。「Zoom疲れ」なんてことが言われていますが、いかがですか？

いやあ、ぐったりしちゃいますね。

——何が問題なんでしょう？

なんでしょうね。パンデミックの初期、みんながリモートワークになり始めたころに大手企業の方に聞いたところ「いらない会議がなくなった」と喜んでおられたのですが、Zoomで会議をやり続けていてわかってくるのは、もしかしたら「会議そのものがいらないんじゃないか」ということかもしれません。

——というと。

これはもともとそうだったわけですが、結局会議で発言している人って、だいたい数人じゃないですか。何か重大なことが決定される場だとしても、そもそも意見を言っている人は数人しかおらず、Zoomの場合、その他大勢はマイクもカメラもオフにしているだけですよね。つまり、ビデオ会議だと、よりいっそう「話し手」と「聞き手」の線引きが明確になってしまうんですね。会議の目的にもよりますが、そうなってきますと「聞くだけの人、ほんとに必要？」となってしまいそうです。

——そもそも、会議ってなんのためにあるんでしょうね。

所詮は儀式、というならそれはそれで大事なことだとも思うのですが、それが「儀式」なのであればなおのことオンラインに向いていないのかもしれません。

——ふむ。

そもそもSlackのようなオンラインワークスペースやZoomのようなビデオカンファレンスサービスの設計思想は、ITエンジニアの業務管理から出てきているもののように感じます。高速で膨大な情報処理を、チームとして効率的に行うことを背後に目標としてもつ、高度な分業体制をマネージするためのシステムですから、そのことと「ワーキンググループでフラットにわいわいやる」といった「クリエイティブな創発」のイメージは、実際真逆のものである可能性もあるのではないかと思わなくもないのですが、そのあたりが混在していて、ちょっとよくわからなくなってくるところはありますね。

――リモートワークの良さは、ある部分では、みんながフラット化して、分散的に業務を遂行できるところだともいわれています。

効率化と創発性の増大の両方の側面があるというのは事実だと思います。ただ、それって結局のところ、その組織がそもそもどういう文化なのかによって、アプリの構造自体がもっている良い面と悪い面とが違ったかたちで拡張されて表出しちゃうのかなとも思います。

――なるほど。

ちょっと話が逸れるかもしれませんが、リモートワークに関してはこんな話がありまして、「電気代がもったいないから、できるだけ会社に来るな」と、例えばこういうお達しが会社から来たりするわけですね。

――ははあ。

もちろん外出自粛になって会社としても生産性が下がっているわけですから、余計な支出はできる限り抑えたいというのはその通りだと思うのですが、とはいえ「リモートワーク」って言っているわけですから、業務はしているわけですよね。ところが、その間の電気代や通信費、その他諸々の諸経費は、家計サイドの負担になってしまうわけです。

――ロックダウンのなかで家庭内の水道代や光熱費、あるいはトイレットペーパーの消費量が上がっているなんていうぼやきは聞きますね。

面白いなと思うのは、例えば、自分が一生で使うトイレットペーパーのどの程度が「自腹」なのか、なんてことを考えさせられてしまうところですよね。

——言われてみればそうですね。

実際、どれくらいなんでしょうね。下手すれば半分くらいになるのかもしれませんよね。そう考えると、ここで重要なのは、実は色んなライフラインが社会のなかに埋め込まれていて、必ずしも全部が全部、自己負担にはなっていなかったということです。

ところが、会社がストップして外出しなくなると、トイレットペーパーを含め、あらゆる経費がすべて自分の負担になるのですが、実際そうなってみると、とてもじゃないけどいまの給料では生活が回らないかもしれないということにもなってしまうわけです。

——なるほど。

リモートになっている社員は、自腹で通信環境のアップグレードをしないといけないかもしれないし、自分の業務環境を整えるためにさまざまなソフトやデバイスを自分で買い揃えないといけないかもしれません。それを下手すると自己負担でやらないといけない可能性があるということですが、そうした「業務遂行能力」が、単にデバイスや技術環境の問題としてだけでなく、「そもそもの人としての能力」自体に振り向けられてしまう可能性もあります。設備投資から能力開発まですべてが自己責任、という世界です。これはあとで挙げますが、これからはどんな職業であれ「優れたYouTuberになること」が重要とされるようになってくると言われますが、これも全部自己投資でやれ、が前提となっています。

——イヤな感じになりますね。

そうなんです。ある外国の方が、こういうツイート[※1]をしていたのですが、これは本当に危惧すべきことだと思います。

「CEOたちがリモートワークを称賛し、事態終息後もオフィスはいらないなどと言うとき、彼らは会社の不動産コストを従業員たちの家計のなかに埋め込もうとしている」

——怖いですね。

これまでフリーランサーとして生きてきた人たちは、そもそも自分のトイレットペーパー代は「自腹」で賄うことができるように家計を設計してきたはずですから、「そんなの当然だろ」と感じるとも思いますが、会社勤めの人はそうではないわけですよね。
「フリーランス化社会」というのは、そうやって外部化されてきた諸経費を、これからは自分で賄えという意味でもありますから、それがもたらすとされるバラ色の未来像をうかつに鵜呑みにはしないほうがいいのかもしれません。特にリモートによって新たなツールやスキルが仕事の要件として求められるときには、なおさらだと思います。

——ほんとですね。

話がだいぶ逸れてしまいましたが、今回の〈Field Guides〉でそういったことがあまり問題になっていないのは、アメリカの企業が明確なジョブディスクリプションをもった、厳密な分業体制で会社組織が編成されているからだろうと思います。自分の持ち分が決まっていて、それさえやればあとは何でもいいということですから、リモートになろうがならなかろうが、働き方も評価の方法もあまり変わらないのではないかと思います。

——そうだとすると今回の〈Field Guides〉は何がテーマになっているんでしょう。

今回の〈Field Guides〉は、イベントをオンライン化する話と社内会議のオンライン化の話とが並走していて、やや混乱を招くものなのですが、この混乱は「カンファレンス」ということばが示している中身を、私たち日本人がうまく飲み込めていないところに起因するのかもしれません。
ＴＥＤやＣＥＳといったリアルイベントのオンライン化と、「ビデオ会議をうまくやる」といった話が同時に並んでいるのはどういうことかといえば、これは今回の〈Field Guides〉の最後にある「プロフェッショナルなテレカンの舞台をこしらえる[※2]」(How to set the stage for a professional teleconference)を見ると明らかなのですが、ここで言っている「カンファレンス」というものが、基本、オンラインでプレゼンテーションすることを主に指しているということなのではないかと思います。ですから、それを「会議」ということばとし

※1　※2

て理解してしまうと、だいぶズレがあるわけです。ここではテレカンは、「プレゼンテーションをする場所」という前提なんです。

——言われてみれば、たしかに「カンファレンス」っていうことばの意味をよくわかっていないかもしれません。この記事を見てみると「よりよいテレカン」のティップスを授けているのが、YouTuberだったりします。

つい先日、LinkedInの日本代表の方のインタビューで「全管理職、1人YouTuber時代になる」という記事[※3]を見かけたのですが、これと同じことを中国の小学校のリモート授業の様子を見たときにも思いました。つまり学校の先生はこれからすべからく「YouTuber」にならざるを得ないということですが、これからは企業においても同様のことが起きるんですね。記事から引用させてください。

「なぜ、管理職がYouTuberなのかというと、リモート環境では、コミュニケーション能力やナラティブ（語り）のスキルをより求められるからです。コミュニケーションの場面が限られる中で、メンバーの気持ちを引きつけ、ゴールに向けて引っ張っていくには、それこそ、管理職は人気YouTuber並みの話力が必要。実際に、常日頃からテレカンファレンスでリモートワークをしている、いわゆるグローバル企業のエグゼクティブは、むちゃむちゃ話がうまいんですよ。リンクトインの役員もみんな『芸人か!?』というぐらい。CEOのジェフ（Jeffrey “Jeff” Weiner）は一番すごくて、もう完全に『サタデー・ナイト・ライブ』」

——へえ。SNL並みですか。すごいですね。

ここからわかるのは、「カンファレンス」というものがそもそもパフォーマティブな何かであって、じっと部屋にこもってみんなで熟議する、というものとはだいぶ印象も内実も違うのではないかということです。そうした観点から言えば、たしかに「みんながYouTuber」というのは、その通りで、かつ「TEDに学ぼう！」となるのも腑に落ちなくはないわけです。

——ちなみにTEDの記事はどういうものなんですか？

ＴＥＤを題材にした「ＴＥＤ初のバーチャルカンファレンス、その裏にあった過激な実験※4」（The radical experimentation behind TED's first virtual conference）という記事と、「コロナ後のミーティングの未来※5」（What the future of meetings will look like after coronavirus）という記事は、いわゆる「カンファレンスビジネス」のこれからがテーマでして、ここで語られるのは「人を集めることがビジネスの根幹」にある企業は、今後どうしていくのかということです。

——どうなるんですか？

ＴＥＤに関する記事のなかでファウンダーのクリス・アンダーソンは、「われわれのビジネスはカンファレンスビジネスで、そのキモは人を集めるということで、それはつまるところ人がつながり、コミュニティをつくっていくということ。人を集めることができなければ、商売は上がったりだ」と語っています。ですから、コロナによって損なわれるのは、コンテンツ価値ではなく、むしろコミュニケーション価値であることがわかります。

——ふむ。

4月22日に5時間にわたって開催されたオンラインＴＥＤを観た記者は、「オンラインになった途端、そのトークの緊急性や必要性が伝わってこなくなってしまう」と評しています。それは、会場の全員が「そうだそうだ！　その通りだ！」と盛り上がってスタンディングオベーションになるような感覚を、オンラインだとどうしてもつくりにくいからなんでしょうね。

語られるストーリーに対する「緊急性」や「必要性」を、それぞれの観客が自分なりに探らなくてはいけないわけですから、家でゴロゴロしながら観ていれば、Netflixのドラマの続きのほうがどうしたって緊急性が高くなってしまいます。

——自分がよほど興味あるテーマなら別でしょうけれども、別にライブで観なくてもアーカイブ動画で十分でしょうし。

ユーザーの側から見ると、コンテンツのオンライン化はオンデマンド化とセットでないとあまり意味がないわけです。自分でもたまにライブ配信をやりますが、そのたびに必ず受けるのは「アーカイ

※3　※4　※5

ブ化されますか？」という問い合わせです。実際のところ、「そのときにどうしても聴かなくてはいけない／観なくてはいけない」ものってそんなにないんですね。強いて言えばスポーツくらいで、音楽のライブにしても、コンテンツを享受するだけだったら、いま観ようが明日観ようがどちらでもいいわけですし、むしろそうであるほうが多くの人にとってはありがたいはずです。

――それは、さっきの「全員がYouTuber」という話とつながるかもしれません。YouTubeの最大の魅力はやはり、そのオンデマンド性でしょうから。

プレゼンテーションをオンライン化するのであれば、「あとで観ておくからYouTubeにアップしておく」でいいはずなので、リアルタイムでやることの意味は何かということは同じように問い返されることになります。そう考えると、リアルタイムであることの意味というのは、やはりコミュニティという論点と関わりそうです。

――TEDの記事の最後の締めの一文がまさに、そう書いていますね。「最高の集会をつくりあげるのはコンテンツだけではなく、コミュニティなのだ」。

同じようなことは先の「コロナ後のミーティングの未来」でも書かれています。「バーチャル環境に放りこまれたことで、人とつながりコラボレートすることがいかに重要かが再発見されつつある」と「360 Live Media」というイベント企画制作会社のUXデザイナーが語っています。

つまり、イベント、あるいはカンファレンスやミーティングといったものの意義の再定義が必要で、リアルとバーチャルに応じた機能の使い分けとその見極めが重要になってくるということなんでしょうね。

――やはり、冒頭で話されていたように、「会議ってなんだっけ？」というところに帰ってきちゃうわけですね。

そうですね。今回の〈Field Guides〉にはエドワード・スノーデンに関する「エドワード・スノーデンはテレカンの達人※6」(Edward Snowden has mastered the art of teleconferencing）という記事がありまして、台湾のIT大臣オードリー・タンにも言及しながら、彼らがいかに「テレスピーカー」として優秀かを語っていますが、これもあくまでコンテンツとしての「カンファレンストーク」に主題があります。これを一般に向けて「みんな参考にすべし」とされているのは、カンファレンスというものがいかに「プレゼンテーションの場」であるかを表しているわけですが、TEDの話を参照するなら、その一方で、会議は「人をコネクトしコラボする場」でもあるわけです。

——はい。

「会議」というのは、今回の〈Field Guides〉を見るにつけ、まずは前者の要素がとても強いと少なくともアメリカでは理解されているわけですから、「なんでもZoomでやる必要はない※7」(There's no reason to use Zoom for everything) で紹介されているZoomやその他のサービスも、まずは「リモートプレゼンツール」として理解されていることをやっぱり間違わないほうがいいのかなと思います。

冒頭で言いましたように、Zoom会議が明確にスピーカーとリスナーの区分けがあるようなものになってしまうのは、そもそもカンファレンスというものがもっている「プレゼンテーション＝コンテンツ」の側面にフォーカスがあるからで、そのときにまず考えるべきは、それが本当にリアルタイムである必要があるのかということだろうと思います。

逆に、それが「つながりやコラボレーション＝コミュニケーション」を促進する目的で行われる会議なのであれば、むしろここで紹介されたようなツールは向いていない可能性があるということにもなります。

——オンラインコラボツールみたいなものは、それはそれで別にありますしね。

はい。ですから、やはり「会議」というものの意義を都度明確化する必要があるということなのだと思います。何かを決定する。新しい情報を共有する。みんなで考える。とりあえず儀式として集まる。そうしたさまざまな目的がごっちゃになっていままで会議というものが行われていたのだとすると、オンライン化によって、それらを明確

※6

※7

に定義する必要が出てきているのだと思います。それを認識しないまま、これまでと同じような感覚で「会議」をしてしまうと、冒頭に言ったようなおかしな評価がまかり通ることにもなりかねません。

重大なことを決定したり交渉ごとをしたりするなら少人数でやるとか、誰かの意見を拝聴するだけなら録画にしてみんなに配信するとか、そうした用途ごとの線引きをきちんとしないとですよね。

——同期か非同期か、コンテンツかコミュニケーションか、といったあたりが、うまく棲み分けをするためのパラメーターになりそうですね。

おっしゃる通りですね。

Field Guides を読む #4

The virtual conference reboot

May 17, 2020

https://qz.com/guide/virtual-conference/

●バーチャルカンファレンスの実験的ランドスケープ
The new experimental landscape of virtual conferences

●コロナ後のミーティングの未来
What the future of meetings will look like after coronavirus

●なんでもZoomでやる必要はない
There's no reason to use Zoom for everything

●TED初のバーチャルカンファレンス、その裏にあった過激な実験
The radical experimentation behind TED's first virtual conference

●エドワード・スノーデンはテレカンの達人
Edward Snowden has mastered the art of teleconferencing

●プロフェッショナルなテレカンの舞台をこしらえる
How to set the stage for a professional teleconference

●次のオンラインプレゼンで秀でるための方法
How to ace your next online presentation

#5

Global trade, rerouted

May 24

グローバルトレードの袋小路

「これまでサプライチェーンは秘されてきたものだが
それは永遠に変わるだろう。
自分が手にしている製品にどのような人たちが関わっているのかを
人びとはもっと知ることを要求するだろう」

——いかがお過ごしですか？

うーん。だいぶ暇になってきました（笑）。

——そうなんですか？

新しい仕事は入ってこず、コロナ前から動いていた仕事は片付いてしまいました。

——そうですか。今後が心配ですよね。それはそうと「Quartz」も大変そうですね。「80人レイオフ」と「The New York Times」に出ていました※1。

——そうなんです。日本版はいまのところ影響はないそうですが、海外を見ると、それこそ「WIRED」や「VOGUE」をパブリッシュしているコンデナストやVICEやBuzzFeedなども苦しそう※2です。

広告収入が激減したらメディアは相当厳しいことになりますよね。自分が「WIRED」時代に関わっていたコンデナストは、ファッション広告でビジネスを成立させてきた会社ですから、ファッション業界がストップしてしまったら身動きが取れなくなってしまうことは想像できます。

——今回の〈Field Guides〉のテーマとも関係しそうです。

まさにそうなんです。

——今回は「グローバルトレードの袋小路」というお題で、医薬品、肉、ハンドサニタイザー、そしてジーンズを題材に、それぞれのサプライチェーンがCOVID-19によって受けている影響を詳細にレポートしています。

どれも面白いものですが、個別の話に行く前に、余談ですが、先日「デザイン経営※3」なるものをテーマにしたオンラインイベントに参加したので、その話をさせてください。

そこで、他の登壇者の方々と議論をさせていただいたのですが、そもそものところで、なぜいま「デザイン」なんていうことばを持ち出して経営のあり方を刷新しなくてはいけないかというところで、いまひとつコンセンサスが取れていない感じがしたんです。

――はあ。

例えばイベント中にこんな質問がありました。「デザイン経営の前はいったい何経営だったんですか」。

――いい質問ですね（笑）。

そうなんです。

――答えは何ですか？

「科学的経営」です。つまり、経営は科学的に計算可能で、計算論的に予測ができるという前提に立っていたのが、これまでの経営だったということが、いま「デザインシンキング」が重視されてきていることの背景になっているわけです。

理屈としては、これまでの「科学的経営」が通用しなくなったから「デザイン」を基軸とした別のやり方が必要だということになっているのですが、デザインの話に行く前に本来であればまず考えなくてはいけないのは「なぜ科学的経営は通用しなくなったのか」ということです。

――計算ができなくなり、予測ができなくなった、その理由ということですよね。

はい。

――何が原因なんですかね。

答えは簡単で「グローバル化」と「デジタル化」です。「グローバル化」と言いますと途端に「自分は関係ないや」となってしまうところもあるかと思いますが、例えば、こうしてみなさんが「Quartz」なんていうアメリカのメディアを日本で読むことができているのも、そもそもがグローバル化の結果です。例えば「WIRED」や「VOGUE」のような外資系メディアが日本でビジネスが成り立つのも、そもそも広告クライアントがグローバル化しているからです。

――そうなんですか。

例えば「VOGUE」日本版のローンチは2000年前後だったは

※3 ※2 ※1

ずですが、このときに同時進行で何が起きていたかと言いますと、表参道にグローバルブランドの直営店がずらりと並ぶことでした。それまで日本での外国ブランドのビジネスは、ほとんどがライセンスビジネスだったんです。

――と言いますと。

ロゴの使用料を払ってくれれば、日本国内で勝手にビジネスしていいよ、というやり方です。昔は、結婚式の引き出物とかで「イヴ・サンローラン」のタオルとか、よく見かけましたよね。

――言われてみれば、ありました。

ところが90年代後半を境にして、各ブランドが、全世界すべてのプロダクトを本国直轄下に置くということが起きるわけです。「直接やるんで」となるんですね。

グローバルブランドの大手で最後までライセンスビジネスを保持していたのは、おそらくBurberryで、Burberryのマフラーを女子高生が平気で身に着けることができたのは、それが日本市場向けに国内でつくられたライセンス商品で、つまり本国のデザイナーが関わっていない商品だったからです。ところが、本国直轄のプロダクトを日本で売ろうと思ったときに、女子高生御用達のマフラーが同じブランド名で売られてるのはまずいわけですよね。同じロゴの入ったタオルやスリッパとか。

――たしかに。

ですから、そうしたライセンスビジネスをバッサリやめるということが起きたのですが、Burberryの「ブラックレーベル」「ブルーレーベル」といったものがなくなったのも、そういった理由からです。

――なあるほど。

さらに今度は、これまでスリッパのブランドだと認識されていたブランドを、本来のあるべきブランドとしてリブートしなくてはいけなくなり、マーケットの再活性化を図るためにはメディアが必要、ということになります。

「VOGUE」の日本進出は、まさにそうしたミッションをもって日本でローンチすることになります。つまりこれは、広告主であるグローバルブランドと二人三脚で仕掛けられたビジネスでして、その後、今度はテック系のビッグプレイヤーが世界を席巻するようになると、その広告費を追いかける格好で、「WIRED」や「Gizmodo」や「Engadget」あるいは「HuffPost」「VICE」といったグローバルメディアが世界進出していくことになります。

——面白いですね。

その延長戦上に「Quartz」のようなメディアもあるのかもしれませんが、何が言いたいかというと、グローバル化というのは、実はとても身近なことだということなんです。個人的な認識で言いますと、それはかなり具体的なかたちで、この20~30年の私たちの生活を変えてきたように思うんです。

先ほどの「デザイン経営」の話に戻りますと、そもそもグローバル化せずに鎖国して生きていけるのであれば、経営のやり方なんか変えなくてもいいわけです。「デザインを経営に入れなくてはダメだ」という圧がどこから来ているのかといえば、外国企業がすでにそういうかたちでアップデートしちゃっているからで、そこと取引をしようと思ったら、これまでのやり方を変えざるを得ないということなんです。

——大企業になればなるほどそうでしょうね。

さらにグローバル化とデジタル化がセットで起きると何が問題になるかというと、とにかく物事が複雑になるということです。

世界中にサプライチェーンやディストリビューションのネットワークをはりめぐらせるわけですから、やたら錯綜します。そこにデジタル化が覆いかぶさることで情報やお金の流れがめちゃくちゃにスピードが上がってしまう上に双方向性をもつようになりますので、ただでさえ錯綜しているネットワークのなかを、あらゆる方向に向けて情報やお金が動くことになり、基本制御不能になっていきます。

——コントロールができない。

はい。コントロールできないということは計算や予測が意味を失うということですから、これはもう当然、これまでのやり方じゃダメだとなるわけですが、実は今回の〈Field Guides〉では、そのことが繰り返し言及されることになります。COVID-19は、グローバル化・デジタル化した複雑な機構の根源的な脆弱性を明らかにした、ということです。

——はい。

例えば、ジーンズを題材にした「ジーンズの生産現場が伝えるCOVID-19によるファッション業界の荒廃※4」(Jean production shows how Covid-19 has devastated the fashion industry)を見ると、ファッション業界は、中国の衣料資材と、低賃金の途上国での生産に長いこと依存してきたわけですが、ロックダウンで消費が落ち込んで誰も服を買わないという事態になってきますと、当然メーカーの本部は大変困ります。けれども、彼らよりもさらに困るのは、その仕事で日々の家計を支えている、例えばバングラデシュのファクトリーワーカーだったりします。記事のなかには、賃金の未払いをめぐってダッカでデモが起きていることが報じられていますが、現在のビジネスは言うまでもないことなのですが、グローバルパンデミックによってそもそも服が売れないところに、遠い国のデモへの対応もしなくてはならない、そういうものになっているわけですね。

かつ、今回のようなパンデミックが厄介なのは「じゃあ、よそに工場を移すわ」ということもできないところです。

——というのは?

コロナウイルスのリスクは、どこの国に逃げたからといって減るわけでもありません。企業としては、願わくば働き手の補償をしっかりしてくれる国に生産拠点を置きたいと考えるのでしょうけれども、そうなってくると、今度は、各国政権の危機管理能力の当たり外れに左右されてしまいますから、その点でも「どこに行くのが安全か」の算段は不確実性のなかにしかありません。

——政治も経済も文化もつながって、相互に影響しあっちゃうわけですね。

そうなんです。〈Field Guides〉の冒頭で紹介されている「COVID-19は医薬品の中国依存を変えるか※5」(Covid-19 could change how dependent the world is on China for drugs）という動画は、製薬業界がいかに生産を中国に依存しているかを指摘するもので、中国への集中的な依存は、ファッション業界に限らず、どの国、どの業界でも非常に大きく問題視されています。

日本政府も同様でして、「サプライチェーンの強靭化」を謳って中国国外へ生産拠点を移す企業に対する支援※6を打ち出していたりはするのですが、香港の「Inkstone」（South China Morning Post）が日本企業に問い合わせて5社ほどから回答を得た※7ところ、トヨタやLIXILといった企業は、中国国外への移管は考えていないと言うんですね。

――なんででしょう。

それによって自社のプロダクトが中国市場から締め出されてしまうのがイヤだからでしょうか。

――経済の問題でありながら、政治の問題でもありますね。

ハンドサニタイザーに関する記事「ハンドサニタイザーをあまねく行き渡らせるために世界で起きたこと※8」（The global machine keeping hand sanitizer available during Covid-19）で触れられていることですが、台湾とオーストラリアがマスクの原料となるファブリックと、ハンドサニタイザーの原料となるエタノールとを交換する取り決めをしたというのですが、緊急時には、こうした政府レベルの「調達」がないと、いざマスクが足りない、サニタイザーが足りない、となったときににっちもさっちもいかなくなります。

世界のCOVID-19対策を見てみると、行政サービスを展開する上で、物と人の「調達」というのは大きな問題になっていまして、その調達能力が対策の成否を分けたことを思えば「サプライチェーンの確保」はビジネスに限らず、国にとっても重大な問題であるわけです。

――アベノマスクとか、まさにそうですよね。

原材料の調達から分配の仕組みまでを一気通貫で、短期間で整備しなくてはならないということになりますので、「アジャイル」な動きが必要ということになりますが、これを実現するためには政府だけでなく、末端の生産工場まで

※4　※5　※6　※7　※8

もが、そうした動きに対応できなくてはなりません。
　ちなみに、アベノマスクをめぐって起きたことは何も日本だけに限ったことではなく、アメリカなどでも起きています。政府が発注したのがどうにも怪しいトンネル会社のような業者だったとか、そういったことが頻出しています。加えて、メディアや世論からの批判も日本に似ています。
「世界はわれわれを哀れんでいる」「第二次大戦時に毎時8機の戦闘機をつくれた国は、いまや全国に十分なマスクを行き渡らせることすらできない」「わが国の対応はロクなインフラも行政府もなくリーダーは頭が悪すぎるか腐敗しすぎで、ベラルーシかパキスタン並みだ」。これは「The New York Times」のコラム※9からの引用です。

――どこも似たりよったりなんですね。

　今回の〈Field Guides〉で何度も触れられていますが、こうした緊急時の物資調達のネットワーク＝サプライチェーンを構築するにあたって大事なのは、何よりも「透明性」だとされています。
　マスクひとつを取っても、サプライチェーンがきちんと透明化されずに、どこかで誰かが流通を妨げているのではないかとか、誰かが生産をサボタージュしているのではないかという疑念が生まれるところから買い占めのような事態が起きるのだとすれば、台湾のように、少なくとも市中在庫のありかだけでも透明化されていれば、不安感はそこまで高まらずにすみます。配ると言ったはいいけれど、いつ届くのかもさっぱりわからないというなかに置かれることで、人びとの不信や不安、不満は増大することとなります。

――ＤＨＬなんかのデリバリーで、自分のオーダーした品物がどこにあるのかが見られるのは安心感ありますよね。どこで止まっているのかもわかりますし。

〈Field Guides〉のなかでは、COVID-19によって明かされたのは「いかに自分たちが脆弱なサプライチェーンに依存して生きているのかを一般市民の多くが悟ったことだ」と書かれています。そうであればなおのこと、透明性は大事です。
「コロナ禍で見直されるグローバルサプライチェーン※10」(Coronavirus

is a moment of reckoning for global supply chains）では、製造・ロジスティックを研究する大学教授が、企業内においても「サプライチェーンの透明化が鍵」と語っていますし、サステイナブル・サプライチェーン・プログラムを主導しているMIT教授は、「これまでサプライチェーンは秘されてきたものだが、それは永遠に変わるだろう。自分が手にしている製品にどのような人たちが関わっているのかを、人びとはもっと知ることを要求するだろう」とも語っています。

――なるほど。今後、「サプライチェーンの強靭化」がビジネスにとっても行政にとっても大きな課題になっていくのだとすると、自国で完結させるということが重要になってくるんでしょうか。

どうでしょう。「COVID-19はこの先何十年のアメリカ人の肉の食べ方を変える[※11]」（Covid-19 could change how Americans eat meat for decades）はアメリカの食肉業界が受けている打撃を問題にしていますが、自国内で完結してはいながらも、食肉工場がホットスポットとなってしまったことで、食肉流通が20％も減るほどになってしまったといいますから、自国で供給を完結できたならそれでいいのか、というのは必ずしもそうではなさそうです。

――何が問題だったのでしょう。

アメリカの食肉の80〜90％が、たった4社に依存していることが指摘されている根本の問題です。長年の効率化の波のなかで経営統合が進んだことで、効率よくビジネスができるようになったことと引き換えに耐性が損なわれてしまったと食肉業界の人物がインタビューに答えています。

さらに深刻なのは、こうした経営統合によって、それまでもっと分散的に編成されていたサプライチェーンがズタズタにされてしまい、オルタナティブなオプションがないという指摘です。

「数多くの優良な生産者が、経営統合のなかでビジネスを絶たれてしまった。一度失われたものを復活させるのはとても困難だ」

――深刻ですね。

「一極集中は効率はいいが脆弱だ」というのが結論になってしまいそうです。

※9 ※10 ※11

――「自立とは依存先を増やすことだ」ということばを聞いたこともあります。

当事者研究の第一人者の熊谷晋一郎先生のことば※12ですね。おそらくその通りなのだと思います。加えて、COVID-19が明らかにしたのは、先ほどもお話ししたように「こっちがダメなら、こっちに移す」ということでは脆弱性は解消しないということです。

その発想を根幹で支えている「安さ」と「効率性」を求めて世界中、あるいはアメリカの食肉業界でいえば、アメリカ中をさまよい外部をひたすら資源化して食いつぶしていくやり方そのものが、結局のところ問題なのではないでしょうか。

――いい加減「もっと安い外部」もなくなりつつありますしね。

ジーンズの記事のなかでは、グローバルブランドが生産拠点を中国から東南アジアに移す計画や、大きなマーケットに近いところに生産拠点を移す「ニアショアリング」の計画も紹介されていますが、これだけでは原材料の中国の一極集中依存という根本問題は解決されません。

そうしたなかNikeやAdidasやH&Mが、関係工場や施設をただの下請けとみなすのではなくブランドにとっての真正のパートナーとしてその関係性を再構築するという手立てを打っていることが紹介されています。工場にきちんと投資し、戦略ゴールをともに共有していくようなやり方ですね。

――いいですね。

これはおそらく先ほどお話しした「透明性」に関わることだとも思います。サプライチェーンに関わる主体すべてをインクルード（包摂）し、ステークホルダーとみなし、ビジネス全体にコミットしてもらうことで、サプライチェーンを強靭化するということです。そうしていかないと、ネットワーク内での情報共有もきちんとできません。

――ほんとですね。

そもそも、サプライチェーンといったときの「チェーン」ということばが、もはや時代に適さないのかもしれません。鎖ということばは何かを強制的につなぎとめておくという響きがありますし、1本の線としてどこかの1点につながっている直線的なイメージもあります。加えて、鎖はひとつが切れると線が分断されてしまいます。

20世紀型のサプライチェーンを構成してきたのは、末端は隣の人が何をしているかもわからず「中央」だけが全体を把握している官僚制の分業機構でしたが、これからは「サプライネットワーク」とでも呼ぶべきものへとシフトしていくのかもしれません。危機においてもさまざまな迂回や伸縮ができるような、柔軟で透明化されたネットワークを、ステークホルダー全員で保持していくという発想が大事になってきそうです。

――「オープンイノベーション」なんていう考え方は、そもそもがそういうものですよね。

「デザインシンキング」「デザイン経営」の話に戻すなら、関係企業や顧客との関係性や人材やアイデアの「調達」を、より柔軟でレジリエンスの高いものとしてデザインし直そうというところにその本質があるわけです。

結果として見れば、今回の危機のなかで強い耐性を見せた組織は、そうしたアップデートをきちんとやれていた組織だということになりそうです。

――ほんとですね。

ハンドサニタイザーの記事のなかには、サニタイザーの生産に素早く乗り出したビール工場が紹介されていますが、状況に合わせて臨機応変、融通無碍に対応できる有機的な調達・生産・デリバリーの仕組みをつくっていくことが、遠回りのように見えて、むしろ「強靭化」への近道なのかもしれません。

※12

Field Guides を読む #5

Global trade, rerouted

May 24, 2020

https://qz.com/guide/trade-rerouted/

- COVID-19は医薬品の中国依存を変えるか
  Covid-19 could change how dependent the world is on China for drugs
- コロナ禍で見直されるグローバルサプライチェーン
  Coronavirus is a moment of reckoning for global supply chains
- COVID-19ワクチンの生産には非常手段が必要だ
  We'll need extraordinary measures to produce a Covid-19 vaccine
- COVID-19はこの先何十年のアメリカ人の肉の食べ方を変える
  Covid-19 could change how Americans eat meat for decades
- ジーンズの生産現場が伝えるCOVID-19によるファッション業界の荒廃
  Jean production shows how Covid-19 has devastated the fashion industry
- ハンドサニタイザーをあまねく行き渡らせるために世界で起きたこと
  The global machine keeping hand sanitizer available during Covid-19

#6

Netflix's next stage

May 31

ネットフリックスの期待値

サブスクリプションビジネスは、期待値のビジネスなんです。
視聴者が毎月お金を払い続けるのは
「自分が観たいと思うものが今後も観られるはずだ」と思うからで
その期待が明確であればあるほど、サービスとして強いはずです。
もちろん、そこには過去のアーカイブも含まれますので
期待値ということで言えば、Disneyは最強ですよね。

——今回のお題は、若林さんの大好きなネットフリックス（Netflix）です。

そうですね……。

——あれ、もっとノリノリなのかと思ってました。

ノリノリじゃないわけでもないのですが、先日からずっと話題になっている「テラスハウス」の問題が気になっていまして。

——出演者の木村花さんがお亡くなりになった。

はい。番組制作にあたっていたフジテレビが謝罪をしたあと、Netflixは何も言わないのかな、と気にしていたのですが、どうもいまのところ何も出ていないようで、それがちょっと引っかかっています。

——どの辺にですか？

ちょっと遠回りな話になるかもしれないのですが、いまちょうどミネアポリスで黒人男性が警官に殺害されたことを受けて、全米で激しいプロテストが起きていますよね。

——はい。

そのなかで、トランプ大統領のツイートに対してTwitterが表示制限をしたことに大統領が激怒して、大統領令を発動して「つぶしてやる」といった剣幕で脅しています。一方で、Facebookのマーク・ザッカーバーグは、FOXテレビのインタビューに答えて「ソーシャルメディアプラットフォームは『真実の裁定者』であるべきではない」といった発言[※1]をし、リベラル側のメディアが「トランプ寄りの発言だ」と噛み付いています。

——TwitterのCEOのジャック・ドーシーは、逆にそれでちょっと株が上がっていますね。

ここがもしかすると大きな分岐

点になるかもしれないなと思うのは、これまで「メディアプラットフォームはニュートラルな存在で、そこで発せられたコンテンツの責任は一方的にコンテンツメーカーの責任」としてきた、プラットフォームというものの建て付けや考え方が、もはや保持できないようになっているように見えるからです。極端なことを言ってしまえば、いまプラットフォームは「どちらの陣営なのか」の選択を厳しく迫られています。

——右派の Facebook、左派の Twitter といった感じになると。

わかりませんが、トランプ大統領と Twitter のこうした軋轢を見ていると、「ザックは信用できない。FBアカウントを削除しよう」とか「Twitter はつぶれりゃいい」とか、両陣営から反対プラットフォームに対する批判や罵声が飛びかっていますので、プラットフォーム自身がいくら「中立」を装ったところで、受け手はもはやそうは受け取らないという事態が進行しているように見えます。

——どっちがお好きですか？

ザックとジャックならジャックですかね。

——どうしてですか？

ジャックは、一度お会いしたことがあるのですが、スコット・モリソンがデザインした洒落たジーパンをはいて首からライカのカメラをぶら下げている、そういうカルチャー好きな人なんですね。彼が創業した「Square」の理念も好きでしたし。一方、ザックには自分からするとどこにも興味をもてる要素がないんです。あくまでも個人的な見解ですが。といって、Twitter というサービスが大好きかと聞かれたら、そういうわけでもないですが。

——そうですか。

いずれにしましても、パンデミック下での誤情報・偽情報の問題への対応として、Facebook も Twitter も YouTube も、プロアクティブに誤情報を削除するなどの手立てを講じてはいて、これまで以上に社会的責任を果たそうという意志は見えたのですが、そうした意志の発動は、やはりどうした

※1

って理念的なものになってしまうので中立的ではなくなってきます。というのも、いまの言説空間においては確定的な真実というものは存在せず、「パンデミックはビル・ゲイツみたいな金持ちが起こしたものだ」といった言説にしても、それを信じている人たちからしてみれば、それを「誤情報」と断定して検閲することこそが権利侵害になりますし、相対する陣営がいくらそれを「陰謀論だ」と言い募ったところで、相手方は自分たちが納得できるだけの十分な根拠をもっていて、それでもって彼らのなかでは、その情報がメイクセンスしているわけですから、どこまで行っても平行線にしかなりません。

——中立とは何か。難しいですね。

そもそも「中立という立場が存在する」という考え自体がフィクションだったのかもしれないということを明かしたのが「ポストトゥルース」ということばだったとも言えます。

——たしかに。

さらに、いわゆる「プラットフォーム」と呼ばれるものの中立性が後退していくのと同時進行で、NetflixやAmazonといったプラットフォーム企業が、自社コンテンツをどんどんつくるようになりますと、そこには、かなりややこしいダブルスタンダードが存在することになってもいきます。自前のコンテンツが増えていけばいくほど、自分たちの立場というものが明確になっていくわけですから、その立場と「プラットフォームはニュートラルである」という言い分の共存はどんどん困難になっていきます。

——なるほど。

木村花さんの一件で自分が気にしているのは、Netflixが「自分たちはプラットフォームとしてディストリビュートしているだけなので、制作サイドで起きた問題は無関係です」と考えているのかどうかというところです。おそらく契約上はそういうことになっていそうな気もしますが。

——どうなんでしょうね。

「テラスハウス」はもともとフジテレビの制作物だったわけですが、問題になったシリーズは「Netflixオリジナル」ですから、当然Netflixが出資しているはずですし、漏れ聞こえてくる話によれば「Netflixオリジナル」の作品については、データ解析に基づく脚本づくりが行われているとも聞きますので、その視聴データを保有しているNetflixの制作への関与がまったくないとは考えられません。ちなみに、スタッフクレジットを見ますと、Netflixの方がエグゼクティブ・プロデューサーになっています。実際どの程度現場にタッチしていたかは不明ですが、肩書き上は一番偉い責任者のようにも見えますから、今回の事件に関しては、そっと身を隠して嵐が過ぎ去るのを待っているように見えてしまいます。

——データ分析に基づく作品づくりというのは、オリジナル作品制作に乗り出した当初から、かなり注力していたところですよね。

「テラスハウス」が世界でカルト的な人気になったのは、これが、これまでの欧米のリアリティショーとはまったく違っていたからだと言われています。これはたしかプリント版の「NewsPicks」で読んだ記事だったと思うんですが、外国人記者の方が、「『テラスハウス』の面白さはほとんど何も起きないことにあって、派手なビンタ合戦に明け暮れる欧米のリアリティショーに飽き飽きしていた視聴者にとってそれが『チル』だったことが人気の秘密だ」といったことを書かれていて、面白いなと思ったんです。「コンマリ人気」も同じで、要は、日本オリジナルのコンテンツのユニークさは、そのアンチクライマックス性、アンチドラマ性にあるというんです。

——なるほど。

ところが、木村花さんの事件に関する報道を読むと、それがいつの間にか欧米型の演出へとエスカレートしていったとされていましたて、仮にそれが本当だとすれば、そうやってエスカレートを要求する圧がどこからかかったのかは、当然気になりますよね。

——そうですね。

個人的には、もっとアンチクライマックスな方向に進んで、しまいには小津映画みたいになったら本当にカルト化したかもしれないなと思ったりします。

——テレビというものが視聴率の言いなりになってしまったことに対するつまらなさを、Netflixのような新たなチャンネルが風穴を開けることが期待されていたはずなのに、なんだか元の木阿弥という感じもします。

そうなんです。精緻なデータ解析に基づいた作品づくりは、最初はたしかに「すごい!」となったわけですが、個人的には、結局似たような作品しか生み出せない隘路になってしまっているようにも見えます。つまりそれは過去のデータに対する最適化ということなので、必ずしも新しいものを生む契機にはならないんですね。

とりわけ、Netflixについていえば、オリジナル映画にはおそらく「これ」というヒット作がなく、特にエンタメ系の作品ですと、どこかで観たようなシーンがつなぎ合わさっただけのどうにも凡庸な作品が多いように感じます。これが、おそらくは「データドリブンな制作」の限界なのかもしれません。そして、自分が見る限り、Netflixはそのことをよく理解しているはずです。

——そうですか?

これは多くの視聴者が納得するところかもしれませんが、Netflixの持ち味というか魅力は、実はデータドリブンなフィクションではなく、むしろドキュメンタリーや実録モノにあったりするんです。

——言われてみれば。

自分も、Netflixが好きなのは、音楽モノを含めて非常に優れたドキュメンタリーが多いからです。COVID-19によるロックダウン中に世界を席巻した『タイガーキング』などは、まさにNetflixの面目躍如とも言える作品で、結局のところ、いくらアルゴリズムで精緻な物語をつくってみたところで「事実は奇なり」には勝てないんだな、と思わされます。

——ドキュメンタリーは本当に面白いのが多いですよね。

これは実際に数字でも出ていまして、今回の〈Field Guides〉にある、「Netflixのベスト&ワースト番組をチャート化※2」〈Netflix's

best and worst programs, charted）という記事では、Netflix の番組の評価は、ドラマは極端に低く、スタンドアップコメディのライブドキュメンタリーがむしろ高評価で、配信本数も2017年と比べると、ドラマが55％から45％へと10％も減っているのに対し、ドキュメンタリーは15％も増え、リアリティショーを含めると27％にまで増えています。

――ほほう。

一方のフィクショナルなストーリーテリングに関していえば、Netflix の動きを見ていると、ブレイクスルーをもたらすのは、結局は才能のある監督やクリエイターだということになるんだと思います。

――と言いますと。

今回の〈Field Guides〉で一番面白いのは「Netflixの成長にとってフランスが重要な理由※3」（Why France is so important to Netflix's growth）という記事でして、これはNetflixにとってのフランス市場の重要性をレポートしているのですが、ここで問題となっている

「フランスのマーケット」というのは、実はサブスクライバーではなく、クリエイターのマーケットのことを指しています。

――どういうことでしょう。

Netflix がグローバル化し、世界各国の市場に参入する際に彼らがした約束は、世界中からサブスクライバーを獲得する一方で、アジアなりアフリカなり南米といった、これまでグローバルな視聴者を獲得することのできなかったローカルなクリエイターにグローバルオーディエンスへのアクセスを与え、ローカルな産業の振興に貢献するということでした。これは日本進出の際にも強調されていたことです。

つまり、Netflix は、世界中のクリエイターをエンドースするというミッションももっているわけでして、実際に Netflix を通じて視聴者も初めてフィリピンのアクション映画や南アフリカのドラマ、ブラジルのドキュメンタリーといったものにアクセスすることができるようになりました。さらに、そのことによって、おそらく自国産業の標準を超えるような制作費がローカルなクリエイターにもた

※2

※3

らされているはずです。これはものすごくポジティブなことですが、逆にそれがこれまでのローカル産業を破壊するのではないかという懸念は常にもたれていまして、その急先鋒がフランスの映画産業なんですね。

——なるほど。

フランスはいまだに世界最多の映画館数を誇る映画大国ですし、伝統と格式においても重要な、まさに聖地です。そして、その中心に位置するメッカとして「カンヌ映画祭」があるのですが、Netflixは長いことここから締め出されてきました。

——どうしてですか?

簡単に言うと、映画館でかからない映画はカンヌ映画祭では対象外ということです。これは、Netflixがオリジナル作品をつくりだした当初からアメリカでも揉めてきた点ですが、いきなり映画館チェーンをすっ飛ばしてオンラインで公開されてしまうと、巨大な映画館チェーンを抱える映画産業としては困るわけです。その一方で、Netflix側がそうした反発に対して強硬な態度に出にくいのは、映画祭などから締め出されてしまうと、優秀な監督を呼び込めなくなるからです。

——たしかにそうですね。

Netflixのような完全にクローズドなSVODプラットフォームに当初からある問題は、Netflixでオリジナル映画を製作しても、監督のフィルモグラフィーにおいて、きちんとした評価が与えられなくなってしまうところです。

——そうなんですか。

自分のようにメディアに関わっている人間からすると、Netflixのオリジナル映画を紹介したり批評したりすることが悩ましいのは、どうしたってプラットフォームの宣伝になってしまうところなんです。シンプルに作家論なり作品論として提出することが難しいように感じます。

——そうなんですね。

あまりうまく言えないのですが、例えばある映画を褒めたとしても、それが「20世紀FOXがすごい！」という話にはならなかったものが、Netflix の場合はそうなってしまうところがありまして、いわば作品と配給会社の関係性が近すぎるんです。例えば映画監督が自作をプロモートする際に、「最寄りの映画館でぜひ観てください」と語るのと、「Netflixでぜひ観てください」と言うのでは微妙な違いですが、やはり違います。そうした違和感から優秀な監督が近寄らなくなってしまうことがあるのだとすれば、それはNetflixにとっても得策ではないはずです。であればこそオリジナル作品を製作した監督やスタッフが、映画祭のような舞台できちんと評価されるようになることはとても重要なのではないかと思います。

――ふむ。

この問題は音楽プラットフォームで考えるとわかりやすいと思います。レディ・ガガでも誰でもいいのですが、Apple Music のお金でニューアルバムを制作して、Apple Music の限定配信になっていたらちょっと、というか、だいぶイラっとしますよね。

――ビヨンセのアルバム『Lemonade』が、リリース当時、Jay Z のストリーミングサービス「Tidal」限定配信だったのは、ちょっとイヤでしたもんね。

そうなんです。

――ただ囲い込まれているようにしか見えず、監督としてのキャリアアップにもつながらなかったとしたら、いくら制作費を潤沢に与えられても、たしかにメリットは小さいかもしれませんね。

ですから、Netflix オリジナルで製作されたアルフォンソ・キュアロンの『ローマ』は配信と同時に劇場公開を行ったりと、Netflix 側もある意味譲歩する格好で、さまざまなハードルを下げていっていますし、「自分たちは敵ではない」というアピールを時間をかけて地道にしていくことで、結果としてマーティン・スコセッシといった大物を呼び込めるまでにいたっています。

つい先日の5月28日には、Netflixが、ハリウッドの名門映画館「Egyptian Theatre」を買収した[※4]というニュースが報じられま

※4

したが、これもいまのところ賛否両論あるのですが、100年近く続く歴史ある映画館を、自分たちの手できちんと存続させることができたら映画界への貢献というアピールにはなりますよね。

——買収してどうするんですか?

この映画館は90年代から「American Cinematheque」という団体が運営管理してきて、一種の名画座のようになっていたそうですが、週末はこの団体が継続してプログラムの運用をしつつ、月〜木曜の平日はNetflixが自社のプレミア公開などで利用するようです。

——なんにせよクリエイターに信頼されることはオリジナルコンテンツをつくるメーカーであれば、最も重要な生命線ですよね。

そうなんです。とはいえ、実際やっぱりすごいんですよね、クリエイターの使い方が。単に贅沢なだけでなく、よくわかってるなという感じがとてもします。

——そうですか。

オリジナル作品のサウンドトラックを手がけている人たちを見ても、わかってる人がアサインしている感じはすごくあります。結構先進的な人選だったりするんです。で、結局は、こういうところがクリエイターを惹きつける一番の要因になっているのだと思います。

いいクリエイターを惹きつけようと思ったら、もちろん制作費の大きさやオーディエンスの規模も大事なのですが、「クリエイティブな自由」がどれほどあるのかが最も大事だと思うんです。その自由を責任をもって保証できるかどうかが、やはり生命線なんです。

——3400万人が視聴したという『タイガーキング』も、「売れるからやろう」という感じでもないですもんね。

「巨額の金を払っているんだから言われた通り売れるものをつくれ」というやり方をしていると、結局お金をもっているところが勝つチキンレースになってしまうので、そんなものを見せられても、視聴者からしたら、まったく嬉しくもないですしね。

——COVID-19の影響で経済が

落ち込むなか、Netflixは飛躍的に成長したことが「コロナで新たな高みに向かうNetflix：でも暴落は避けられない？[※5]」（Coronavirus is propelling Netflix to new heights—but is a crash inevitable?）でレポートされていまして、これを見ると独り勝ちで安泰とも思えますが。

記事は、ロックダウンという環境のなかSVODチャンネルの優位性が強く出たと分析し、その上でNetflixの勝因としてコンテンツ量の豊富さとインターナショナルなコンテンツの多さを挙げていますが、劇的な急成長がアフターコロナの生活のなかでも続くかどうかは、Netflix自体も警戒していることを明かしています。

——加えてAppleやDisneyも参入してきて群雄割拠という状態になるとしたら、今後、どういった展開になっていくんですかね。

これはまさに「Netflixを悩ませる新たな競合[※6]」（The newest streaming competitors worrying Netflix）で明かされている通り、Apple、Disney+、HBO、Comcast/NBCUniversalによるPeacock、新興スタートアップのQuibiなどが競合として挙げられていますが、どうなっていくのか興味深いですよね。「Quartz」は、アメリカのテレビコンテンツ業界は、いまが第三世代である[※7]と区分けをしていますが、それに従えばテレビのメインプレイヤーは時代ごとに変わってきています。

第一世代が地上波で、そのメインプレイヤーはブロードキャスター、つまりテレビ局です。次に来たのがケーブルテレビ時代で、そこではケーブルチャンネルのプロバイダーComcastのような会社がメインプレイヤーになりました。そしていま、第三世代になり、オンラインストリーミングに移行し、メインプレイヤーとしてAmazonやNetflixがのし上がったわけですが、先に挙げた競合企業を見てみると、テレビ局、ケーブルプロバイダーなどがきれいに入り乱れています。

——テレビ局もいれば、コンテンツメーカーもいれば、プロバイダー、デジタルプラットフォーマーもいます。

NBCやUniversalといったテレビ・映画制作会社がケーブルプロバイダーの傘下に収まり、ケー

※5 ※6 ※7

ブルネットワークの一チャンネルでしかなかったＨＢＯやDisneyのようなコンテンツメーカーが同じレイヤーにのしあがったりというなか、Netflixはもともとビデオレンタルから始まっている会社なので、やはり相当異色です。

——そうですね。

一介のレンタルビデオ屋に過ぎなかったNetflixが賢かったのは、やはりコンテンツこそがパワーの源泉になると考えてそこにどっと資本を投下したところです。比べると、Appleはずっとコンテンツにちょっかいを出してきましたが、うまく扱えてこられずにいます。

ポッドキャストの領域でAppleはオリジナルコンテンツをつくることを発表したりしていますが、これもSpotifyの動きと比べたら緩慢ですし、ＵＩの観点からいってもApple Podcastはまったく魅力がありませんし、Apple Musicも「Beats 1」などコンテンツは決して悪くないのに、いまひとつ煮え切らない感じです。

——なんででしょうね。

これは少し冒頭の話とも関わることかもしれませんが、コンテンツに向かっていけばいくほどニュートラリティが損なわれていくという、そのあたりのバランスがうまく取れないからなのかもしれません。その点、DisneyやＨＢＯは、もともとコンテンツで勝負してきた会社ですから、自分たちのスタイルや文法が確立していて、視聴者からすると継続してお金を払い続けてもいいと思わせるだけの安心感があります。

——そこでどういうものを観ることができるのか、期待値も明確です。

サブスクリプションビジネスというのは、おっしゃる通り、期待値のビジネスなんです。毎月お金を払い続けるのは、「自分が観たいと思うものが今後も観られるはずだ」と思うからで、その期待が明確であればあるほど、サービスとして強いはずです。そこにはもちろん、過去のアーカイブも含まれますので、サービスへの期待値ということで言えば、Disneyは最強ですよね。それはＨＢＯも同様で、Disneyほどのパワーはないかもしれませんが、『ザ・ソプラノズ』

から『ゲーム・オブ・スローンズ』まで、人気ドラマをつくってきた実績を考えれば何を期待していいかは明確です。

——そうですね。

Netflix はそういう意味では、どの辺に期待値を置いていいのかを視聴者もまだ測定している最中のようにも思いますが、ドキュメンタリーは、そうした期待値を構成するひとつの大きな要素になり得ると思います。自分も Netflix の好きな番組を列挙していくとほとんどがドキュメンタリーですし、ビヨンセからトラヴィス・スコット、テイラー・スウィフト、ボブ・ディランといったアーティストたちの音楽ドキュメンタリーは、音楽ファンの期待値を上げているようにも思います。

——そう考えると Apple には、何を期待したらいいのか、まだよくわからないですね。

普通にハリウッド映画を観るプラットフォームとしてはいいのかもしれませんが、それでは勝てない勝負だと踏んだからコンテンツビジネスに参入したのだと思います。ただ、Netflix の成長を見ていると、チャンネルがひとつのブランドとして多くの人の期待を集められるようになるには、やっぱりそれなりに時間がかかることがよくわかります。

どんなビジネスでもそうだと思いますが、1本ヒットが出ればブランドのファンになってもらえるわけではありません。継続してファンの期待に応え続けた結果としてしか「期待」をマネタイズすることはできませんから、地道に、いい投資をし続けるしか活路はないように思います。

——プラットフォーム戦争は、今後コンテンツ戦争になっていくんですかね。

最初にお話しした中立性という話に戻りますと、結局のところ、無色透明な中立空間なんていうものはもはやないんですね。

Amazon には Amazon なりの好き嫌いや判断基準のセンスがあり、Netflix にも Netflix 固有のそれがあります。オリジナルコンテンツを扱わずとも、例えば西武百貨店と三越、あるいは、Tower Records とＨＭＶでは、同じものを売っていてもＵＩ、ＵＸの違いと言いますか、固有の偏向があったわけですよね。もしかしたら、それと同じことなのかもしれません。

加えてそれぞれがオリジナル商品で勝負しようとなれば、サイズは巨大なままでも、どんどんブティック化していくことになりますから、そうなっていけばいくほど、ますます個性が重要ということにもなります。

――いいコンテンツをどれだけつくれるかの勝負になっていくのだとすれば、観る側は楽しいですね。

「いい作品」と言ってしまうと判断が個人的な趣味嗜好の話になってしまいそうですから、ここでは、『ゲーム・オブ・スローンズ』のような「時代を画する作品」を生み出せるかどうかが継続的にブランドパワーを発揮していくためには重要、と言ったほうがいいのかもしれませんね。

Field Guides を読む #6

Netflix's next stage

May 31, 2020

https://qz.com/guide/netflix/

◉Netflix、再びのエンタメビジネス破壊に待ったなし
Netflix has no choice but to disrupt the entertainment business, again

◉コロナで新たな高みに向かうNetflix：でも暴落は避けられない？
Coronavirus is propelling Netflix to new heights—but is a crash inevitable?

◉Netflixのベスト&ワースト番組をチャート化
Netflix's best and worst programs, charted

◉Netflixの成長にとってフランスが重要な理由
Why France is so important to Netflix's growth

◉Netflixを悩ませる新たな競合
The newest streaming competitors worrying Netflix

#7

Africa after Covid-19

June 7

アフリカの教訓

「アフリカは世界を驚かせますよ。
私たちがただ手をこまねいてCOVID-19が襲いかかってくるのを
待っているとでも思っているのでしょうか」

——大変な世の中になってきましたね。

ほんとですね。

——何がどう終息するのか、まったく見えません。

そうですね。COVID-19は、もはや単なる公衆衛生の問題ではなく、社会システムそのものの問題だということですよね。

とはいえ、COVID-19が何か新しい問題系をもたらしたのかというと、そんなことはなくて、むしろこれまで山積みにされながら遅々として改善されてこなかった問題が、この機に決定的な問題を引き起こしたということなのだろうと思います。ですから、この間起きていることのすべては「現在」の問題ではなくて、実は「過去」の問題だということもできそうです。

——どういうことでしょう?

これまで時間があったのに何も対処してこなかった「何もしなかった時間」に逆襲されている、そんな感じがしませんか。日本でも、行政でいえば「ちゃんとマイナンバーを整備しておけばよかった」とか「ハンコを撤廃しておけばよかった」、ビジネスでいえば「早くデジタル対応をしておけばよかった」とかさまざまあると思いますが、どこを見ても「やるべきだったのにやらなかったこと」に仕返しをされているように見えます。

——そうですね。

これは小さな話ですが、日本のライブハウスでも、ずっと前からデジタル配信をやったらいいじゃないかと提案する声はあったにもかかわらず、それをずっと棚上げしてきたそうで、もしそれをやっていたら自粛要請のなかでもやれることの選択肢は増えていたでしょうから、先行投資にはやはり意味があるんですね。

——とはいえ、正常運転している

なかで、このような危機的な状況を想定して備えておくのは、難しいですよね。いわゆる「正常性バイアス」に囚われてしまって「まだやらなくても平気」「自分は大丈夫」とどうしても思ってしまいます。

今回の〈Field Guides〉は「アフリカ」がお題ですが、ある記事のなかで、とある医療関係者が「アウトブレイクを無駄にするな」(never waste an outbreak) という印象的なことばを語っています。「COVID-19がアフリカの壊れた医療システムにチャンスをもたらす※1」(Africa's broken healthcare systems have an opportunity in Covid-19) という記事にある通り、こういう言い方をするとオポチュニストのように聞こえるかもしれませんが、「COVID-19は絶好のチャンスである」という感覚は、やはり大事だと思います。

目の前にある山積みの課題に平時からずっと取り組んできた人たちはたくさんいるわけですから、その人たちが考えてきた問題意識やソリューションに、いまこそきちんと耳を傾けて役立てるチャンスなんですよね。

——「アウトブレイクを無駄にするな」ということばは、どちらかというとこれを機に国家統制を強めようと考える方向で強く作動しているようにも見えますが。

であればこそ、それとは逆の視点から、COVID-19をテコにしてポジティブな変化を生み出していくことが重要です。日本を見ていると、なんとなくパンデミックをやり過ごした感じはありますけれど、本当はこの機会に政府も国民も、この危機のなかでどんなゲインがあったのかをきちんと測定しておくべきだと思います。行政府はこれまで「DX」や「ソサエティ5・0」といったことを盛んに喧伝してきたわけですが、パンデミックを通じて、そうしたビジョンの実現に向けてどのような進展があったのか、あるいはなかったのか、きちんと検証してほしいですね。

——混乱のどさくさに紛れて「スーパーシティ法案」なるものを国会で通してましたが。

そうやって政府が勝手に決めたアジェンダを場当たり的に押し通

※1

すようなことをしている限り、次に別の危機が来ても何の役にも立たないものになってしまいます。遠隔診療にしろキャッシュレスにしろAIにしろ、具体的な課題に即して、これまでのソリューションがどの程度役に立ったのかといった評価もないところで技術だけを導入しても意味がないということが、まずは今回の教訓になるべきではないかと思います。

――そうでない限り、せっかくの投資が次の危機に対する準備にならないということですね。

韓国や台湾の感染症対応が目覚ましかったのは、SARSやMERSの経験をもとに明確な準備ができており、そのための訓練も十全にできていたから※2です。

――訓練？

例えばアジャイル開発とかアジャイル調達とか、そうした新しい手法でサービス開発を行うようなことが、この間世界各国で実験・実施されてきましたが、アジャイルで何かをやるというのは単に手法を真似ればそれでいいというようなものではなく、これまでまったくやったことのないスポーツをプレイするみたいなことですから、練習が必要なんです。体の動かし方も頭の使い方もまったく違うわけです。昨日までバスケをやっていた人が、「はい、今日からサッカーやってもらいます。しかもミスしてはダメです」と言われて、それをすっと実践できるわけないですよね。

――しかもいきなり決勝戦に出場、みたいなことですもんね。

うまくいくわけがないですよね。今回のCOVID-19で、良い成果をあげることができた国に共通していることは「レスポンスが早かったこと」です。

「COVID-19がアフリカの壊れた医療システムにチャンスをもたらす」にもありますが、アフリカは感染症に関していえば、HIVからエボラまで、これまでに何度も危機を迎えてきた経験があり、対応が必ずしも良好な成果をあげてきたとは言えないまでも、経験が蓄積されてきたことは間違いありません。

ウガンダ政府は最初の感染者が出た5日後にはすべての商業エアラインを止めていますし、南アフリカ政府はＨＩＶのテストキットをコロナウイルス用のものに切り替えたり、人工呼吸器の生産にすぐ乗り出したりしています。また、セネガルやウガンダ政府は安価なテストキットの開発生産にいち早く乗り出してもいることを記事は明かしています。

取材を受けたケニアの「African Population and Health Research Center」のディレクターは、記事内で、「アフリカは世界を驚かせますよ。私たちがただ手をこまねいてCOVID-19が襲いかかってくるのを待っているとでも思っているのでしょうか」と語っています。

――自信があるんですね。

実際、ウガンダが用いた「プールテスティング」(pool testing)という技法を学ぶべくＷＨＯがリサーチを行っているといった話も紹介されていますので、世界各国や国際機関は、第２波に備えるためだけでなく今後起こりうる新たなパンデミックに向けても、今回の事態からできるだけ多くのナレッジやノウハウを取り出し、共有しようとしています。「アウトブレイクを無駄にしない」とはそういう意味です。

――「日本は民度が違う」なんて威張ってる場合じゃないですね。

「今回の事態で得た学びを共有しろ」と問われているときに、国民の民度の話をするのがなぜ間違っているかといえば、そこに再現性がないからです。世界中の国は、すぐにでも真似できるかもしれないベストプラクティスを探しているわけですから、「民度」とか言われてもどうしようもありません。台湾は今回の事態のなかで目覚ましい成果をあげたことを積極的に外交カードとして使っていますが、そこで行っているのは「『台湾モデル』をみなさんに共有します」ということで、自慢するのが目的ではありません。「モデル」というからには再現性があるのは大前提であるはずです。

――清潔意識が高いのが自慢の「日本モデル」は、特段「モデル」ではないですね。

手洗いとマスク着用を徹底することが大事という話はいいんですが、「どうやったらそれを徹底できるのか」と問われているのを「民

※２

度だ」と答えるのはいかにもズレていますよね。

先日もある会合で、政界に非常に大きな影響力のある経済学者に「COVID-19を受けて日本が世界に自慢できることは何でしょう?」とお訊ねしたら、「清潔意識の高さと規律ですよね」みたいなことをおっしゃっていたのですが、この人たち国際会議とかで本当にそれを言うのかと思ったら、ぞっとしてしまいました。

——ナレッジの共有になっていないですもんね。

「The Washington Post」は「超大国は小国のコロナ対策にもっと学ぶべきだ[3]」という記事を掲載して、ジョージア、ガーナ、ベトナム、コスタリカ、レバノン、ニュージーランドの事例を紹介していますが、この記事が明かしている通り、いわゆる「先進国」が最も先進的なわけではないということは、今回の事態で明らかになったことでもあります。

——先進性の基準が変わってきたということなのかもしれません。

先ほど紹介しました「COVID-19がアフリカの壊れた医療システムにチャンスをもたらす」という記事は、アフリカ諸国が、そもそも機能していないヘルスケアシステムをどう機能させようとしているかをレポートしたものですが、「アフリカは、ノロノロとした対応しかできない先進諸国に比べて、ある意味はるかに準備が進んでいる」と書いています。これからの政府の先進性は「確度」よりも「速度」に宿るのかもしれません。

そういえばSF作家の樋口恭介さんの最新刊『すべて名もなき未来[4]』には、「同じころ、ビジネスの分野でも新たな潮流が生まれていた。確度よりも速度が、製品よりも体験が、論理よりも物語が、そこでは求められ始めていた」という一節があるのですが、政府というものにも間違いなくこうした潮流が襲いかかってきています。

——各国政府のコロナ対策を「速度」「体験」「物語」という観点から見直してみると、たしかにそこが先進性・後進性の分かれ目になっているように見えます。

アフリカでは医療用のマスクや手袋といったPPE（personal

protective equipment／個人用防護具）が圧倒的に不足していますし、海外から購入するにも資金が不足しています。そうしたなか、国内で生産できるような体制をスピーディに構築する必要があったわけですが、南アフリカやウガンダ、セネガルは、この機会をテコにして新たな試みを走らせて一定の成果を出しています。

セネガルの「1ドル検査キット[※5]」は、どの程度の精度と効果があるのかはトライアルの結果をみてみないとわかりませんが、それが有用なものであるなら賞賛すべきイノベーションですよね。

いまのところ、アフリカで世界中が恐れたほどには感染症が蔓延しなかったことは評価されてしかるべきなのではないかと思います。

——アフリカのスタートアップシーンの今後をレポートした「アフリカの有望なスタートアップはCOVID-19以降の経済をいかに生き残るか[※6]」（How Africa's promising startup landscape survives in a post-Covid-19 economy）という記事も今回の〈Field Guides〉に含まれています。

記事はアフリカのスタートアップエコシステムが、COVID-19によって大きな打撃を受けるだろうと予測していますし、多くのスタートアップが「ピボットするか死ぬか」という局面にあることを明かしています。

とはいえ、これはある意味ロマンチックな期待を込めてでもありますが、アフリカのスタートアップへの期待は、個人的には強くあります。先ほどの「1ドル検査キット」のように、先進国にはない厳しい条件下でこそ、あっと驚くようなアイデアが出てくるのではないかと期待したいところはありまして、COVID-19下でひとつ心躍ったのはルワンダ発のドローンスタートアップ「Zipline」がアメリカに進出したというニュースでした。「WIRED」日本版が2017年に取材した際[※7]に、ファウンダーが「いま、世界はルワンダに何を学べるでしょうか？」と訊かれて、こう答えていたのが印象に残っています。

「Zipline を始めたばかりのとき、人々はひどいアイデアだと言った。ルワンダでドローンを飛ばせるはずがないと言った。ほとんどの米国人は、アフリカと聞いたら、混

※3 ※4 ※5 ※6 ※7

沌とした場所で、テクノロジーなんて機能するはずがないと思っているんだ。でも実際にパラダイムシフトはここから起こりつつあるし、米国だってルワンダの後を追わなければいけなくなるだろう。

ぼくらがここでやっていることは、そうしたアフリカに対する見方を変えることになるだろう。ただテクノロジーが機能する、というだけじゃない。連邦航空局（FAA）はルワンダ政府に、『どうやってこんなに速く、かつ安全な方法で規制をマネジメントしたんだ？』と尋ねることになるだろう。

ルワンダやシンガポールのような、小さくてよくマネジメントされた国では、最も早く新しいテクノロジーの恩恵を受けることができる。そして米国のような大きな国が、そうした小国から学べることはあるはずだとぼくは信じている。いずれ時間が教えてくれるはずさ」

——とはいえ、経済状況をみると、相変わらずシビアですよね。

そうですね。膨大な負債を抱えているところに、これまでの成長がCOVID-19でストップすることになれば事態は深刻だと思いますし「ポストコロナの世界におけるアフリカのビジネスの未来※8」(The future of business in Africa in a post-coronavirus world)にあるように、グローバルパンデミックによってサプライチェーンの見直しが進行していくと、最初に切り捨てられる危険性もあります。

記事内には「国をあげてのロックダウンによって、人はコロナで死ぬのでなく、飢えで死ぬか、警察による暴力によって死ぬことになるだろう」との一文がありますが、デジタルサービスへのアクセスのない市民にとって、ロックダウンやソーシャルディスタンシングは死活問題になりますので、そうした状況を改善すべく、西アフリカのトーゴは、この機会にデジタル化を推し進め、eコマースというものを多くの国民が初めて体験したともレポートされています。

——記事内には「ロックダウンは国民のヘルスケアの問題であるというより、国家のバランスシートの問題である」とも書かれていますが、預金はおろか銀行口座ももたずにその日暮らしを強いられている国民の生活を停滞させずに、どうやって感染を防ぐかは、デリケートなバランスが要求されますね。

警察の暴力による死の危険というのは、まさにジョージ・フロイドさんの殺害にも重なる話ですが、いま一度注目しておくべきは、アメリカのようにはっきりとしたレイシズムがないようにも見えるブラックアフリカでも、同じように警察による暴力が常態化していることです。

もっとも、部族対立というものが根強くあるアフリカでは、政権をとった部族がその他の部族を抑圧するということは日常的にあるとも聞きますので、深層にはレイシズムが潜んでいるとも言えるのかもしれませんが、それにしてもアメリカで起きていることを見ていると、レイシズムという問題の深刻さとは別に、改めて「警察とは何か」ということを考えさせられます。

——レイシズムということについて言えば、今回の〈Field Guides〉には、中国におけるアフリカ人差別の問題が「ポストコロナ世界に向けてリセットされつつある中国アフリカ関係※9」〈The China-Africa relaticnship is being reset for a post-Covid world〉という記事で取り上げられています。

中国におけるアフリカ人差別については、中国のマクドナルドのある店舗がアフリカ人の入店を禁止したことが外交問題にまで発展しましたが、この記事では広州に暮らすアフリカ人が着の身着のままで家を追い出され、国にも帰れず餓死しかけたというエピソードが紹介されています。

広州における外国人排斥の機運を、中国政府は当初、アメリカによるデマだと斥けていましたが、広州市が差別禁止を法令化したためにかえって差別が常態化していることを認めた格好となってアフリカ諸国の中国に対する信頼が大きく揺らいだことをこのレポートは明かしています。中国は生産のバックヤードとしてアフリカを有用化しようと長年投資や援助をしてきましたし、一方のアフリカ諸国は中国によって借金漬けにされているという現状があるなかで、この問題は継続した国際問題になりそうです。

——ケニアの国会議員が、シノフォビア（中国嫌い）を露わにしているなんてことも書かれています。

※8

※9

経済的メリットによってずぶずぶの関係性にさせられているなか、それぞれの国が互いに「侵略されている」と感じ始めるようになることは日中関係でも起きていることですが、関係性が深まれば深まるほど問題は厄介になっていきます。これは本当に深刻なことだと思います。そのときに、「結局警察はいったい誰を守るためにいるのか」という問題はいっそう先鋭化します。警察は広州に暮らすアフリカ人の暮らしや財産を守るためにいるのか、あるいは広州の中国人の暮らしや財産を守るためにいるのか。

——その点、「警察は白人を守るため」というトランプ大統領のメッセージは明確だともいえます。

「警察ってなんなんだろう」と思いながら、今日はずっとボブ・マーリーを聴いていたんです。

——おお、なるほど。「保安官を撃った」なんて曲もありますね。

　そうなんです。警察との対立はボブ・マーリーの歌における最も重要なテーマでして、例えば「Burnin' and Lootin'[※10]」なんていう初期の名曲はこんなふうに始まります。私の意訳ですが。

朝起きたら外出禁止になっていた
なんてこった囚人にされていた
周りにいるやつらの顔は見えない
全員が残虐というユニフォーム
を着ている
いくつの川を渡れば
ボスにまでたどり着くのか
得たはずのものはすべて奪われた
どれだけのコストを払ったかしれたもんじゃない
だからこそ今夜は燃やし略奪するんだ
今夜は涙を流し悲嘆にくれるんだ

——すごい歌詞ですね。コロナからジョージ・フロイド事件にいたる見事な描写。

　そうなんです。警察はいったい、何から何を守ろうとして「残虐というユニフォーム」をまとって姿を現すのか、改めて考えてしまいますよね。

——何を守るんでしょう。

　ボブ・マーリーのことばを借りるなら、「バビロンシステム」というものになりそうです。

――なんですか、それ？

「バビロンシステム」という歌がありまして、その歌詞は「バビロンシステムはヴァンパイア」で「困窮している者や子どもの未来を吸い尽くす」のだとボブ・マーリーは歌うのですが、それはつまり経済機構そのものを指しているように思います。

全体主義国家における暴力装置の起源は、資産家の資産を守るために雇われた用心棒、もしくはヤクザのような存在だと、たしかハンナ・アーレントが指摘していたように思うのですが、西部劇などでも悪徳銀行家がえらく腕の立つ用心棒を雇っていたりするじゃないですか。警察の大元は、なにかああいうものだと自分は勝手に想像してしまうのですが、警察が市民に牙を向いて立ちはだかるときの残虐さのなかには、そうした原初の姿がむき出しになるように思えます。

ボブ・マーリーは警察というものを政治的な存在というより、むしろ経済的な存在とみなしていたように思うのですが、それは正しいのではないかという気がします。

――ジョージ・フロイドさんを殺害したデレク・ショーヴィンには、たしかに「用心棒感」がありました。

ボブ・マーリーは、「すべての人には白分で自分の運命を決める権利がある」と歌っています。それを実現することが、おそらくは民主国家のミッションだったはずですが、COVID-19を機に、その権利をめぐって大きな亀裂が明らかになってきて、世界全体が大きな岐路に立たされているように見えます。

――ほんとですね。ちなみにその歌詞が出てくるのはなんていう曲ですか？

「ジンバブエ[※11]」という、アフリカ諸国の連帯を歌った曲です。

※10

※11

Field Guides を読む #7

Africa after Covid-19

June 7, 2020

https://qz.com/guide/africa-covid/

◉ポストコロナの世界におけるアフリカのビジネスの未来
The future of business in Africa in a post-coronavirus world

◉ポストコロナ世界に向けてリセットされつつある中国アフリカ関係
The China-Africa relationship is being reset for a post-Covid world

◉COVID-19がアフリカの壊れた医療システムにチャンスをもたらす
Africa's broken healthcare systems have an opportunity in Covid-19

◉アフリカの有望なスタートアップはCOVID-19以降の経済をいかに生き残るか
How Africa's promising startup landscape survives in a post-Covid-19 economy

#8

What Gen Z wants

June 14

Z世代のポテンシャル

政府と国民の「信頼関係」が最も必要とされるときに
それを構築するための努力をどれだけしたかが
パンデミック対策の成否を分ける
ひとつの鍵だったと思いますが
世界各国のさまざまな対応が報道されるなかで
特に若い世代は、どういう政治家、どういうシステム、
どういう政策が、自分たちの「信頼」に足るものかを
非常に厳しく査定していたと思います。

——アメリカは、プロテストで引き続き大変なことになっていますが、いかがお感じですか？

どうなんでしょうね。難しいですよね。多くの人がきっとそう感じていると思うのですが、「Black Lives Matter」のようなムーブメントに、「そうだそうだ！」と安易に飛び乗るのは、それはそれで横着な感じもしますし、自分の当事者性を省みるとどういう距離感で向き合うべきなのか、本当に難しく感じます。

——難しいですよね。

日本での現実がグローバルな出来事とあまりにシンクロしていない感じがしてしまいます。K-POPの大スターのBTSが「Black Lives Matter」に100万ドルを寄付[※1]したというニュースが話題になりましたが、グローバルに活動していて世界中にファンを抱えている彼らであればこそ、その行動が大きなメッセージとなりますが、例えば日本のバンドが寄付したところで、それが何を意味するのかよくわからないですし、よほどの根拠がなければ「乗っかってる」感だけが出てしまいそうです。

連帯を表明するのが悪いということでは決してないのですが、自分たちの現実にどう着地させたらいいのかわからないというもどかしさは、個人的にもあります。

——そうですね。

そうした状況を端的に表したのが、おそらくアメリカ大使館からも抗議[※2]を受けたNHKの解説動画だったと思いますが、グローバル化した世界のなかにあって、国際情報を自分たちの現実と地続きの現実として理解する回路がきちんと整備されていないと、ああいうことが起きてしまうんですね。

——と言いますと。

日本のメディアは長いこと、視聴者のリテラシーを一番低く見積もったところを基準値として、とにかく「わかりやすくする」ということにひたすら腐心してきたわけです。先日とある雑誌の仕事をお手伝いしたのですが、「こういうのがいま一番面白いネタですよ」「一番先進的なのはこれですよ」と伝えたところで、「うちの読者は、そこまでリテラシーないんで」の一点張りで、結局これまでさんざん出してきた情報を再生産することしかしないんです。

——「こすり倒す」ってヤツですね。

まさに。「そのリテラシーとやらを更新するために雑誌出してるんだろうが」とドヤしたくなりますが、これは、端的に言えば、メディアの現場の人間が自分たちのリテラシーの低さを読者や視聴者のせいにしてるだけなんです。そしてそれが横行した結果、漫然とテレビや雑誌や新聞を見ている視聴者・読者は、そこに描かれているのが「世界の現在地なんだ」と思い込んでしまうことも起きてしまいます。

——「わかりやすくしろ」っていうのは、メディアの仕事をやってるとしょっちゅう聞きますね。ってか、そればっかですよね。

そうなんです。でも一方で世の中はどんどん複雑になっているわけですよね。「わかりやすくする」ことは、その複雑さを隠蔽してしまいます。その複雑さが隠されたままある状況を理解しようとすると、たやすく陰謀論に帰着することにもなります。というのも陰謀論は複雑な話を取り除いたかたちで、きれいに物事の因果を説明してくれますから。

件のNHKの動画の問題は、描写の手法から演出まですべてが問題だらけですが、物事の複雑なコンテクストを単純化してクリシェばかりを使って「わかりやすく」しようとしたところに根本の問題があるように感じます。

——「複雑な話をしても、うちの視聴者は理解できないんですよ」という言い訳が、動画のあらゆるディテールから聞こえてきます。

そうやって視聴者を見くびったところでいつまでマスコミは制作を続けるのだろうと暗澹たる思いです。「お前らには、これで十分」

※1 ※2

といった横柄さが見え見えなのもツラくなります。その一方で「わかりやすさ」ということで言えば、「セサミストリート」はさすがでした。

——観ました。エルモがお父さんと喋っている動画ですね。

はい。CNNとセサミストリートが組んで「タウンホール・ミーティング」を実施するというプログラム※3の一部で、その導入に当たる部分なのですが、この動画で一番感心したのは、エルモが「レイシズムを終わらせるにはどうしたらいい?」とお父さんのルイに訊ねるところです。

——はい。

エルモのお父さんは、「まず学ぶところから始めるのがいいと思う。そして何が起きているのかちゃんと見極め、そしてアクションを起こすんだ」と言います。そして「それをするのを助けてくれる友だちもたくさんいるんだ」と言ってタウンホール・ミーティングへと誘導するのですが、感心したのはエルモが人びとをまずは「学ぶこと」へと誘う役割を担っているという点です。メディアというものの機能が、まさにここにあるわけですね。

——なるほど。簡単に答えを与えるのではなく、まず学ぶことだと。それを手助けする友人としてメディアもいるし、彼らが主催するタウンホールなどがあると、そういう流れなんですね。

つい先週の金曜日にRun The Jewelsというラップグループのアルバムが出まして、これが今回の一連のプロテストを鋭く描いたということで非常に大きな話題になっています。このグループのラッパーのKiller Mikeは、アトランタにおいて非常に大きな影響力をもっていることから、アトランタ市長に呼ばれて記者会見※4をしました。それが非常に感動的なものだったので広くシェアされたのですが、その後テレビなどで数多くのインタビューを受けるなかでKiller Mikeは、いくつもの人権団体や福祉団体の名前を挙げて、それらの組織がやってきたこれまでの活動を賞賛するんです。

——へえ。例えばどんな団体ですか?

Killer Mikeが挙げているのは、「The New Georgia Project※5」「Live Free※6」「Florida Rights Restoration Coalition※7」「The Movement for Black Lives※8」といった団体やプロジェクトですが、彼の主張は明確で、彼は自分自身をあくまでも「Mobilizer＝動員する人」であると語っていて、彼の声などに触発されてアクションを起こしたいと思う人は、こういった「Organizer＝組織する人」と協力しあうよう呼びかけています。

——面白いですね。ちゃんと段階があるわけですね。

　そうなんです。プロテストはもちろん重要なんですが、それを持続的な変化に変えるためには持続的な装置が必要で、Killer Mikeのようなインフルエンサーのスピーチやエルモとお父さんの会話は、そうした装置へと人びとを導くためのアクションになっているところが共通しています。エルモのお父さんが語っていることを自分なりに解釈をすると、「歴史を学ぼう→現状を理解しよう→行動を起こそう」という流れになっているんだと思うんです。声を上げてすぐ変化が起きるなら、ここまでの苦労も必要なかったわけですよね。であればこそ一時の熱狂をどう定常的な変化につなげていけるかというところをKiller Mikeみたいな人はリアリスティックに見ていて、だからこそああいう呼びかけになっているんですね。

——30代だか40代の黒人男性が10代の黒人男子に、「おれらがやれるのはここまでが精一杯だ。おまえらが解決策を考えなきゃいけないんだ」と檄を飛ばす動画※9がバズりましたが、これも似たようなメッセージだったと言えるかもしれません。

　あの動画には、これまでさんざんプロテストを繰り返してきたことによってかなりの前進はあったものの、問題の本質は何も変わっていないんだというリアルな絶望があったように思います。

——今回のようなプロテストがあったとしても、そこまでは変わらないのではないかという感じがあるのだな、と見ていて絶望の深さを感じました。

　ようやく今回のお題に近づいた

※9　※8　※7　※6　※5　※4　※3

ようにも思うのですが、「Z世代」(Gen Z) と呼ばれる世代が本当に変化を担う世代になるのか、という話になるわけですね。

——Z世代に寄せられる期待値は、本当に大きいですよね。

今回の〈Field Guides〉の「企業はZ世代の意のままに[※10]」(Gen Z consumers are making companies bend to their will) は、いま世界の消費者の4割をZ世代が占めていてアメリカだけでも1500億ドルの経済力をもっているとしています。

これからの経済を考えていく上で、彼らの存在が非常に重い比重を占めることは間違いないので、その「経済力」がこれまでの経済のみならず社会のあり方を変えるドライバーになっていくというのはその通りなんだろうとは思います。ここは否定しても始まりませんよね。

——Z世代と呼ばれる世代は、とりわけ気候変動の問題に非常に敏感で、その結果企業のサステイナビリティに対するアクションや社会そのものの持続可能性に強い関心を示していることもことあるごとに指摘されます。

Z世代のよく言われる特徴は、「デジタルネイティブ」「ソーシャルネイティブ」だというところかと思いますが、それが必然的に呼び込むのは、「グローバルネイティブ」でもあるということです。

そう考えればZ世代にとって気候変動が象徴的なイシューとなるのも当然だろうと思いますし、それについて知っていけばいくほど、グローバル化した経済や、格差を広げていく資本主義というものの問題、それによってますます沈み込む貧困層といった問題に必然的に行き当たりますし、レイシズムといったものが地球そのものをダメにしているシステムをいかに下支えしてきたのかといったことも見えてくるでしょう。この世代が気候変動から「Black Lives Matter」までをひと連なりの現象として見ていることは、不自然なことでもなんでもありません。

——実際ミレニアルやZ世代のプロテストへの参加者は多いようで、「Quartz Japan」が配信した記事「ミレニアルズの今[※11]」でもこんなレポートが掲載されています。

「YPulse によると、16〜34歳ま

での米国人の55%がＢＬＭに参加したことがあると回答しています。若い消費者を対象とした最新の調査では、ほぼ半数が米国の人種差別の深刻化を感じていると回答。若いアフリカ系アメリカ人の回答者の60%が『悪化している』と感じています」。

「パンデミックはＺ世代をどうかたちづくるか[※12]」（How Gen Z will be shaped by the coronavirus pandemic）という記事では、今回のパンデミックがいかにＺ世代の価値観の形成に影響を与えるかが語られています。これはまだプロテストが起きる前の記事ですが、この時点でも若者は「政府の支援が十分でない」と感じており、同時に政府の秘密主義や検閲といったものに強い警戒感を露わにしていることが明かされています。

２０１６年の大統領選でバーニー・サンダースが登場して以降、あれほど社会主義を嫌っていたアメリカで、特に若者の間で「社会主義」への親近感が増していることはよく伝えられますが、興味深いのはアメリカが主導してきた「小さな政府」という考え方を否定する感情が膨らみ、社会福祉の拡充を求める声が高まっているという意味で「政府への期待」は高まっている一方で、コロナ対策からミネアポリスでの事件まで、政府への失望は非常に強くなって「信頼できない」という気分も高まっている点です。この相反する感情をどうバランスしうるのかというのは、今後のＺ世代の価値形成において重要な論点になるように思います。これはトランプ大統領が打倒されれば解決するという問題でもなさそうです。

――パンデミックのような国家的危機のなかで国への期待値はこれまでになく上がっているのに、政府への信頼がむしろ低下の一途を辿っているのは、日本もアメリカのことを言えた話ではなさそうです。

政府と国民の「信頼関係」が最も必要とされるときに、それを構築するための努力をどれだけしたかがパンデミック対策の成否を分ける大きな鍵だったように思いますが、世界各国のさまざまな対応が報道されるなかで、特に若い世代は、どういう政治家、どういうシステム、どういう政策が、自分たちの「信頼」に足るものかを非常に厳しく査定していると思いま

※10　※11　※12

すし、そこで見出された価値軸が今後の社会のありようをかたちづくっていくことになるのだろうとも思います。

――記事のなかで、スペイン風邪の社会的影響を研究している研究者がこんなことを言っています。「パンデミックの対応のミスは信頼の低下を招く。一方で、政府や社会の対応が素早く効果的であった場合、逆のアウトカムを得ることができる。ソーシャルキャピタル（社会資本）に対するポジティブで持続的な影響をもたらすことができる」

誰が信頼できて誰が信頼できないかということに関してZ世代が非常に敏感だということは、「企業がZ世代について理解しておくべきこと[※13]」（What companies need to understand about Gen Z）でも触れられています。例えば、企業が「自分たちはエコフレンドリーですよ」といくら言っても、上辺を取り繕っただけのものは「Greenwashing」と呼ばれてさらに厳しく断罪されます。今回のプロテスト運動のなかでも企業の「乗っかり方」には非常に厳しい目が注がれてきましたし、かたちだけで乗っかる人や組織は、やはり見透かされてしまいます。

――どうしたってバレちゃうんですよね。

それがデジタルコミュニケーションの特性なんだと思います。これは私の好きなテックシンカーのダグラス・ラシュコフが、『ネット社会を生きる10ヵ条[※14]』という本のなかで書いていることですが、インターネット空間では「真実を語ること」だけが成功への道なのだと彼は言います。それはどういうことかというと、「語るべき真実」がある人こそが、そこでは注目され価値化されるということで、その「語るべき真実」というのは要は行動だと言うんです。

つまり「こう思う」とか「こう考える」みたいなことを喋ってもダメで、「これを実行した」「こういうものをつくった」「こういうことをやってみた」という行動の事実そのものが価値とされる世界がインターネットの世界だというわけです。

――なるほど。

インターネットを通して、人はことばではなくその背後にある行動を見ているんです。例えば安倍首相がInstagram上でお茶を啜っている映像に国民が何を見たのかは、こうした観点から見ると、その意義もしくは問題点をより鮮明に明かしてくれるのかもしれません。

――ほんとですね。

今回の〈Field Guides〉のなかには、「ティーンシェフのTikTokの成功レシピ[※15]」（A teen chef's recipe for TikTok success）というタイトルでTikTokのスターである少年シェフのストーリーがありますが、この記事で面白いのは、どこかの国や地方の伝統料理をつくる動画をアップすると「そうじゃない！」と非常に活発なディベートが起きることをこのシェフが明かしていることです。こうしたディベートが起きることを彼自身とても面白がっていて、自分の調理法がたとえ間違っていてもまったく気にしないと語っています。

――ほお。

こうした考え方は、いわゆる「オープンイノベーション」というものの考え方に近く、彼が投げ込んだレシピを契機にさまざまな修正や改善が加えられていくということで、それこそがデジタルネットワークにおけるもっとも自然なコミュニケーションのありようなのかもしれません。

このときシェフの少年は「これが正しいのだ」と主張し言説を管理する存在ではなく、ただきっかけを与える存在としているだけで、彼の号令を契機に一種のコレクティブインテリジェンスが発動されるかたちになっています。こうしたメディア空間は、これまでの「正しい（とされる）考えが一方向からやってくる」マスメディア空間とはまったく原理が異なるものですが、自分も含めてこれまでの「マスメディア」的な感覚から抜け出せずにいることを痛感させられます。

いまのソーシャルメディアをめぐる混乱は、一人ひとりの人間が、いまだにそこをマスメディア的空間と混同していることに原因があるのかもしれません。

――いわゆる「ハッシュタグによるプロテスト」みたいなものも、マスメディア的マインドセットで見たり参加したりするのと、Z世

※15 ※14 ※13

代的なソーシャルメディア・マインドセットで見るのとは、もしかしたら感覚的に随分違うのかもしれませんね。

最初に紹介した「企業はZ世代の意のままに」という記事のなかに面白いフレーズがありまして、「Z世代は、自分たちでつくったものを自分たちで消費し、自分たちが消費するものを自分たちでつくる初めての世代だ」と言うんです。

——ふむ。

これだけ聞くと取り立てて面白い話に聞こえないかもしれませんが、これはやはりラジカルなことだと思います。つまり、象徴的な意味での「大人」を介在させずに経済や社会を回していくことが可能だということですから。

——ああ、なるほど。

これまでの社会のそれとは異なるある価値観に基づいて、デジタルネットワークのなかにまったく別の自律した社会を構築できるという実感をもった世代が、その実感をもってどこまで社会を変えていくことができるのか。あるいはZ世代の後に出てくるであろうまた違った価値観をもった新世代がいずれ台頭してきたときに、Z世代の同世代的で実感的な世界がどう持続されうるのかは興味深いところですね。

——期待したいところではありますよね。

もちろん、「おまえらがしっかり考えなきゃいけないんだ」とおっさんに檄を飛ばされていた少年に期待したい気持ちはありますが、その一方で個人的には檄を飛ばしていたおっさんの方に共感するところもあります。年を重ねるということは、世の中に対しても自分に対しても幻滅することでもあると思います。あのおっさんだって、きっと若いうちは変革を夢見たのだと思いますが、どこかで「自分たちにはここまでしかできないな」と思う瞬間があったんだと思うんです。

——そう言われるとなんか泣けてきますね。

若者に過度な期待が寄せられて、その期待を若者が真に受けて急進的に変革を急ぎ、それが新たな幻滅を生み出してきたというのも、これまでの近代社会のシステムにおけるおなじみの光景であったはずです。穿った見方をすれば、Z世代が「大人」からこれほどまでに重宝され、あるいは脅威とされているのも、それが強大な経済力をもっているからでしかないというのはやはり怖いところです。

——幻滅が待っている可能性はあると。

それはわかりませんが、ひと口にZ世代と言っても、みんながキラキラしてデジタルサヴィーなわけではないでしょうし、いまは意気揚々としている若者もいつかどこかで自分の限界を悟るようなことがあるはずで、そのときにあのおっさんの声を思い出すことになるはずです。

頭で思い描くようには社会は変わっていかないと思いますし、自分たちがどこかまで行けたとしても、それは自分たちの前の世代が、その手前までの道筋を敷いてくれたからでもあって、そのことも忘れないようにしないといけないと思います。

——歴史のレガシーの上に自分たちがいる、と。

BLMや今回のプロテストを見ていて「いいな」と感じるのは、そうした歴史に対する感覚です。アメリカの良いところは、歴史を前に進めようというときに、同じだけの熱量をもって過去が掘られるところだと思います。こうしたムーブメントは、変革のプロセスでもありますが同時に学びのプロセスでもあるんですね。

——エルモのお父さんが言った通りですね。

そうなんです。第二次大戦中にナチスに殺されたドイツの教育者でアドルフ・ライヒヴァインという人がいまして、彼は、処刑される直前に11歳の娘にあてて手紙を残しています。これは、折に触れて紹介[※16]しているものなのですが、学ぶというのがどういうことなのか、それがなぜ大切なことなのかを教えてくれることばでして、本当にいいことばなので最後にちょっと紹介させてください。

——いいですね。お願いします。

※16

「機会があったら、
いつでも人には親切になさい。
助けたり与えたりする必要のある
人たちにそうすることが、
人生でいちばん大事なことです。
だんだん自分が強くなり、
楽しいこともどんどん増えてきて、
いっぱい勉強するようになると、
それだけ人びとを助けることが
できるようになるのです。
これから頑張ってね、さようなら。
お父さんより。」
（對馬達雄『ヒトラーに抵抗した人々』）

――学ぶことでより多くの人たちを助けることができる。素晴らしいですね。

はい。であればこそ人は学び続けないといけないということでもあります。学び続けることで人は正しく謙虚であり続けられる。そういうことなのではないでしょうか。

Field Guides を読む #8

What Gen Z wants

June 14, 2020

https://qz.com/guide/gen-z/

◉世界のヤングアダルトたちの「最も神聖な空間」：自分の部屋
Young adults around the world offer a glimpse into their most sacred place: their room

◉ティーンシェフのTikTokの成功レシピ
A teen chef's recipe for TikTok success

◉パンデミックはZ世代をどうかたちづくるか
How Gen Z will be shaped by the coronavirus pandemic

◉企業はZ世代の意のままに
Gen Z consumers are making companies bend to their will

◉企業がZ世代について理解しておくべきこと
What companies need to understand about Gen Z

#9

Science's great pandemic pivot

June 21

サイエンスの受難

すべての情報が嘘か本当かわからない
「ポストトゥルース」的状況のなか
そこで矢面に立たされているのは
やはり「科学」なのだと思います。
科学の客観的信憑性なんていうものは
自分の信念に合致するかどうかの問題でしか
なくなっているというのがいまの現実であることを
直視すべきだと思います。

——緊急事態宣言も解除されて、少しずつ平時に戻ってきたようにも思いますが、生活のほうはいかがですか？

結局ほとんどステイホームもせず事務所に通っていましたから、日々の生活はあまり変わらないといえば変わりませんが、それでも少しホッとする感覚はあります。やはりなんというか、肩肘張っていたのだなと改めて感じます。

——「ニューノーマル」なんていうことばも出ていますが、新しく習慣になったことなどあります？

日常的にマスクをするようになったくらいですかね。といっても好きなスポーツブランドのマスクが出て、そのロゴ入りのものを喜んで身につけるくらいのことなので、ある意味、新しいファッションアイテムという気持ちが強いかもしれません。

——結局タバコもやめてませんよね。

そうですね。「会議がリモートになって一番よかったことはタバコを吸いながら会議ができるようになったことだ」と喫煙仲間とは不謹慎な冗談を言っていたのですが、そもそも感染対策として禁煙が有効だみたいな話は本当なのかなと思うところもあります。

——違うんですか？

これも喫煙者の知人に教えてもらったのですが、タバコに含まれている成分がコロナウイルスに効くという論文が4月に提出されています。フランスの著名な神経生物学者が、「ニコチンはコロナウイルスが体内の細胞に届くのを防ぎ、体内における拡散を抑止する効果がある可能性があると言っている[※1]」と英国紙「Guardian」が報じています。ちなみに、フランスの病院に収容されたCOVID-19患者のうち喫煙者は8・5％だったそうです。フランスの喫煙者は平均して25・4％であるにもかかわらず、です。

――なんと。

もちろん、こうした情報は喫煙者には喜ばしいものですが、今回の〈Field Guides〉のお題が「科学」であることに即して言えば、よくよく考えなくてはいけないのは、科学というものが本当にアテになるのかということなのではないかと思います。

――え。

いや、科学はもちろん大事です。とはいえ、いま紹介した「ニコチンがコロナウイルスに効く」なんていう論文を、いくら私がプロモートしたところで、これだけ反喫煙が進行しているなかでは一顧だにされません。

といって私も、コロナ対策として、あらゆる公共空間、商業施設内で喫煙を解禁すべきだなどと叫ぼうとは思いませんが、つまるところ科学的エビデンスというものは、ハナから社会的なアジェンダを補強するものとしてしか存在しないのではないかという疑念は常にあるわけです。

――社会は自分たちが受け入れたい「エビデンス」しか聞き入れないということですね。

はい。といってこれは批判でもなんでもなく、実際自分だってそうなんです。喫煙が感染症によろしくないということがパンデミックの初期に言われていましたが、愛煙家の自分からしたら、「あ、そうですか」くらいのもので聞く耳をまるでもちませんでした。それはもちろん愚かなことではあるのですが、じゃあ翻って愚かでない判断というものがいったいどこにありうるのかということになると、実際は途方に暮れてしまうことにもなります。

――福島原発の事故のときもそうでしたね。科学者が出てきてさまざまなことをおっしゃるのですが、微妙な学問領域の違いや立場の違い、スポンサーの違いなどによって言うことも違ってくるわけでして、それに対して「あいつは専門家じゃない」とか「左翼だ」とか「中国政府に金をもらってる」とか、本当か嘘かわからないような批判が湧いて出てくるのは今回のコロナ禍のなかでもそうでした。

※1

科学というものが客観的で中立的な唯一の答えを出してくれるはずだというのは、専門家ではない素人の願いというか期待ではあるわけですが、短期的にすぐに「これだ」という答えが出ないのは、仕方のないことなのだろうと思います。

ある記事で読んだのですが、それこそ医師だったか疫学の研究者だったかが、「未知なるウイルスに専門家は存在しないにもかかわらず、われわれは専門家として振る舞うことを要求される」といったことばを漏らしていまして、それはたしかに大きな矛盾です。

——そうですね。

新型コロナウイルスの専門家と呼べる人は、おそらく「バットウーマン」（bat woman）の異名をとる武漢の研究ラボの責任者だった女性研究者だけで、彼女は15年間、コウモリから移る感染症を追いかけてコウモリが巣としている洞窟を探索していたそうですが、その唯一とも言える専門家が、そうであるがゆえに今回のパンデミックの根本的な原因であると名指しされているのは、この矛盾を端的に表しているのかもしれません。

——バットウーマンですか。

アメリカの科学ジャーナル「Scientific American」に、彼女に関する非常に面白いストーリー[※2]が載っていまして、その記事自体は、彼女がウイルスを世に放った張本人であるとする濡れ衣を晴らそうとする方向で書かれていますので、記事を紹介した「Twitter のリプライ欄は「中国政府の回し者」といった罵詈雑言で大荒れでした。

——どっちが正しいと思われました？

記事自体はとても面白く読みましたし、コウモリからの感染症にこれだけの情熱を傾けてきた女性研究者にものすごく感心しました。ただ、この記事の信憑性となると自分にはまるで判断ができませんし、パンデミックの背後で、国際政治上のさまざまな駆け引きが起きているのは事実だと思いますので、記事が捏造だとまでは思わないにせよ、ファンディング上の、あるいは、政治上の後押しがあって記事が掲載された可能性は否定できませんよね。

いずれにせよ書き手の思いや共感がしっかりと伝わってくる読み応えのある記事だなとは思いましたので、その辺で判断を止めておくしかないのかなと。

——議論のしようもないと。

そうですね。そもそも判断するにも手持ちの情報がないわけですから。

今回の〈Field Guides〉のなかにも、この武漢の研究所をめぐる言及が1カ所だけ出てきますが、どういう文脈かといいますと科学研究における「資金の流れ」という文脈です。「SARSの経験にもかかわらず、なぜ世界の研究所はCOVID-19に不意を突かれたのか※3」（Why research labs were drastically unprepared for Covid-19, even after SARS）という記事で明かされているのは、結局のところ科学研究というのは資金獲得のコンペティションであって、そのコンペティションのルールは研究者が決定するのではなくファンディングをする側が決定するという問題です。要は研究者が政治の要件に従って右往左往せざるを得なくなっているということですが、武漢のラボについてはこう書かれています。

「結果として科学研究の助成は党派的な問題に帰着し、政治の近視眼的な決定の対象となっていく。例えば、トランプ政権がSARS-CoV-2がそこから発生したと喧伝したことからNIH（米国国立衛生研究所）は、コウモリから人へのコロナウイルスの感染を研究していた武漢の研究所への資金援助を突然打ち切った」

——研究所が政治的駆け引きの道具にされたということですね。

この記事はNIHへの助成申請がサイロ化してしまったことで最も基礎的な研究が援助対象にあてはまらなくなっていることや、少なからぬ研究者が助成の枠組みに合わせて自分の研究内容を変更せざるを得なくなっている問題などを指摘していますが、今回の特集のほとんどの話は結局のところ、「資金がどこから流れているか」という問題に帰着しています。科学研究はもはや、経済的な理由から自律性や自由が奪われてしまっているという結論になります。

※2

※3

――どうしてそうなっちゃったんでしょうね。

これは、若い科学者のキャリアがCOVID-19によって不安定化させられている状況をレポートした「COVID-19は若手科学者を不安定化した※4」(Covid-19 is destabilizing an entire generation of young scientists)に書かれていることですが、大学や研究室がロックダウンし自分も身動きができない状況になると、研究設備にアクセスができなくなってしまうので研究そのものができなくなってしまいます。科学研究は個人で賄うことが到底不可能な高価で巨大な設備を必要としますので、そこへのアクセス権がないとドロップアウトせざるを得ないわけです。

――家にこもって自分ひとりで論文を書くなんてことは、もはやできないわけですよね。

これは仕方のないことだとも思います。実際研究や実験にはお金がかかるわけですから。ただ、そのアクセス権の有無が科学者の未来を決定してしまうという状況は、利権の温床になって弱者を常に利権側の言いなりにさせてしまい、若い研究者は資金や設備へのアクセスを絶たれた瞬間に科学者生命も絶たれてしまいます。

一方で、資金を提供したり設備投資をする側からしますと、公的援助も減っていくなか投資の費用対効果が厳しく問われ、より効率的な投資が求められてもいますので、選別的にならざるを得ない状況もあります。

――たしかに。

とりわけ税金が投入されるともなれば、国民からは当然「それは何の役に立つんだ」「ほかにもっといい使い道があるだろう」といった声は上がりますし、それはそれで当然の声ではあります。ただそうなってくるとお金を使う側としては、どんどん余白を削り取られていってしまうということにはなります。

先に挙げた「SARSの経験にもかかわらず、なぜ世界の研究所はCOVID-19に不意を突かれたのか」のなかで、ある研究者は、「我が国の科学研究を援助するやり方は変わらなくてはならない。現在あらゆる研究は、その中身をまったくわかっていない政治家によってまな板の鯉にさせられてしまっている」と嘆くのですが、その政治家の判断というのは、実際は国民の判断でもあるわけですよね。

——そうですね。

とはいえ、じゃあ「国民の科学リテラシーを上げるのが急務だ」といったところで、包括的に科学界を見回して「これは役立つ／これは役立たない」なんて判断が国民にできるわけもありません。とりわけいまの科学研究は、自分の研究領域に隣接する科学者がどんな研究をやっているのかを当の科学者自身ですらわからないというほどまでに細分化されていますから、いったい誰がそんな神のような視点から「腑分け」をできるのかといったら、おそらく誰もいないということになってしまいそうです。

——ふむ。

加えて、ここがとても重要だと思うのですが、今回のパンデミックが明らかにしたように、新型ウイルスというものは言ってみれば常に「未知のもの」として姿を現すわけです。これはどういうことかと言うと、それが襲来することを予測した上であらかじめ対処法を準備しておくことができないということです。

——準備できるなら「未知」ではないですもんね。

役に立つとわかった上で投資を行うのは原理的に不可能であるということが、パンデミックが明かした不確実性なんですね。

——とすると、手立てがないということになっちゃうんですかね。

先の記事でも触れられていることですが、こうした不確実性を前にして大事なのは「研究の多様性を確保しておくことだ」ということになります。「バットウーマン」のような人が、「いつ、どこで役に立つかはわからないけれども、きっといつかどこかで役に立つはずだ」という気概をもって地道に研究を継続していくことがいかに重要であったかは、今回のパンデミックにおいて、本来であれば大きな教訓になったはずです。

未知の困難に対処する上では、いかに多様なソリューションに賭けておくかはとても大事な戦略でして、実際、「SARSの経験にもかかわらず、なぜ世界の研究所

※4

はCOVID-19に不意を突かれたのか」のなかでは、研究の多様性を確保するために独立系研究者をもっと支援すべきだとの声が紹介されていますし、政治的・経済的なアジェンダによって資金の分配が恣意的に決定されないように「抽選にすべき」「研究者たちの投票で決めるべき」といった提案もなされています。

――抽選ですか。面白いですね。

計画して賭け金を張るよりもランダムに張ったほうがレジリエンスが高いという考え方だと思いますが、不公平・不公正の是正という意味でも、そこまでバカげてもいないのかもしれません。もちろんうまく設計しないとダメだとは思いますが。

――お金の流れということで言いますと、チャン・ザッカーバーグ財団の動きを追った「コロナはプライベート・フィランソロピーの力を試している[※5]」(Coronavirus is putting the power of private philanthropy to the test)といった記事もあります。

科学に限らずアートの分野でもそうですが、海外ですといわゆる民間セクターと公共セクターの間に入るかたちで、基金や財団など多種多様なソーシャルセクターが市場化できない公共財や社会的な価値を守る活動に資金を投入していましたが、今回のCOVID-19の一連の困難のなかで、こうしたセクターの厚みや資金力は大きな違いを生んだように思います。

記事のなかでは、アウトブレイクが起きてからチャン・ザッカーバーグ財団への助成の申請が激増したほか、行政府からPPE確保のための援助を頼まれてポンとお金を払ったことなどが明かされていますが、これまで説明してきたような基礎研究支援からPCR検査の素早い実装支援といったところまで、公共では動きが遅いところを補完する役割として、ゲイツ財団なども含めたこうしたセクターの活動は不可欠のものであると評価されています。

――一方のビジネスセクターは、いかがでしょう。

「コロナウイルスは創薬研究の利益構造を変えた[※6]」(Coronavirus has upended the profit incentives for pharmaceutical research)という記事

では、民間セクターの動き、主に製薬会社の動きが概説されていますが、記事がフォーカスしているのはシェアホルダーの顔色を常にうかがわないといけない企業の限界です。

　パンデミックは世界的な公衆衛生上の危機ではありますが、その一方で、企業から見れば格好のマーケットでもあります。企業はそこで利益を得ることができると思えばこそ創薬の開発競争に乗り出すわけですが、とはいえ、どこかが一番乗りでマーケットにプロダクトを投下できたとして、より多くの人に行き渡るような価格になるのか、どれほどの生産量が担保されるのか、といったあたりは単にビジネス上の問題ではなく、各国政府の公共政策にとっても極めて重大な問題ですから、株主のほうばかりを見られても困りますし、儲けにならないからといって何もしないのも、企業というものの社会的影響力を考えると、やはり困ります。

――今回の危機のなかで、総じて民間企業の「何もしなさ」はちょっと驚きでした。

　そこは本来もっと問題にされていいと思うのですが、有名社長や起業家が、ある種のフィランソロピーとしてマスクを寄付したりといったことはありましたが、企業としては総じてぼんやり眺めていたような印象は、たしかにあります。

――「Black Lives Matter」のプロテスト運動においてもそうでしたが、企業の社会的態度に対する視線は非常に厳しいものになっているにもかかわらず、日本ではビビッドな反応がほとんどなかったですね。

　ユニクロのような企業が、アベノマスクよりも先にマスクの生産に乗り出すといったことを楽しみに期待していたのですが、ひどく緩慢でした。さまざまな調整が必要なのだろうとは思いますし、大企業になればなるほどスピーディな決断が難しいのはわかりますが、残念さは変わりません。

――ですね。

　先ほどの話に戻りまして、いかに「未知」なる状況に対応するのかということで言いますと、「科学は二度とCOVID-19以前には戻れない※7」(Science will never be the

※5　※6　※7

same after Covid-19）という記事が非常に面白いものでした。ここではドイツ、ナイジェリア、イスラエル、英国の研究機関が、「コロナ対策」に向けて、いかに研究組織を高速ピボットしたかというところに焦点が当てられています。

――高速ピボット？

平時においてＡＩＤＳやエボラ、ジカウイルスや鳥コロナウイルスやラッサ熱を研究しているラボをひとつに束ねて新型コロナウイルスのワクチンの研究にあたらせたという事例が紹介されていますが、これはいま風の言い方をするなら「アジャイル開発」を行うことのできる組織体へと、研究機関を素早くつくりかえるアイデアと言えるかと思います。

――面白いですね。

オックスフォード大学では、２００人の研究者がそれぞれの研究をシャットダウンしてワクチン開発にあたったといいますが、ほとんどの研究者になんらかの役割が与えられていたそうです。

――すごいですね。

記事によれば、これは数年前から想定されていた事態で、研究所内では緊急事態が発生した際のプロトコルがある程度できあがっていたそうです。結果、この研究所はワクチンのテストが世界で一番進んでいるそうですが、この取り組みが面白いのは、実際のところ「専門家」が誰ひとりいない事態のなかで、近い領域の研究者が集まって一種の「コレクティブ」として動いているところだと思います。こうすることによって、さまざまな知見が吸い上げられるだけでなく、科学者間の合意形成にもつながりますので、より信頼性の高い情報を取り出すことも可能になります。

――科学者個々人がランダムに発信するよりも信頼に足る情報になりうるということですね。

さまざまな専門や立場の人の視点が入ることで、ある特定のバイアスから抜け出ることが可能になるのだと思います。

ある英国の研究者が書いた面白いエッセイ※8がありまして、今回のパンデミックがもたらした「よかったこと」をまとめたものなのですが、ここでも、こうした合同研究の意義に触れられています。

——ほお。

「NESTA」という英国のイノベーションラボの研究員が書いたものですが、COVID-19がもたらしたポジティブな傾向として、まず「専門家の復権」が挙げられています。ただしここで重視されているのは、単にひとりの専門家が権威をもつということではなく、広い領域の専門家を集めたグループシンキングのことを指しています。英国では、ある科学的知見が政策決定に落とされる際に、心理学者、社会学者、歴史学者、人類学者などが参加したグループによって、その妥当性が討議されたと書かれています。自然科学と社会科学、人文科学の専門家がオープンにコラボレーションしていくやり方を英国は取ったというわけですが、そのお陰で「素早くフェイクニュースを潰すこと」「エビデンスの素早い精査」「エビデンスに基づく発信・対話」「メンタルケアの導入」ができたと語られています。

——最初に指摘されていたように、科学的知見が最も重視される局面でありながら、一方で、科学者や専門家への信頼や信憑性が低下しているわけですから、それをどう乗り越えるのかという課題に真摯に取り組んだ事例と言えそうですね。

さすがだなと思ったのはまさにそこです。エビデンスが大事ということはいたるところで盛んに言われていますが、特に日本ではエビデンスが信頼に足るものかという手前のところで、権威主義的な「科学的手付き」が毛嫌いされてもいますから、エビデンスベースの政策を執り行うのであれば、それとセットで信頼性の再構築が戦略化されていないとダメですよね。英国の事例はそこにちゃんと目を向けているのが、やはり優れていると思います。ちなみにこの記事を書いたのは「有用なエビデンスのための同盟」(Alliance for Useful Evidence)というプロジェクトのディレクターを務めている方です。

——科学の問題は、情報の信頼性の問題でもあるわけですよね。

パンデミックは同時にインフォデミックでもあったわけですが、

※8

ソーシャルメディアで用いられる「拡散」や「バイラル」といったことばは、そもそもが感染症用語ですよね。パンデミックとインフォデミックはそういう意味ではパラレルなものでして、とりわけデジタルネットワークにおける「感染症＝インフォデミック」が深刻なのは、それが「真実」というものをなし崩しに崩壊させてしまうところで、そこで言われている真実は、「科学的真実」なんです。

――そうですか。

すべての情報が嘘か本当かわからない「ポストトゥルース」的状況のなか、「真実」というものがもはや幻想でしかないということがどんどん明らかになっていますが、その矢面に本当に立たされているのは、やはり「科学」なんです。実際、科学者がなんと言おうと、「ワクチンなんか打たない」「マスクはしない」と言っている人はたくさんいるわけですから、「反科学」的な心性の拡大は極めて重大です。科学や情報の客観的な信憑性なんていうものは自分の信念に合致するかどうかの問題でしかなくなっているというのがいまの現実であることを、まずは直視すべきではないかと思います。

――最初の話に戻っちゃいました。

「ポストトゥルース」ということばを初めて聞いたとき、それは「科学の死」を意味するんだなと思ったものですが、といって科学がいままで以上に大事になっているのも事実だとは思います。

ただ、科学的理性をもって人はもはや動かなくなってしまっているという状況はどんどん進行していますので、その状況をいったんは受け入れたところで、科学に何ができるのかを考えないといけないのではないかと思います。この状況そのものが「未知」なのだと、心すべきなのかもしれません。

Field Guides を読む #9

Science's great pandemic pivot

June 21, 2020

https://qz.com/guide/science-pivot/

◉科学は二度とCOVID-19以前には戻れない
Science will never be the same after Covid-19

◉コロナウイルスは創薬研究の利益構造を変えた
Coronavirus has upended the profit incentives for pharmaceutical research

◉SARSの経験にもかかわらず、なぜ世界の研究所はCOVID-19に不意を突かれたのか
Why research labs were drastically unprepared for Covid-19, even after SARS

◉COVID-19は若手科学者を不安定化した
Covid-19 is destabilizing an entire generation of young scientists

◉コロナはプライベート・フィランソロピーの力を試している
Coronavirus is putting the power of private philanthropy to the test

#10

Fossil fuels go bust

June 28

化石産業の末路

コロナ禍のなか、英国はすべての火力発電を停止し
電力消費における代替エネルギーの割合が
初めて化石燃料を上回ったと言います。
アメリカも同様で、２０１９年は代替エネルギーが石炭の
電力生産量を下回る歴史上最後の年になると言われ
２０５０年までに達成することすら
難しいと考えられていた１００％の脱カーボン化は
２０４５年には実現できるのではないかとみられています。

——お元気ですか？

どうですかね。なんかあんまりやる気が出ないですね。

——どうされたんですか？

うーん。疲れちゃいました（笑）。

——疲れますよね。

何をしたらいいのか、だんだんわからなくなってきてしまいましたね。

——そうですか。わかるような気もしますが。何が原因なんでしょうか。

なんでしょうね。さまざまなかたちで吹き出している問題の根が深すぎて、どこから考えていいかわからなくなってきたような気分です。遠くまで遡らなくてはいけない話と、例えば目の前の選挙の話とが、つながっているようでつながらないという感じですかね。

——困りましたね。

そうなんです。とはいえ、なんとか食い扶持はつながなくてはいけないので「やる気がしない」とか言ってる場合でもないんですが。

——大丈夫ですか？

そういえばひとつ朗報がありまして、メディアの仕事とは関係ないビジネスを会社として始めたのがちょっと動き出しました（笑）。

——え。なんですか、それ。

昨年中国の深圳で訪ねたスタートアップの商品の輸入代理みたいなことを、弊社の社長がこっそりと始めまして。その商品がひとつ売れました。

——ほお。

プロジェクター用のスクリーンなのですが「光子スクリーン」も

しくは「フォトニックスクリーン」という光子制御のスクリーンです。

——はあ。

自分はまったく原理を説明できませんので簡単に効果だけをお伝えしますと、普通のプロジェクターで映像を投射する際に、この光子フィルムにあてると周りが明るくても非常に鮮明に映像が映るんです。これ結構すごいんです。薄いスクリーンを壁にかけてあるのをパッと見ると、まるでテレビのように見えます。

——へえ。面白い。

日本で研究をされていた中国の研究者が深圳市と中国政府の援助を得て帰国して起こした会社の商品です。

——へえ。

２０１９年に深圳のオフィスにお邪魔させていただいて色々とお話をお伺いしたのですが、そこで面白かったのは、スクリーンはあくまでも商品化可能なところから商品化した、いわば継続的に研究を支えるための商品でしかなく、その先にもっと大きなチャレンジがあると語っておられたことです。

——スクリーンはあくまでも助走にすぎないと。

はい。スクリーンのアップデートは、それはそれで短期的なマーケットは狙えそうですし見込みあるビジネスだとは思いこそすれ、ダイナミックなイノベーションと呼べるかどうかは疑問で、少なくとも自分的には「それだけ？」と思うところがありました。そのことを訊ねてみたところ、やはり先の話がありまして、彼らの言う「光子制御」の技術は、いずれ例えばパソコンのＣＰＵに使えるようになると言うんです。

——はあ。

説明しろと言われても自分にはできないのですが、ただ、その技術によって劇的に消費電力を抑え、かつ劇的に処理能力を上げることができると彼らは言います。「コンピューターの未来は電子ではなく光子にある」と、まあ、こうおっしゃるわけです。

――話がデカいですね。イノベーション感あります。

そうなんです。そう言われると、俄然面白いじゃないですか。すぐには実現しないとおっしゃっていましたが、コンピューターのCPUは言ってみればグローバルインフラですから、そこになんらかの新規格が登場して世界中で導入されたら、プロジェクター用のスクリーンとは桁違いのマーケット規模になると思いますので、そう聞いて自分も「なるほど、こりゃイノベーション感あるわ」と感心したわけです。

――で、それを応援しようと。

そこまで理念的なことで始めたわけでもないのですが、ただ、ひとつ注目しておきたいのは、彼らがこうしたイノベーションを「グリーンテック／クリーンテック」の文脈で語っていたことです。つまり、これは情報技術のイノベーションでありながら「環境テクノロジー」のイノベーションでもあるわけです。

――あ、なるほど。今回は「化石産業の末路」がお題ですが、それと関係ある話なんですね。

たしか昨年だったと思いますが、アメリカ民主党のバーニー・サンダースが「アメリカは中国を見習うべきだ」といった発言をして物議を醸したことがありました。彼がそこで何の話をしていたのかといえば、「グリーンテックへの投資」でした。彼は「グリーンテック」に対する中国の投資額が、アメリカ、欧州、インドを合わせた額よりも多いと指摘しており、それを読んで自分も「へえ」と思ったのですが、先ほどお話しした「光子フィルム」への中国政府の投資も、おそらくは、その一環だとみることができます。

――にしてもすごい額ですね。

環境や再生エネルギーのスタートアップは欧州ではドイツが強いといわれていますが、聞くところによれば欧州のグリーンテック・スタートアップの背後にはかなりの割合でチャイナマネーが入っているそうです。

――そうですか。

はありません。実際覇権を狙えるチャンスはあるわけですから。

——転機ということでいえば、COVID-19は、これまでの経済構造やエネルギー消費のあり方を見直す絶好の機会とみられているところはありますね。

アメリカでもヨーロッパでも、そうした論調は極めて強く打ち出されていました。今回の〈Field Guides〉で化石燃料産業の凋落があえて取り上げられているのも、まさにそうした観点からでしょう。「ニューノーマル」は化石燃料からの脱却をデフォルトの条件とするべきだ、という論調が下敷きとしてあるわけですね。

——COVID-19によるロックダ

日本のとある金融関係者も、中国に視察に行かれた際に訪ねたどの中国企業も驚くほど環境意識が高かったと驚かれていました。もちろん、中国は相変わらず排ガスもひどいですし、工場排水による公害なども問題視されています。かつ相変わらず火力発電から脱却できないという問題もありますが、国をあげてぶっちぎりの額をグリーンテックに投資しているところをみると、かなり真剣に、これまでのエネルギーの状態から脱却しようと考えているようにも見えます。単に脱却するだけではなく、さらにそこから一足飛びに来るべき世界におけるエネルギー覇権を取りに行こうという野心も見えますから、バーニー・サンダースのことばは、それに対する警戒を反映したものだったわけです。

——面白いです。

環境テクノロジーということでいえば、それこそ戦後日本でも各地で公害が起き、非常に大きな社会問題になりましたから、一概に中国のことを悪しざまに言えた筋合いでもないとは思いますが、そうした問題に政治的にどう対応したかは別にして、少なくとも技術的には果敢にチャレンジしてきた歴史はあるはずで、排水設備から発電所までできるだけ無駄をなくし、かつ環境にもやさしいソリューションを積み重ねてきたはずです。そう考えるなら、中国もまた、そうした道のりの途上にあって、しかもエネルギーについていえば世界的に大きな転機を迎えているわけですから、ここでリーダーに躍り出たいと考えるのもわからなくウンで、中国やインドなどの普段はスモッグで空がいつも曇っているようなエリアや、欧米の大都市でも、大気汚染が劇的に改善されたことが盛んに喧伝されましたけれども、そうした環境をデフォルトのものにしようという機運は強いですね。

そうしたなか大打撃を受けているのが、まさに需要が激減した化石燃料産業、つまり石油メジャーですが、アメリカの石油産業は今年だけで10万人に上るレイオフが起きると予測されています。かつて3兆ドル規模だった産業は、現在アメリカで全社合わせてもAppleの時価総額に満たないことが「石油会社って意味ある?[1]」(Do oil companies make sense anymore?) という記事で明かされていますが、タイトルからして、もう石油産業はおちょくられているわけです。

——「意味あんの?」って感じです。

この記事は石油メジャーが進むべき道はふたつあるとしていまして、ひとつは戦略的縮小・撤退、もうひとつは「エネルギー企業」へのピボットですが、先ほど言ったような再生エネルギー関連への投資を、彼らが積極的に行っているわけでもないという実情が明かされています。

「石油・ガス企業はCOVID-19から立ち直れないかもしれない[2]」(Oil and gas companies might never recover from Covid-19) というタイトルの記事では、ExxonやChevronのCEOのコメントが引用されていますが、ExxonのCEOは「この不安定で揮発性の高い環境にあっても、我々のビジネスのファンダメンタルは強靭かつ盤石だ」と語っていますし、ChevronのCEOは「新たなエネルギーソースへの転換への準備は、まだ世界でできていない」と大見得を切っています。

こうしたコメントをどう取るかについてはさまざまな見方があるかと思いますが、別の記事を読むと、いつまでそんな強気でいられるのかなとも思えてきます。

——どの記事でしょう。

化石燃料企業のリクルーティングの問題を扱った「石油・ガス産業で深刻化する採用[3]」(The oil and gas industry's recruiting problem is about to get worse) という記事です。

ここでは、かつて工学部の学生の間で人気だった石油メジャーの人気がガタ落ちになっていることが念入りに明かされています。

——意地の悪い記事ですね（笑）。

ここで明かされている内容はそれなりに深刻なものだと思います。2020年4月の調査によれば、ミレニアル世代の78％は代替エネルギーを支持していますし、アメリカの若者の3分の2が「石油・ガス産業が世界に問題をもたらしている」と考えているという調査結果も紹介されています。記事はテキサス州オースティンの工学部の学生のコメントを紹介していますが、石油メジャーなどからの引き合いはたくさんあるものの、自分も周りの友人も、そこに行くつもりはないと語っています。

こうした事態が深刻なのは、石油メジャーのエンジニアの平均給与が18万ドルで、風力発電のエンジニアが5万2910ドルと、額にかなりの差があるにもかかわらず彼らには石油メジャーがまったく魅力的に見えていない点です。

——働き手の確保は、いまはまだいいかもしれませんが、あとあと大きく響いてきそうです。

そうなんです。これはちょっと余談になりますが、ヘルスケア領域の仕事をしている友人によれば、タンカーの航海士の高齢化とヘルスケアの問題は、実は相当に深刻なのだそうです。数十年もしたら働き手がいなくなる、と。

——それは相当重大な問題ですね。

グローバルサプライチェーン云々を語る前に、日本はタンカーの航海士の人員不足という理由から、国際貿易に支障を来すかもしれないとその友人は言うのですが、そうなってきますと若い航海士の確保が急務になる一方、船舶の自動化も喫緊の課題になってきます。

——面白いですね。って、面白がっている場合でもなさそうですが。

脇道に逸れてしまいましたが、「ビジネスのファンダメンタル」という先のCEOのことばが何を指すにせよ、「働き手の確保」は重大事でしょうから、優秀な若者が入っていかない／入っていけない業界や企業は、足元から事業を

※3 ※2 ※1

蝕まれていくことにもなりかねませんが、どう思われているんでしょうね。

逆に中国は、AIから光子スクリーンにいたるまで有望な技術者・イノベーターを大枚をはたいて自国に呼び戻していますが、そうやって面白い仕事をしている人たちが増えていけばいくほど後続の優秀な人たちも集まっていきますから、若い人のやる気の出る面白い仕事をつくっていくというのは、企業だけでなく国の仕事としても重大なミッションです。

――これも余談ですが、ちょっと前にトヨタの春の労使対話の様子※4が公開されて、「この会社に女性はいないのか?」とTwitter上であげつらわれていましたが、この労使のやりとりは、まさにそのことがテーマでした。「若いエンジニアがとっとと辞めてスタートアップなどに行ってしまう」と。そのことに組合は非常に強い危機感を示しているのですが、経営層の応対がもうヤバいんです。せっかくなので紹介しておこうと思うのですが、いいですか?

お願いします。興味あります。

――こんな感じです。

組合「若手からは『何も変えられない自分と、周りをみても本気で変えようとする先輩、上司がほとんどおらず、(そうした職場に)染まりつつある自分にもがっかりする』という声も聞いており、一部の仲間はトヨタを退職しています」

基幹職からは、退職した部下が今では別人のように生き生きと新しい仕事の話をしているという実体験が紹介された。執行役員の山本圭司はエンジニアとしての問題意識を語った。

山本執行役員「(中略)トヨタを離れてどこにいくのかを見ると、スタートアップの会社が多いです。そこでは、一人ひとりに裁量権が大変大きく持たされているようで、自由に自分の意見で、自分の開発を自分の手でできるということのようです。歴代の我々マネジメント層に大きな責任がありますし、やはり役員、部長になっても、一人ひとりの社員に寄り添って、働き方そのものや期待値を聞くという作業をしないとダメじゃないか。それと、外の会社がどういう働き方をしているのかを現場に行って我々がもっと勉強しないといけないと思っています」

他人事みたいな答弁ですね。

――「面白い仕事」を会社としてつくっていこうという気概もへったくれもないように思うのですが。

トヨタのような大企業であれば、現状を維持するだけで相当のエネルギーを要するでしょうし、おそらくいまの役員のみなさんはそれに非常に長けていればこそ出世もされているのだろうと推測しますので、こんなものなのではないかという気もしますが、石油会社に話を戻せば、要はダイナミックにピボットすることができるかどうかですよね。

「石油会社」は「エネルギー会社」へとピボットしなくてはならない、というのが先に紹介した記事の主旨でしたが、これは、トヨタで言えば、「自動車メーカー」を「モビリティ企業」へとピボットしようというのとパラレルですね。

――はい。

とはいえ、それは決して簡単ではありませんし、そうしたピボットがうまくいった例は過去にも多くないと記事は書いています。さりながら、それを果敢にやっている企業が石油ガス業界にもあるにはありまして、それがデンマークの天然資源企業「Ørsted」という会社です。

――へえ。

記事によると、この会社は２００９年に化石燃料ビジネスからの撤退を発表し、２０４０年までに化石燃料ビジネスから完全撤退することを表明したのですが、そのゴールがすでに15年ほど早まっているそうで、２０１７年には化石燃料に関わる資産をすべて売却し、２０２５年には化石関連ビジネスを完全に終了させるそうです。

――すごいですね。

２０１６年にＩＰＯをして以来企業価値は3倍になっており、アメリカにも進出し、ヴァージニア州からマサチューセッツ州にかけての地域で風力発電による電力供給を行う実験をすることが決まっているとも書かれています。

――ダイナミックですね。

※4

そうなんです。この会社も計画が15年前倒しになっていますし、私が見た最近のニュースですと、コロナ禍のなかで、英国はすべての火力発電を停止し2カ月間それで過ごしたそうで、電力消費における代替エネルギーの割合が、初めて化石燃料を上回った[※5]そうです。

これはアメリカでも同様で、2019年は代替エネルギーが石炭の電力生産量を下回る歴史上最後の年になるといわれていますし、「Fast Company」のレポート[※6]は、アメリカでも90%の電力を再生エネルギーで賄うことが2035年には達成できそうだという見通しを報じています。これはエネルギーの生産や備蓄のコストが劇的に下がっているからだそうですが、これまで2050年までに脱カーボン化することすら難しいと考えられていたのが、どんどん前倒しになっていて、100%の脱カーボン化は、2045年には実現できるのではないかとみられています。

――悠長に構えているわけにはいきませんね。

いまご紹介したデンマークの会社についていえば、この企業の最大のシェアホルダーは、実はデンマーク政府なんです。

――ほお。

ここまでドラスティックな転換を実行できたのは、国が2030年までに化石燃料から脱却することを掲げ、それに向けて相当アクティブに動いたからです。

――そうですか。

とあるデンマークの方に取材したときに、デンマーク政府が既存産業のピボットをどのように進めたかを教えてもらった[※7]ことがあるのですが、これもちょっと引用しておきます。造船業界をめぐる話ですが。

「デンマークは、この数十年で造船産業を失いました。世界で5本の指に入る造船産業をもっていましたが、この産業は10年後には完全に消滅することになります。（中略）行政府がやったことは、造船のためにつくられていたインフラとスキルワーカーを、すべて再生エネルギー関連産業へとシフトさせることでした。より具体的に言いますと、風力発電の風車の製造に関わる新しいビジネスエコシステムのなかに、造船産業の人員や工場を完全に移植したのです。それが功を奏したことで、失業率はまったく落ちませんでした。行政が出資者を集め、労働組合と協働して働き手の再教育を行い、かなりの労力をかけてその移行を行いました。プロアクティブで起業家精神をもったスマートガバメントが踏み込んだことで、こうした移行が実現したことは忘れられがちですが重要なことです。このような行政のアクティビズムがいまことさら重要なのは、それをしないことによって保護主義を掲げたトランプ型のポピュリズムが横行することになるからです」

――すごいですね。

そうなんです。自分もこれを聞いて驚いてしまったのですが、おそらく先の「Ørsted」も、こうした行政のアクティビズムのなかで、うまくピボットができたのでしょう。ここで思うのは、やはり国によるトップダウンのビジョンの重要性で、それがなければ、ここまで思い切った転換は一企業だけでは難しいかもしれません。

　先のトヨタの話で言えば、若い人たちが辞めてしまうのは、別に若い世代の「働き方」や仕事への「期待値」といったあたりの価値観が旧世代と違うからではなく、要は会社として「こっちに行くぞ！」という明確なビジョンに基づいた戦略がないからではないかと思うのですが、その辺は話がズレている気がしますね。

――「面白い仕事」って未来に期待がもてるような仕事ってことですよね。

　そうだと思います。戦後の高度経済成長時には、たとえクルマのひとつのパーツをつくるような仕事にだって、それが社会に貢献しているんだという実感がもてたのだとすると、それは、おそらく社会も経済もまだ発展途上で、目指したい場所をみんなが明確に見られていたからではないかと想像します。ところが80年代にそのゴールに到達してしまったあたりから、日本は、社会も経済も目指したい場所を特定できなくなっているように感じます。

　そうしたなか、仕事というものが「消費者として自分が使うお金を得るために行う作業」といった

※7　※6　※5

ものに成り下がっていったように見えるのですが、それと並行して、日本からどんどん「面白い仕事」というものが失われていったように思えてなりません。

そうやって日本がもたもたしているなか、ＩＴやグリーンテックといった領域で新しい社会をつくっていこうと積極的に産業振興を行ってきた国々もあったというわけです。もちろん、ＩＴ社会やエコフレンドリーな社会に向けた転換というのは、日本政府もそれなりにやってきたとは思うのですが、なぜか実を結んでいません。

――本当ですね。なぜなんでしょうね？

ひとつ最近思うのは、社会を新しい方向に向けてピボットさせようとするときに、日本政府は、やたらと広告代理店的な手法を使うんですね。エコポイントといったものがかつてありましたし、キャッシュレスを広めようという戦略においてもまずキャッシュバックやポイントが使われましたが、自分からするとこれは広告キャンペーンの手法に見えます。かつ相変わらずオリンピックや万博といったイベントを使って変化をレバレッジしようという発想も根強くあります。

――たしかに。いま問題になっている持続化給付金問題と電通の話とも関係しそうですね。

元経産省の古賀茂明さんという方が、給付金問題について非常に辛口のコラム[※8]を書かれていまして、政府が空疎で中身のない広告代理店的な手法を頼みにするようになった経緯を明かしています。

「１９８０年代以降、経産省の産業政策は失敗続き。日本の産業は世界に遅れ、日本株式会社の先導役だった経産省には何も期待されなくなった。失業寸前の経産省は、毎年、新しい事業を立ち上げ、中身がなくても、何とか立派に見せて予算を確保する。おもてなし規格認証、プレミアムフライデーなど。クールジャパンでは巨額ファンドを作ったがほぼ全滅。それでも毎年新事業で自転車操業。これを支えるチャラ男は今や経産省の屋台骨なのだ。だからチャラ男は出世する。そして、チャラ男を支えるのがお祭り屋の電通。企画段階からチャラ男に新事業を仕込み、その事業を請け負う。チャラ男はそのほうが面倒でないし恩も売れるから電通を重用する。安倍総理と経産省の関係は、チャラ男と電通の関係と相似形だ。中身はなくてもやってる感で国民を欺くパフォーマンス内閣。気の利いたアイデアをでっちあげるのは、財務省では無理だ。結局、経産省内閣と言われてもチャラ男の役所に頼らざるを得ない」

――あはははは。クソミソじゃないですか。ここで「チャラ男」と断罪されているのが、中小企業庁の前田長官ですね。

はい。自分も少しばかり経産省とは関わりがあるので少しは肌感でわかるのですが、新しいことをやろうといったときの発想がコンテンツドリブンではなく、やたらと「発信ドリブン」だという感じはします。つまり、発信をもって「やってる感」を出そうという感じですね。

――ほんとに広告的発想なんですね。

行政府の発信ということについては、先ほど紹介したデンマークの方も語っておられて、彼はこう言っています。

「行政の『PR』の仕事は、そのコンテンツをきちんと説明するところにあります。そしてそれをきちんとわかりやすく理をもって説明するためには、伝える相手である市民のことを十分に理解していなくてはなりません。市民にとって何が重要なのかがわかっていないと意味あるコミュニケーションはできません」

――コンテンツの説明、ないですね。

ありませんよね。その説明がないのは、もしかすると本当にコンテンツがないからという可能性があるのが怖いところですが、例えば行政府のDXがなぜ急務であるのか、本当は政治家なり行政府が時間をかけて説明していく必要があるはずで、その説明の時間は十分あったにもかかわらず、それをきちんとやらずに付け焼き刃の「ポイント・キャンペーン」で釣ろうとするわけですが、そんなことをやっている限り、いつまで経っても何もきちんと実装されませんよね。

※8

——ほんとですね。

　話がだいぶ石油産業から逸れてしまいましたが、新しい時代に向けた産業シフトというのは、適当に市場に任せておけばそのうち実現するというものでもなさそうですし、なすがままにしていると大量の失業者が出て世情が不安定になり、先のデンマークの方が指摘したように、それがトランプ型の保護主義の台頭を許してしまう懸念もあります。意志のあるしっかりした産業政策は、特にCOVID-19以降は重要なものになるはずです。それは、キャンペーンやイベントでやり過ごせるような転換ではないんだと思うのですが、「お祭り思考」がデフォルトになってしまっていると、それで社会が動くと思ってしまうんでしょうね。

——重症ですね。

　実は、いま問題になっている「前田ハウス[※9]」に、行ったことがあるんです。

——えええっ。

　テキサスのオースティンくんだりまで来ても相変わらずこんな護送船団みたいなことをやっているのかと、本当に呆れて10分ほどで帰ったのですが、SXSW（サウス・バイ・サウスウエスト）で日本の経産省がやられていたことは、本当に目も当てられないほどのお粗末さでした。報道によっては「パーティ」とされていますが、前田ハウスでやられていたのは日本型のただの宴会で、SXSWではそれこそ英国政府やドイツ政府なども夜な夜なパーティを開催していますが、そうしたものですらないのが残念なところです。

——パーティをするのが問題ではないんですね。

　パーティはどこの国でもやっていますから、それならまだしも、なんです。日本人が集まっただけのただの宴会ですから。加えて、SXSWは、たしかにお祭りではありますが、それでも本来の趣旨からいって実際はとてもジャーナリスティックなイベントなんです。

——単なる見本市じゃないと。

　テックを中心とした「インタラクティブ部門」だけでも膨大な数のプレゼンテーションやパネルセ

ッションが行われていて、とにかくあらゆるテーマでさまざまなアイデアや議論が提出されています。特に前田長官が行かれたはずの2017年は、トランプ政権樹立直後でしたから非常に深刻な内容でした。「WIRED」のUS版はこうレポートしています[※10]。

「今年のSXSWのパネルディスカッションは、『トランプ政権下におけるテクノロジー』という話題を中心に展開された。それ以外の多くのディスカッションでも、登壇者たちは多種多様なアイデアのマーケットプレイスだと期待されたオンラインプラットフォームが、いかにして嫌がらせと偽情報に満ちた汚いゴミ捨て場へと成り果ててしまったかを語った」

――「前田ハウス」どころじゃないですね。

一方で、マイクロソフトのリサーチャーが「暗黒の時代：人工知能とファシズムの台頭」なんていうお題でぎっしりと会場に人を集めているところ、日本人だけで寄り集まってカラオケをしているわけですから、その是非はおいておくとしても、悲しいほどにズレてるのは明らかです。ちなみにこの年、一番話題になった大物スピーカーはジョー・バイデンでした。

――うーん。

いや、いいんですよ。楽しいお祭りではありますから、それはそれで楽しむべきですが、そうした世界的課題が論じられている議論のテーブルについたとして、日本としていったい何を語りうるのか、どれだけレレバントなビジョンやナレッジを世界に提供・共有しうるのかを思うと暗然としてしまいます。

――ろくなコンテンツがない、と。

コンテンツという観点からいえば、SXSWの常連である女性4人組のバンド「CHAI」の方が、よっぽどレレバントなテーマを世界に向けて投げかけていましたし、実際海外メディアにも大きく取り上げられていました[※11]。彼女たちのほうがよっぽどちゃんとしたコンテンツですし、それゆえに、ちゃんと評価もされます。そういう意味では、日本にもコンテンツはあるんです。でも、それをまとも

※9　※10　※11

に選び取って取り扱える能力やセンスが、いまの政府にも大企業にもない、ということになりそうです。

——化石燃料の話からだいぶ離れてしまいましたけど、比喩としていえば、日本の産業全体が化石になりつつある、と。

うまいことおっしゃる（笑）。

——ヤバいですね。

ヤバいですよ。

Field Guidesを読む #10

Fossil fuels go bust

June 28, 2020

https://qz.com/guide/fossil-fuels/

◉石油・ガス企業はCOVID-19から立ち直れないかもしれない
Oil and gas companies might never recover from Covid-19

◉石油会社って意味ある？
Do oil companies make sense anymore?

◉石油・ガス産業で深刻化する採用
The oil and gas industry's recruiting problem is about to get worse

◉新型コロナはアフリカ諸国の石油・ガスによる経済成長策を破壊する
Covid could upend several African countries' plans to fuel economic growth with oil and gas

◉チャートで見る石油・ガス産業の凋落
The oil and gas industry's fall from grace, in charts

ETC専用
首都高

#11

The commuting revolution

July 5

コミュートの革命

通勤をはじめ、あらゆる移動を
すべて自転車で行う人が確実に増えています。
これは仕事場に自転車で通える距離に住んでいるという
条件のもとでのみ実現できる行動様式ではありますが
こうした人たちと、満員電車で通勤している人たちとは
もしかすると決定的に異なる「We」に
属していると考えることができるのかもしれません。
そのふたつのセグメントの決定的な違いは
「移動のタイミング」を自己決定できるかどうか
というところにあるように思います。

――今回のこの記事の配信日は、ちょうど都知事選挙の投票日でもあるのですが、投票は行かれました？

あ、これから行って参ります。

――選挙は行かれるんですか、普段？

行きますよ。行くのですが、毎回モヤモヤした気持ちで帰ってきます。

――モヤモヤはどの辺に由来するのでしょう？

なんでしょうね。無力感といいますか、「これ、意味あるんだっけ？」っていう気持ちですね。もちろん意味がないわけないのはわかっているのですが、モヤッとしてしまいます。手応えがないと言いますか。

――逆に「手応えあった！」ということってあります？

思い返してみると、自分が投票した人が当選したことないような気もします（苦笑）。

――誰に投票してるんですか？（笑）。

そういえば、ちょっと前に、何かで気になって橋下徹さんという方の政策的立場がどういうものなのかを調べたことがあるんです。

――はあ。

橋下徹さんのWikipediaの項は、非常によくできていまして、「消費税」「公会計制度」「公務員」「関西国際空港」「国会議員の経費」「大阪都構想」「東日本大震災」「外国人参政権」「国民の定義について」「選択的夫婦別姓問題」「歴史認識」「教育」「TPP」「国防」「竹島問題」「北朝鮮」「事件・司法」「カジノ」「新型コロナウイルス」といったトピックごとに、彼の発言や見解がまとめられているんです。

これを自分の見解と引き比べて見ていくと、自分は橋下さんのシンパでもなんでもないのですが、全部が全部意見が真逆というわけでもなく、それなりの割合で合意できるイシューがあったりするんですね。

――そうかもしれません。

これは別に橋下さんでなくても、きっと同じな気もします。政策の100%に全部同意、もしくは100%反対という政治家なんていうのは、むしろ存在しないだろうと思うわけです。

――それはたしかにそうですよね。

でも、選挙の仕組み上は、自分の一票をひとりの候補に預けることになります。今回の都知事選では小野泰輔さんという方が立候補されていますが、例えば「島嶼部については、オンライン診療の更なる規制緩和を国に要望します。また、オンライン授業整備を島嶼部に特に拡充し、地域による教育格差を是正します」という提言をされていまして、そのアイデアは私も特に反対でもありません。ところが、彼に一票を投じると同時に「江戸城天守の再建」という政策（?）に一票を入れたことになってしまうわけです。

――江戸城天守再建って、すごいですね（笑）。

選挙のモヤモヤの原因は、おそらくそんなところにあるように思います。イシューが多様で、それぞれのイシューに対する意見や立ち位置がみんなバラバラなのに、それをひとつのパッケージになった状態でしか選べないということの限界と言いますか。

――福袋感というか、闇鍋感と言いますか。

そうなんです。立花孝志さんという方が天才的だったのは「NHKをぶっ壊す」というワンイシューで一点突破を図ったところです。そのイシューを大事に思う人は、右だろうが左だろうが、それぞれの陣営にそれなりにいるわけですから、パッケージにしないで1アイテムだけに要件を絞ったのは、そういう意味では、私みたいなモヤモヤを抱えている有権者にとっては明快ですよね。おそらく彼は有権者のそうした心性を鋭く読み取っていたのだろうと思います。

――政党やイデオロギーよりもイシューのほうが優先順位が上になってしまう。

そうなんです。そう考えると、イデオロギーや政党というもののそもそもの役割がイシューをざっくりと取りまとめて「大体の方向性」を指し示すところにあったことに改めて気づくことにもなるのですが、これだけイシューが増え、かつ人によってイシューごとの立ち位置も優先順位もてんでばらばらになってくると、「ざっくりとした方向性」なんていうものが存在しづらくなってきてしまいますから、代議制や政党政治というものが、そろそろ限界にきているのではないかと疑いたくはなってきます。

――代議士って英語では「Representative」ってことばになると思いますが、これって日本語英語化したところの「レペゼン」ですよね。誰に自分をレペゼンさせるのかということですよね、代議制って。

「自分たちをレペゼンしてくれる人」と一言で言ったときに、例えば女性や有色人種に対する不平等が大きくあるところにおいてであれば「女性をレペゼンする人」「有色人種をレペゼンする人」が選ばれていくことは正当なことですが、それは「自分たちの代表を選ぼう」ということですから、まずそれが可能になる大前提として、常に「自分たち／私たち＝We」の境界設定が必要になるはずです。

――たしかに。

昔は「自分たち／私たち＝We」の境界を設定することばが、例えば「労働者」だったりしたわけですが、高度経済成長期以降の日本では、国民が「労働者」であるよりもむしろ「消費者」として定義づけられていくようになってきたはずですから、必然的に「We」を束ねる力はどんどん弱まっていきます。

アメリカには長らく「消費者」をレペゼンしてきた人として、ラルフ・ネーダーなんていう人もいますし、日本でも「消費者」の声を代弁する組織も多々あるはずですが、一方で消費者であることは、ポスト高度経済成長の時代のなかでは「自己選択ができる、自由かつ責任ある個人」であることとして定義されていきますので、「We」というものから離れて「Me」になっていこうとする力がより強く作動していきます。結果、「自己選択できる自由で責任あるMe」による政治家の選択は、「Me＝私」をレペゼンする誰かを選ぶということになってしまうのですが、そもそも自分をレペゼンできる人が自分以外に存在しうるのかといったら、それはそれで疑問ですよね。

――本当ですね。と言われて、自分が所属する「We」ってどこなんだろうって考えると実際何も思い浮かばないですね。強いていえば「日本人」とか？

そうなってしまいますよね。特に国政選挙ともなると、それくらいしか人を束ねる「We」が見つかりませんから、国防とか、愛国とか、勇ましい方向に重みが行ってしまうのも合点がいくといいますか、「それしかやりようがない」感じになってしまうのだと思います。

――その点地方選挙は、もう少し「We」がはっきりしていそうです。

イシューのステークホルダーがより明確ですしね。例えば小池都知事が前回選挙で掲げたまま何ひとつ達成されていないとされる「7つのゼロ」を見てみますと、政策の受益者がかなり明確で、政策提言としてはいいですよね。

――言ったならやってくれよとも思いますが。

「残業ゼロ」については、都職員の残業はむしろ2016年から18年にかけては増えているそうですし、「満員電車ゼロ」についても微減。通勤電車についていえば、新型コロナのおかげで激減したのはただの瓢箪からコマで、小池都知事でなくてもそうならざるを得なかった結果ですから、評価ポイントにはなりませんね。

――というところでやっと、今回のお題である「通勤」にたどり着いたわけですが（笑）。

今回の〈Field Guides〉は、「通勤」（Commute）をお題に、パリ、サンフランシスコ、日本、インド、アフリカなどの「通勤」が、新型コロナによってどのような変更を迫られたかをレポートしていますが、読んでいてふと気づいたのは、都市生活者にとっての「We」は、案外「移動手段」の選択肢によってセグメントされているのではないかということでした。

——と言いますと。

例えばインドのデリーの地下鉄を主題としたレポート「デリーの愛すべき地下鉄網はパンデミックでは損なわれない※1」（It'll take more than a pandemic to break down Delhi's beloved Metro system）によりますと、デリー市政府は近年、これまで市の主要移動手段だったバスを大幅に削減し、地下鉄の整備に注力してきたそうですが、地下鉄の運賃が高いせいで、それまでバスを利用していた人たちが困っていることが明かされています。ということは、地下鉄とバスの利用者は、それぞれが明らかに違う「We」に属しているということになりませんか。

——そうですね。

一方、日本を題材にした記事「パンデミックで失われるオフィスの求心力：日本の通勤事情※2」（The pandemic is weakening the office's grip on Japanese commuters）は、新型コロナによる自粛とリモートワーク、そして変わりゆく電鉄事情などを報告していますが、ここでは会社がリモートワークに適応していくことで鉄道の需要そのものが減り、世界に悪名高き「満員電車」も消滅していくのではないかと論じられています。

ここでは主に「会社員」もしくは「サラリーマン」のなかでも満員電車を利用している「We」が、通勤の問題と強く結びつけられています。

——なるほど。

一方で、弊社の社長もそうですが、通勤をはじめ、あらゆる移動をすべて自転車で行う人たちも確実に増えていますよね。これはもちろん、仕事場に自転車で通うことができる距離に住んでいるという条件のもとでこそ実現できる行動様式ですが、こうした人たちと満員電車で通勤している人たちとは、もしかすると決定的に異なる「We」に属していると考えることができるかもしれません。

そして、このふたつのセグメントにおける決定的な違いがどこにあるのかを考えてみますと、「移動のタイミング」を自己決定できるかそうでないかにあるように思えてきます。

――どういうことでしょう。

先述の記事には、これまで片道90分通勤にかかっていたというある日本人会社員のコメントが紹介されていますが、その方は、パンデミックによる自粛によってテレワークが可能となり通勤せずにすむようになったことはもちろん喜ばしいが、それ以上に喜ばしいのは、都内の会社に行く用事があったとしてももはや定時に行く必要がなくなったことだと語っています。午前中はリモートで家で働き、午後から出社してハンコだけもらって帰るようなことができるようになったと喜んでいらっしゃるんですね。

――あ、なるほど。そもそもハンコ押しにだけ会社に来させるのはやめようぜ、という話もありそうですが（笑）。

もちろんです。そうやってハンコが消滅していきますと、なおさら、「会社に行くタイミング」は自由裁量になりますから、みんながこぞって一斉に満員電車に詰めかける必要がなくなるわけです。それは毎日定時に通勤しなくてはいけない人たちにとっては朗報となるはずです。

――ほんとですね。

「移動のタイミング」の自由化というのは、通勤という問題を考える上ではとても重要な論点です。私が敬愛するイヴァン・イリイチ※3は、『エネルギーと公正』という本のなかで、この問題をこう整理しています。

「人間を移動させるのにエネルギーがどのように使われるかを検討するには、交通 traffic の二つの要素である他律的な運輸 transport と自律的移動 transit とをきちんと区別しなければならない」

――「自律」と「他律」。面白いですね。

近代以降の「交通」は、言ってみれば「人の自律的移動＝トランジット」を「他律的な運輸＝トランスポート」へと変えていくことで産業化していったということに

※1 ※2 ※3

なりますが、イリイチはそれを「交通の産業化」と呼んでいます。実際日本の都市生活を規定したのは、電鉄会社とそれと一体化した不動産開発会社でしたし、サンフランシスコの都市改革を題材にした「脱自動車を牽引するサンフランシスコ※[4]」(San Francisco is leading the charge to dethrone cars)という記事は、アメリカの都市は1939年にニューヨークで開催された世界博覧会でGMが発表した「Futurama」というビジョンによって形づくられ、それが徐々にディストピア化していったと書いていますので、アメリカの都市生活も「交通産業」によって規定されてきたことがわかります。

――なるほど。

ちなみに、これは以前「BRUTUS」という雑誌に書いたことなのですが、20世紀のポピュラー音楽は、実は完全に「自動車ドリブン」なんです。

――自動車ドリブン(笑)。でもわかります。「Highway Star」とか、「Highway to Hell」とか、クルマがモチーフですね。

クルマをテーマにした曲はジャンルを問わずいくらでもあるわけですが、これが翻って「自転車」になりますと、まず出てくるのがクイーンの「Bicycle Race」、ついでクラフトワークの「Tour de France」くらいでして、Wikipediaで「songs about bicycle」というリストを見てみると紹介されているのはたった35曲、しかも有名曲は皆無です。

――面白い。

ところが、実はそこに唯一とも言える例外的存在がいまして、それがトーキング・ヘッズのデヴィッド・バーンなんです。

この人は、明示的に自転車の曲を書いてはいませんが、70年代からずっと自転車で移動をしており、いまも都市の自転車化の有力な推進者で、『Bicycle Diaries※[5]』というエッセイ集を出しているほどです。これはツアーで訪れたベルリン、マニラ、ブエノスアイレス、イスタンブールといった都市を「自転車目線」から読み解いた面白い本です。

――へえ。

トーキング・ヘッズの音楽は、

クルマのなかで聴いてもいまひとつグルーヴしないんです。それがなぜなのかずっと不思議だったのが、自転車乗りであることを知って疑問が氷解したんですが、デヴィッド・バーンは、都市というものがいかに「自動車ドリブン」でつくられているかを世界中で体感し、このエッセイ集で強く批判しています。

——自転車移動を中心に据えた「自転車都市」というアイデアが出てきたのは、本当に最近ですもんね。

ところが、実はそうではないんです。20世紀初頭に自転車用のハイウェイをつくるというアイデア※6がカリフォルニア州であったそうなんです。

——へえ！

ところが、それを自動車産業と石油メジャーが中止に追い込んだと言われておりまして、その結果、アメリカの都市生活というのは、イリイチの言うところの「交通産業」の要請のもと、自動車中心に編成されていくことになってしまいました。でも、本当は、とっくの昔にオルタナティブは提示されていたんですね。

——なるほど。日本の場合、アメリカの自動車・石油産業にあたるのが、鉄道産業だったということになるわけですね。

私のオフィスは虎ノ門にありまして、最近新駅なるものが近場にオープンしたのですが、都市開発と駅の開発がセットで行われるという意味では、たしかに典型的に日本的な開発事例といえそうです。

——小池都知事が問題解決を約束しておきながら、何も実行されていないといわれる「多摩格差」の問題も、大元を辿ってみると、鉄道の沿線拡張と不動産開発がセットになったスプロール化の産物のように思われます。

ここでもう一度イリイチを参照しておきましょうか。彼は先の引用部分のちょっとあとで、こんなことを語っています。

「運輸産業の成長は、いたるところで、逆の効果をうんでいる。機械が各乗客にある一定量以上の馬力を加えることができた瞬間から、

※6 ※5 ※4

この産業は人間同士の平等を減少させ、人間の移動性を産業的に規定された道路網に制約し、未曾有の厳しい時間の欠乏をうみだしたのである。乗物の速度がある境界をこえると、市民は運輸機関の消費者となり、出ては家に舞いもどる毎日の循環、米国商務省が、歯ぶらしを携えて家を出る「旅行《トラベル》」と対比して、「通勤《トリップ》」と称しているところの回路《サーキット》に乗せられるのである。

　運輸機関に与えられるエネルギーが増大することは、毎日きまった行程を移動する人間の数とその速度とその移動範囲とが増大することになる。各人の毎日の行動半径が拡大することで、知人の家にたち寄るとか、仕事に向かう途中に公園を通って行くといったようなことができなくなる。極度の特権がうみだされる代償として、万人が奴隷にならねばならないのである」

——万人が奴隷。いやですね。

　こうした批判への反省から、サンフランシスコやパリなどでは、新型コロナをテコにして歩行者と自転車を中心とした新しい都市づくりが猛然と進められています※7。もちろん、そこではバスや地下鉄といった公共交通は相変わらず大事ですが、それらをつなぐものとして自転車を筆頭としたマイクロモビリティに大きな期待がかけられています。

——いいですね。

先ほどから紹介しているイリイチのことばは、自転車についてふんだんに語っている本からの引用ですが、タイトルが『エネルギーと公正』であることからもおわかりいただける通り、都市の「自転車シフト」は、エネルギーやCO_2エミッションという観点からも、もちろん重視されています。

——そりゃそうですね。

　また、道路の活用の仕方についても、これまでの道路は、そこのけそこのけの体で自動車がわがもの顔で使っていたわけですが、コロナ以降はソーシャルディスタンシングを保つために歩行者道路が拡張されたり、レストランなどが路上営業できるように規制緩和がされるなど、道路をマルチユースする試みが盛んに行われています。

パリの都市改革を扱った記事「パリは意図的に歩きやすい：パンデミック後の都市への教訓※8」(Paris is purposefully walkable—and has lessons for post-pandemic cities) は、ヴィリニュス、オタワ、エディンバラ、バンクーバーなどでの道路利用のさまざまな事例が紹介されていて、とても面白い内容です。

——日本、あるいは東京では、こうした議論がなかなか聞こえてきませんね。

この一年ほどでシェアサイクルに乗る人は劇的に増えているように感じますし、車道に自転車マークを記しているだけとはいえ、自転車レーンの整備も徐々に進んでいるようにも見えますが、都市改革のマスタープランとして、自転車という論点が取り上げられるのは、あまり見かけませんね。

——どうしてなんでしょう。

例えばスマートシティをめぐる議論は、本来であれば自転車、マイクロモビリティ、あるいは自律的移動という論点と折り重なっていなくてはならないものだと思うのですが、これがそうなっていないのは、自動車産業が「スマートシティ」というものに自分たちの生き残りを賭けてしまっているからなのではないかと個人的には思っています。というのもスマートシティをめぐる勉強会やリサーチグループには、自分が知っている限りですが、必ず大手自動車メーカーの人が参加しているんですね。

——へえ。「交通の産業化」の夢の続きを、まだ見ようとしているということですか。

トヨタが２０２０年初頭に「Woven City」という都市構想を発表しましたが、あれなどが、その最たる例かもしれません。GMが１９３９年に提出した「Futurama」と、発想の根本がほとんど変わっていないように見えてしまうのは私だけでしょうか。

——とは言いながらも、「自転車都市」への欲求は、市民の間では強くありそうな気もします。

自転車を象徴として束ねることのできる「We」は、もしかしたらそれなりの規模で存在しているのかもしれませんね。これは「WIRED」

※8

※7

日本版の仕事を手伝っていたときからそうなのですが、「自転車」をテーマにした記事は、なぜか非常によく読まれましたし、自転車は「イノベーション」というテーマとの親和性もなぜかものすごく高いんです。

——へえ、不思議ですね。

自転車はデジタルテクノロジーがもたらしうるポジティブな価値を象徴するもので、これは出自的な理由もありまして、デジタルカルチャーとマウンテンバイクは、ヒッピーカルチャーの末裔としてサンフランシスコで生まれた兄弟のようなものだったりします。

——面白いですね。「自律的移動」ということとも関係しそうですね。

「Rez」で知られるゲームクリエイターの水口哲也さんに、「Appleの記事と自転車の記事に通底するものってなんなんですかね？」とお伺いしたら、水口さんはさすがでして、すかさず「『風を感じる』ってところじゃないかな」っておっしゃったんです。

——すごい。めちゃいい。

新しい風を感じたいんですね。そういう人は少なからずいると思います。ですから本当は、都知事選の争点として「自転車」を持ち込む人がいてもよかったと思うんですが、残念ながら大きなテーマにはなってはいなさそうです。

——江戸城再建、ですから。

東京が本当に気持ちのいい自転車都市になったら、江戸城よりもはるかに多くの観光客も呼べると思うんですが。

——残念ですね。

そういえば、先ほど挙げた日本を題材にした記事に面白い話がありましたのでその話を最後にさせてください。

これは京浜急行の方がインタビューに応じて話されていたことなのですが、彼らは「リバース通勤」という考え方を提唱しているそうで、「例えば三浦海岸のあたりに会社を構えて、都内から三浦海岸に通勤するみたいなアイデアはありうるのではないか」とおっしゃっていまして、これはいいなと思いました。

――と言いますと。

例えばの話ですが、自動走行車が普及したら、通勤は非常に楽なものになりますし、車内でさまざまなことができるようになりますので、そのことで郊外から都市への通勤がいま一度一般化するのではないかといった議論が世にはあるのですが、「そうかもな」と思いつつも、それではこれまでの電鉄主導のスプロール化とたいして変わらないように感じたりもします。これまでと同じ問題を再生産するだけなんじゃないかという気がしていたのですが、京浜急行の方がおっしゃるように、通勤方向をリバースしてしまえば、話は俄然面白くなるのかもしれません。

――リモート前提の働き方のなかで、たまにミーティングや作業をしに三浦海岸にある本社に行く、といったイメージですよね。

はい。「今日はちょっと気分転換に会社行こうかな」という感じになるのだとしたら面白くないですか？

――たしかに。

会社を郊外の環境のいいところに移し、行楽と労働の空間的関係性を反転させてみようという発想は、自分的には盲点でした。そういうことをやっている会社は、すでにあるのかもしれませんが、もしあったら、どんなものか聞いてみたいところです。

Field Guidesを読む #11

The commuting revolution

July 5, 2020

https://qz.com/guide/commuting-revolution/

- ●COVID-19の「通勤革命」
  Covid-19 is revolutionizing the way we commute
- ●パリは意図的に歩きやすい：パンデミック後の都市への教訓
  Paris is purposefully walkable—and has lessons for post-pandemic cities
- ●パンデミックで失われるオフィスの求心力：日本の通勤事情
  The pandemic is weakening the office's grip on Japanese commuters
- ●デリーの愛すべき地下鉄網はパンデミックでは損なわれない
  It'll take more than a pandemic to break down Delhi's beloved Metro system
- ●COVID-19はNYCを自転車の街に変えるか
  Will Covid-19 finally turn a straphanging NYC into a city for bikers?
- ●脱自動車を牽引するサンフランシスコ
  San Francisco is leading the charge to dethrone cars
- ●ソーシャルディスタンシングは、南アフリカで機能不全に陥る公共交通機関を崩壊させる
  Social distancing is wrecking the economics of South Africa's most dysfunctional—and vital—public transport
- ●世界最悪の交通渋滞を抱えている都市（と、その変化の兆し）
  These cities have the world's worst traffic congestion—but that could change fast

#12

Mental health's turning point

July 12

メンタルヘルスの転回点

問題は「自分は取り残されている」という感情のなかで
人がとても危険な状態になっていくということで
COVID-19は、そうした危険な状態をさらに
増大させるものであったということになります。
アメリカがあれほどカオティックな騒乱状態に陥ったのも
こうした状況と無縁ではないと思いますし
木村花さんの事件がパンデミックのさなかで起きたことも
そう考えれば象徴的な意味をもっているようにも思います。

――今回のお題は「メンタルヘルス」です。

重たいですね。ちょうどいま、「ネットの中傷地獄で自殺未遂、そして出家…元女性アナ、執念で加害者を特定『被害者の駆け込み寺つくりたい』[※1]」という「弁護士ドットコム」に掲載されていた記事を読んでいたところでして、これはネットやソーシャルメディアでの誹謗中傷の問題を扱ったものですが、頻発するこうした問題にどう取り組むのかはすでに喫緊の社会問題です。

――どう取り組むのが良いのでしょう。

もちろんひとつは、法的解決をすることだろうと思います。先の記事もそうですし、あるいは伊藤詩織さんが、荻上チキさんらの協力を仰ぐかたちで誹謗中傷の加害者を特定し、裁判というかたちで加害責任を問うことをされていますが、そうした法的な解決は、とても重要なことだと思います。

ネット上の加害についてはメディアプラットフォーマーの責任も厳しく追及されるようになってきていますので、そうした動きを法的に根拠づける制度整備は早急に必要だと思います。

――加害者をどうプラットフォームから排除するか、あるいはどう罰しうるか、というところですね。

そこは、ずっとないがしろにされてきたというか、見て見ぬふりをされてきた領域だと思いますので、政府による一定の介入も認めるかたちで問題の解決が進むのは望ましいことだと思います。ただ、その一方で日本であまり議論されずにいるのは、そうした事態に対して「そもそも個々人がどう防御するのか」という点であるようにも感じます。

――と言いますと。

冒頭に挙げた記事でも自殺され

た木村花さんのことに触れていますが、いくら加害者を排除し罰することができたとしても、彼女の場合のように、その前に被害者当人が自殺してしまっては元も子もありません。

――たしかに。

木村花さんの事件にかかわらず芸能人の被害が社会的な事件として取り上げられたときに、自分がいつも思うのは「いったいマネジメントは何をしてたんだ？」ということです。

コミュニケーションが基本一方通行であった従来のマスメディアに関わるときのやり方では、双方向メディアであるインターネットやソーシャルメディアは御しきれないということは随分前からわかっていたことであるにもかかわらず、有名人のマネジメントを管轄するはずの企業や組織が、自分たちのメシの種であるはずのタレントやアーティストを防御するための手立てをシステマティックに講じているのか、強く疑問を感じます。

――言われてみればそうですね。

アーティストやタレントは、その知名度から言って一般市民とはまったく異なる立場にいるわけですから。それを個人がＳＮＳに向き合うとき程度の対処法しか授けぬまま「タレント本人の自己責任」に委ねてしまっているのだとしたら、そこにはビジネスの観点から見ても重大な欠落があります。そのことに真剣に取り組もうという話もほとんど聞こえてきませんので、人ごとながらとても心配です。

社会問題として政治が介入しろという前に、まずはタレントやアーティストを資本としている企業や業界がもっと真剣に取り組むべきです。

――ソーシャルメディアのあり方の改善や、利用者のリテラシーの向上を促すような取り組みは、それはそれとして必要だとしても、それ以外にもやるべきことはたくさんあるということですね。

だと思います。木村花さんの事件のあとに、どこかの新聞の論評で「社会全体のＳＮＳ教育が必要」といったことが語られていたのを読み、「何を言ってるんだ」と腹を立てたのですが、一般論として社会問題の解決を考えたときに、

※1

そのソリューションとして「教育が大事」という話に落ち着くのは間違いではないとはいえ、その「教育」とやらの成果が出るまでにどれだけ被害者が出続けるのかと考えると、当然、短期的な対処も必要であるはずです。

——いますぐに何をすべきかということですよね。

はい。教育が大事という議論は、特に日本でそれが語られる場合、単なる思考停止にすぎないことが多いような気がします。結局のところ、それは現状のひどさを直視しないで解決を先送りしているだけのようにも見えますし、場合によっては、自分は変わる意思がないことの表明ですらあります。

——むむ。ほんとですね。

加えて、最初に紹介した記事には、誹謗中傷を執拗に行っていた加害者の側についても書かれていまして、ネットやソーシャルメディアで被害者を追い詰めていった人たちは、記事を読むとたしかに同情にも値しない身勝手な人たちであるのはその通りかもしれませんが、記事のなかで注目したほうがよさそうに思うのは、こうした加害者たちが、いざ会ってみると自分のことを「弱者である」と必ず言い募るという点です。

——「甘ったれやがって」ってという気持ちにもなりますが。

その人たちが果たして本当に弱者であるかどうかはわからないにしても、「自分は弱者である」と思い込んで、ひたすら鬱屈していく人たちが少なからずいることは社会の現実ではありそうですし、そうした人たちが抱えている問題を「SNSリテラシー」という問題に還元して、彼らを「教化」していくことが改善の道のりであると考えるのは、問題を矮小化しすぎのようにも思えます。彼らの問題が本当に「SNSの使い方」にあるのかといえば、それも大いに疑問です。

——ふむ。

つまり、これはデジタルリテラシーの話ではなく、メンタルヘルスの問題として考えるべきではないか、ということなのですが。

――そうか。

日本ではこれがなかなか政策課題にもあがってこず、社会的に重大なイシューであるということが十分に認知されていないような気がしますが、海外ではメンタルヘルス、あるいは「孤独」という問題はすでに最重要の政策課題と見なされています。これは公衆衛生的な観点からも、社会厚生という観点からも、社会の安全、社会正義という観点、さらにはビジネスにおける組織ガバナンスという観点からも重大な課題と見なされています。

――そうなんですね。

COVID-19が発生する数年前から、メンタルヘルスイシューとしての「孤独」という問題は、「見えないパンデミックである」という言われ方で警鐘が鳴らされていました。それを受けるかたちで、英国には孤独担当大臣というポスト[※2]がつくられたほどです。

――へえ。

そうした認識があるので、COVID-19によるロックダウンの敢行は、人びとをより深い孤独に陥らせる可能性があることから、国民のメンタルヘルスに甚大な被害がもたらされることが最初から懸念事項としてあったわけです。

――ああ、なるほど。そうした文脈が見えると、今回の〈Field Guides〉のコンテクストもよく見えてくるような気がします。

SNSによる誹謗中傷が、実際どういう人たちによって行われているのかは詳細な調査などが必要ですが、そうした事象全体を社会の安全に関わる危機であるとみなしているのは、英国や孤独担当大臣の設置を検討しているとされるドイツなどで、それはまず第一に、ソーシャルメディアがテロリストや極右や原理主義のリクルーティングのプラットフォームになっているからです。実際、英国で「孤独」の問題に取り組んでいたジョー・コックス議員は、テロリストに殺害されました。

もちろん、Facebookなどのプラットフォームに対する規制は重要な課題ですが、彼らは、その問題の根底に横たわっているのは「孤独」というメンタルの問題で、その改善に取り組まない限り問題

※2

は改善しないと考えていることが見てとれます。

――ソーシャルメディアは単に孤独を増幅しているだけだ、と。

だからといってプラットフォームが免罪されるわけではありませんが、ソーシャルメディアというのは、その設計の根本において、そもそもが自分の欠落に目を向けさせるものなんです。

――と言うと。

随分昔に、南太平洋の小島で起きたある事件の記事を読んだことがありまして、若者4人が「もうこんな島、うんざりだ」とボートで脱出を試み、ほんのいたずら心だったのが島に帰れなくなり、海上を数十日彷徨うことになったという内容ですが、彼らが、そもそも「こんな島はうんざりだ！」と思った理由がソーシャルメディアだったといいます。

――ははあ。

「外の世界はこんなに楽しそうにやってるのに、うちらの惨めさときたらどうだ」と思ったというんですね。といって、もちろん外の世界がそんな楽しいはずもないのですが、そう頭でわかったところで、自分が何か楽しいこと、大事なことや大事な情報に参加したりアクセスできていないんじゃないかという気持ちは残るわけです。「情弱」ということばがありますが、自分が「情弱」の側にいるのではないかという感覚を昂進させることにおいて、ソーシャルメディアほど長けているものはありません。

――知らない情報に出会うたびに、自分が取り残されているんじゃないかって、ちくりと感じますね。

また、人種差別にもとづく排斥運動というのも、どこかそうした心理と関わっているようにも感じます。「本当は自分たちが享受すべき何かを、誰かが奪っている」という、排斥運動の基本的なナラティブは、いまお話しした南太平洋の小島の少年たちの「ちくしょう、あいつら、おれらより楽しんでやがる」という心性とほとんど変わらないようにも見えます。

――ほんとですね。

問題は「自分は取り残されている」という感情のなかで人がとても危険な状態にどんどんなっていくということで、話を今週の〈Field Guides〉に向けますと、COVID-19は、そうした危険な状態をさらに悪化させるものだったわけです。アメリカがあれほどカオティックな騒乱状態に陥ったのもこうした状況と無縁ではないと思いますし、木村花さんの事件がパンデミックのさなかで起きたことも、そう考えれば象徴的な意味をもっているようにも感じます。

——たしかに。

逆に言えば、メンタルヘルスという問題にきちんと取り組んでこなかった社会にとっては、COVID-19はひとつの大きな「ウェイクアップコール」、つまり、目覚まし時計になったということで、実際アメリカやイギリスのメディアは、メンタルヘルスの問題をやたらとクローズアップしていましたし、「Quartz」が、このような特集を組むのは必然的でもあります。

今回の〈Field Guides〉のオリジナルのタイトルは「メンタルヘルスの転回点」ですが、その含意は、「COVID-19を機にメンタルヘルスという問題が、ようやく前景化し始めた」ということです。

——実際そうなんですか？

例えば、アフリカの現状をレポートした「アフリカがメンタルヘルス問題に気づくために必要だったこと※3」（What it took to spark a mental health reckoning for Africa's doctors）という記事は、これまでなかなか政策課題として取り上げてもらえなかったメンタルヘルスの問題について、パンデミックを機に、対策やインフラの整備に目が向けられるようになったことを伝えています。

ケニアなどでは、昨年末から自殺者の急増が大きな問題としてクローズアップされていたそうですが、政府の危機感が、COVID-19を機に高まったとされています。

——いまインフラとおっしゃいましたけれど、メンタルヘルスにおいて必要なインフラって、例えばどういうものなのでしょう？

「COVID-19下の見えざるメンタルヘルス危機※4」（Covid-19's hidden mental health crisis）という記事には、

※4

※3

アメリカの場合、メンタルになんらかの変調を来したときに多くの人があてにしてしまうのがアルコールであったりオピオイドのような薬物であることが明かされています。こうした依存性の高い危険なものではなく、より身近に助けを求めることができる「逃げ場」をつくることの重要性が、まずは提起されています。

　アルコールやオピオイドをめぐる問題はコロナ以前からアメリカでは深刻化していましたが、コロナは、それに拍車をかけています。アメリカでの統計によれば、およそ20%の人がメンタルヘルスに問題を抱えているといわれていますが、COVID-19下の調査では、「パンデミックが自分のメンタルに悪影響を及ぼしている」と考えている人が45%にまで上昇したそうです。

――ものすごい上昇率ですね。さらに経済的ダメージがそこに重なったら、平常ではいられないですよね。

　こうしたなか、「The Disaster Distress Helpline」のような、いわゆるコールセンターへのアクセスが50%以上増加したともあります。また、COVID-19は「遠隔医療」の解禁・一般化を大きく後押ししていますが、「テレセラピーがついに一般化する※5」(Teletherapy is finally here to stay)という記事は、電話やオンラインによる遠隔の問診やカウンセリングのほうが対面で行うよりも効果が高い、という調査結果を明かしています。

　オンラインによる「テレヘルス」サービスは、これから行政上の重要なインフラになっていくでしょうし、民間においても需要が高まりうる領域ですが、「COVID-19が明かしたエッセンシャルワーカーのメンタルヘルスケアへのアクセス格差※6」(Covid-19 is exposing the inequality of mental health care access for essential workers)という記事では、「Ginger」というメンタルヘルスソリューション企業が、フロントラインワーカーを従業員として抱える１００以上の企業や組織にサービスを提供していることが報告されています。

――それはどういうサービスなんですか?

　基本はチャットボットを使った応答システムのようですが、それ以外にヘルスコーチングのプログラムなどもあるようです。

冒頭の話に戻りますと、これからタレントやアーティスト・エージェントで働く人は、すべからくこうしたコーチングを受けたほうがいいように感じます。メンタルヘルスの問題が「パンデミックである」と言われるのは、それがある種の感染性をもっているからです。例えばアーティストのメンタルヘルスをケアする人たちにとって、まず何よりも重要なのは、自分自身のメンタルヘルスを守ることだといわれ、そうした自衛策も含めた手立てを講じることが大事だとされています。これは、COVID-19下で、ケアをする側の医師やケアワーカーをまずは守る必要性があるのと同じです。

――それはそうですね。ケアの仕事に就く現場の方たちの「ヘルス」が崩壊したら、患者が殺到する以前に医療崩壊です。

どこで読んだ記事かは忘れてしまいましたが、英国のケアワーカーがあまりの激務と数多くの死を間近で見すぎたことで「もうこの仕事は辞める」と語っていたのが印象に残っています。エッセンシャルワーカーと呼ばれる人たちが精神面でも待遇面でも過酷な状況に置かれれば置かれるだけ医療やケアのシステムが弱体化していくことになりますので、システムの崩壊を語るなら、内部からの崩壊にも目を向ける必要がありそうです。

――かなりシビアな悪循環ですね、それは。

先の記事「COVID-19が明かしたエッセンシャルワーカーのメンタルヘルスケアへのアクセス格差」では、エッセンシャルワーカーであるほどメンタルケアへのアクセスが遠いことが明かされています。

また、先に挙げたアフリカのレポートでも厳しく指摘されていることですが、「メンタルヘルスの状態に困難を抱えている人ほど、過度な人権侵害を頻繁に体験することになる」という実態もあります。

メンタルヘルスの問題を放置することは、社会における格差を広げ、すでに奴隷的な状況にある人を精神的に追い詰めることで、さらに奴隷的な環境へと追い込むことになりうるということなのだと思います。

――深刻ですね。

※5

※6

また、これは非常に重要な指摘ですが、そうした状況に落ち込む可能性のある人の多くは、ケアシステムによる診断を一度も受けたことがない人たちなのだそうです。

自分がなんらかの困難を抱えていると認識し、自ら助けを求める人たちは、声を上げ外部と接触することで存在が可視化されてサポートが可能となりますが、自分のなかで起きている変調を騙し騙しやり過ごしているうちに悪化したり、あるいは何かおかしいと感じながらも、「男らしくないから」といった理由から外に助けを求めることを自ら拒んでしまうといった人がたくさんいるそうで、そうした人たちを外から見つけ出すことは非常に困難です。

記事は、変調の兆候が外から察知されにくい対象として、高齢者、若年層、エッセンシャルワーカーを挙げ、警鐘を鳴らしています。

――日本でも、引きこもりが１００万人にも上り、そのうち中高年が61万人を占めるという衝撃的な数字[※7]が昨年報道されていましたが、そうした問題とオーバーラップする話ですね。

そのときの報道には「中高年の女性の実態が実はまったく見えていない」という指摘があったように記憶しています。例えば近所から「ほとんど家から出てこない」と思われている女性がいたとして、その方が、ただ家にいるのが好きな主婦なのか、あるいはなんらかの問題を抱えているのかがまったく見えないそうで、そうだとすると、１００万人という数字は実際よりも少ない可能性があると指摘されていたはずです。

――聞けば聞くほど、重大な社会問題ですね。

もっとも、この問題は、先ほどお話ししたようなやり方でインフラを整えればそれで十分かといえば決してそうではないのが難しいところです。

――と言いますと。

これは以前に自分が書いた文章ですが、孤独およびメンタルヘルスという問題の困難は、こんな言い方で説明できるのではないでしょうか。

『孤独』は、これまでのような

トップダウンの配給型のソリューションがまったく役に立たない課題だ。『孤独な人に行政が友だちをつくってあげることはできない』。クラウチ大臣はこれまでの行政のアプローチの限界をそんな言い方で表した」（『次世代ガバメント』若林恵・編）

——ああ、なるほど。ほんとですね。これは難しい。

　メンタルヘルスという社会問題は、ソリューションを一元的に配給するやり方しか知らない、これまでの行政府のあり方の限界を一気に露呈させることになります。なぜならメンタルヘルスという課題は、問題が個別すぎて一元的なソリューションが役に立たないからです。

　それでも英国政府は、この困難にどう戦略的に取り組むかについて詳細な政策立案書※8「A connected society: A strategy for tackling loneliness」(Department for Digital, Culture, Media and Sport) を提出し、従来のやり方ではダメだという前提に立って、政府としての方針・構えをこんなふうに取りまとめています。

・ビジネス、医療機関、地方政府、ボランティア組織、市民社会と協働すること。政府はそれらをとりもつ重要な媒介者であると考えること
・さまざまな実験を繰り返し行い、そこから学ぶこと。現状のデータやエビデンスは十分でないと常に認識すること
・部門、領域横断的で横串のアプローチが必須
・何が人を孤独に陥らせ、何がそこからの脱却を可能にするトリガーになるのかを重視し、予防的な施策を講じること
・孤独という課題のもつ主観性や複雑さを十全に鑑みて、パーソナライズされたローカルなソリューションの重要性を認識すること

——行政だけでは解決ができない、社会全体として取り組まないとどうしようもない、ということですね。

　メンタルヘルスの問題が及ぶ範囲は保健・医療、労働・雇用、経済、都市、文化とあらゆる政策領域にまたがります。逆に言えば、現在さまざまな国や都市で進んでいる新たな社会システムの構想や

※8

※7

計画が市民の広義の「ウェルビーイング」を軸に展開しているのだとすれば、そのなかで「メンタルのウェルネス」は中心的な課題であるともいえます。前回のお題にあった「通勤」や「自転車」をめぐる話の背後にも、実はメンタルヘルスをめぐる課題が控えているとも言えます。

――「スマートシティ」や「ソサエティ5・0」といったキャッチフレーズのなかでは、まったく論点になっていませんね。

多少は触れられているかもしれませんが、COVID-19を受けても、そうした問題が浮上しているという感じはあまりしません。パンデミックによる経済封鎖によって自殺者が増えているといったニュースもいまのところ聞こえてきませんし、なんとなく社会としては大丈夫という感じなのかもしれませんが、誹謗中傷によって病んでしまった方に関する冒頭の記事にあるように、被害はあるのに警察や医療機関がそれに対応してくれないという事実があるのだとすれば、問題がただ可視化されずにいるだけという可能性もあります。

――同調圧力のなかで声を上げたくてもできない、みたいなこともありそうです。下手をするとアフリカのように「メンタルヘルスの状態に困難を抱えている人ほど、過度な人権侵害を頻繁に体験することになる」というダウンスパイラルがどこかで発生している可能性もありそうです。

問題や症状を可視化することが困難であるという点でも、メンタルヘルスはパンデミックに似たところがあるのかもしれません。

ただ、先ほどの英国の立案書にもある通り、メンタルヘルスは、それ自体が極めて主観的なもので、外から「客観的に診断する」ことがどこまでできるのかという問題もありますので、メンタルに困難を抱えている人を近代医療の考え方に従って「病人」と断定することの妥当性や是非も考慮されなくてはなりません。

いうなれば、これまでの行政や企業が慣れ親しんできた、課題を「医療的」「外科的」に取り扱うやり方ばかりには頼れないということだと思います。

――その上で、実効的なソリュー

ションを長期、短期の両方の観点から見出さなくてはならない、と。

はい。そうでないと、お手軽に語れて実効力もありそうに見える「排斥」というソリューションばかりが幅を効かせることになります。それによって社会の分断がいっそう深まり、結果、人びとの精神的困難もより深まっていくことになりかねません。

――怖いですね。

本当に怖いです。

Field Guides を読む #12

Mental health's turning point

July 12, 2020

https://qz.com/guide/mental-health/

- ◉新型コロナウイルスで隔離中のメンタルヘルスをケアする方法：動画
  Watch: How to care for your mental health during the coronavirus quarantine
- ◉COVID-19下の見えざるメンタルヘルス危機
  Covid-19's hidden mental health crisis
- ◉テレセラピーがついに一般化する
  Teletherapy is finally here to stay
- ◉COVID-19が明かしたエッセンシャルワーカーのメンタルヘルスケアへのアクセス格差
  Covid-19 is exposing the inequality of mental health care access for essential workers
- ◉アフリカがメンタルヘルス問題に気づくために必要だったこと
  What it took to spark a mental health reckoning for Africa's doctors

#13

How to build an anti-racist company

July 19

アンチレイシストの訓練

私たちは「人の話に耳を傾ける」ということを
実はちゃんと訓練されてきていないように思います。
チャンネルや場所を用意すれば
いろんな意見が上がってきて議論が可能になると
シンプルに考えている人が多いのだと思いますが
人が何かを語るためには、こちらが相手の言っていることを
相手の関心領域に沿って聞かなくてはいけないのに
多くの場合、自分の関心領域に沿って
人の話を聞いてしまうんですね。

――先週「メンタルヘルス」をお題にお話ししたところですが、そのなかで、かなり強い口調で、こうおっしゃっていました。

「木村花さんの事件にかかわらず芸能人の被害が社会的な事件として取り上げられたときに、自分がいつも思うのは『いったいマネジメントは何をしてたんだ？』ということです。

コミュニケーションが基本一方通行であった従来のマスメディアに関わるときのやり方では、双方向メディアであるインターネットやソーシャルメディアは御しきれないということは随分前からわかっていたことであるにもかかわらず、有名人のマネジメントを管轄するはずの企業や組織が、自分たちのメシの種であるはずのタレントやアーティストを防御するための手立てをシステマティックに講じているのか、強く疑問を感じます」

はい。

――こうもおっしゃっていました。

「いくら加害者を排除し、罰することができたとしても、彼女の場合のように、その前に被害者当人が自殺してしまっては元も子もありません」

ええ。

――そのちょうど1週間後の今日（7月18日）、三浦春馬さんの自殺が報じられ、提起された問題が、そのまま露呈してしまい、改めて怒りとともに非常に強いやり切れなさを覚えました。

私は三浦さんの出演作はほとんど観ていませんが、それでも、実りのあるキャリアを積まれている方だという認識はありましたから、かなり衝撃がありました。三浦さんほどの著名人ともなれば、それなりの事務所に所属していらっしゃるはずですが、マネジメントがみすみすこのようなかたちでスターを失うのであれば、企業としての人道的・社会的な責任はもとより、ビジネス上の経営責任も非常に重いと思います。

アーティストの自殺は、それをメシの種にしている人たちすべての責任であるはずですが、責任主体である企業のみならず業界からも、こうした事態に対する反省と状況の改善に向けたコミットメントの表明がまったく行われていないように見えることに、個人的には非常に大きな憤りを覚えます（註：三浦春馬さんのスタッフによる公式Twitterアカウントは自殺のニュース以後、記事配信時点では完全に沈黙）。

――アーティストが矢面に立って世間の愚かさと対峙し、その背後で企業はそうした軋轢を「バズ」の名のもと商売にし換金しているという構図です。

三浦さんの死の引き金となった要因について詳細はわかりませんが、いわゆる誹謗中傷をめぐる問題については、まさにおっしゃる通りだと思います。加えて、そこで起きたことの責任は、あくまでも個人としての被害者と個人としての加害者の自己責任の範疇で争えという格好になっていて、さらに言えば、それを周りで見ている野次馬もそうした構図を受け入れてしまっています。

木村花さんのときはとりわけそうでしたが、誹謗中傷の加害者をなんとかしろ、ソーシャルメディアプラットフォームをなんとかしろといった話ばかりで、それしか実効的な手立てがないとみなが信じ切っているのは、それ自体が、いかにほとんどの人がこうした問題を自明のこととして「自己責任」の範疇で理解しているかを表しているようにも感じます。

――その事態のほうが、よほどヤバいですね。

そうなんです。もちろん、この間起きた自殺や「誹謗中傷」は、たしかに直接的にはソーシャルメディアの問題ではありますが、といって、ソーシャルメディアがこの世に登場してとっくに10年以上経っていますから、問題が特段新しいわけでもありません。むしろ問題は、芸能、音楽、TV、映画といった関係業界が、すでにソーシャルメディアがデフォルトの環境になっているにもかかわらず、それに適応すべく自分たちの組織やビジネスモデル、ビジネス上の価値定義を再定義し再編成することを怠ってきたことです。ビジネスセクターのもたつきと世間の進行速度のズレとの間で、そのインターフェイスとなっている「個人」、つまりアーティストや俳優さん、タレントさんがどんどんすりつぶされていっています。

さらに腹立たしいのは、結局のところ「業界」の人たちは、自分たちは矢面に立つこともなく給料をもらって安閑としていられることです。結果、問題は改善されるどころか、問題として認識もされぬまま放置されています。「どうせ世間はすぐに忘れる」と開き直っているようにすら見えます。

――いやな話ですね。

実際、各業界がやれることはいくらでもあるわけです。

まず現状認識からいきますと、スウェーデンのデジタルディストリビューション会社「Record Union」による2019年の調査[※1]、国際プロサッカー選手会（FIFPro）による2015年の調査[※2]、さらにジョンズ・ホプキンス大学が収集した2019年の統計データ[※3]によれば、アメリカの一般成人でうつ病や不安障害を経験したことがあると回答した人は26%であるのに対して、プロのサッカー選手は38%、インディペンデントのミュージシャンに関しては73%が、うつ病や不安障害などに苦しんだ経験があると回答しています。

――73%はすごいですね。

ソーシャルメディア云々以前の話として、社会的なスポットライトのあたる著名人やアーティストのメンタルヘルスが、一般人と比べて深刻な状況になっていることは明らかなんです。

――ほんとですね。

そうした問題意識のもと、音楽イベント最大手の「Live Nation」が、24時間365日、ツアー関係者がセラピストとオンラインでコンタクトを取ることができるプラットフォーム「Tour Support」を支援したり、ヘヴィメタルバンド・Godsmackのボーカリストが、アーティストへの啓蒙活動やメンタルヘルスの社会的認知を上げる活動を行う非営利団体「The Scars Foundation」を立ち上げたり、音楽フェスティバルやイベントを通じて、メンタルヘルスの認知の向上やコミュニティビルディングを目指す「Sound Mind」という非営利団体が設立されたりもしています。また、プロバスケットボールリーグのNBAには、「メンタルヘルス・ディレクター」という役職があったりもします。

——業界全体として取り組んでいる姿勢が感じられますね。

　メンタルヘルスの問題は前回お話しした通り、公衆衛生、社会厚生／公正に関わる問題であるのみならず、ビジネスのサステイナビリティにまで及ぶ危機であると世界的には認識されています。そうした認識が日本の企業には圧倒的に欠如しているように感じます。

——そうですか。

　経済空間は新自由主義の聖域であって、そこは適者生存、弱肉強食の原理がむき出しの格好で存在していいのであると、日本のビジネスセクターはなぜかアメリカ以上に信じてしまっているところがあります。

「自己啓発」とセットになった自己責任論を日本で最初に提出したのは「経団連」だといわれ、それが経営の合理化による非正規雇用の増大という施策を正当化していったと、社会思想史の植村邦彦さんが『隠された奴隷制[※4]』という本のなかで指摘しています。

　そうした経済界の思惑に沿う格好で、ワーカーたちも自己責任論をどんどん内面化させられていったというのが90年代から進行してきた事態ですが、それが極めて深刻なのは、例えば会社からドロップアウトさせられたとしても、「自己責任」を内面化してしまっているワーカーは、それを自分の「弱さ」のせいであると信じてしまうことです。

——木村花さんの「遺書」にも、「ごめんね」のことばがありました。

　そのメッセージが痛ましいのは、「強い者以外は、この世に存在してはいけない」という論理を自明のこととして認めてしまっているところです。

——今回の〈Field Guides〉の原題は〈アンチレイシスト企業のつくり方〉（How to build an anti-racist company）というお題で、日本の読者からは遠い話かとも思ったのですが、メンタルヘルスの観点か

※4　※3　※2　※1

ら企業とワーカーの関係性、強者と弱者の構造的格差を考えてみると、完全にシンクロする話ですね。

この特集は主に、「Black Lives Matter」（BLM）を受けて、企業が「アンチレイシスト」「反人種差別」を標榜しなくてはならない状況のなかで、どうすれば本質的に多様で包摂的な企業へと変貌できるのかを考察したものです。

おっしゃる通り、日本の企業は総じてアメリカ企業ほどには人種的多様性もありませんし、一見無関係な話のようにも見えますが、これをもう少し俯瞰して、「ビジネスの社会的責任」という視点から捉えると、アメリカ企業における人種問題と日本企業におけるワーカーの権利をめぐる諸問題は必ずしも遠い話ではないことがわかります。

――さしあたり大きな争点としては「女性差別」といったところが挙げられるでしょうか。

もちろんそれも大きな問題ですが、特定の「弱者」にフォーカスをあてなくても、この問題は扱えるようにも思います。例えば「職場で人種について有効な会話をするためには※5」（How to have more productive conversations about race in the workplace）という記事には次のような事例が出てきますが、読まれた方は「うちの会社でもあるわー」となるのではないでしょうか。引用してみましょう。

「Daily Beast の記事によると、最近行われた米国 Condé Nast 社の全社ミーティングで、CEOのロジャー・リンチは全社員に向けて、多様性やインクルージョンに関わる懸念についてもっと声を上げるべきだと促し、『社内のチャンネルをみながもっと使って、問題についてもっと早く声を上げてくれていたら、われわれももっと早くに対処できたはずだ』と語ったという。前回行われたミーティングで、人種差別、給与の不均衡、役員クラスにおける人種的多様性の欠如などを指摘した社員には、CEOのこのことばはまったく刺さらなかった」

――これは、「あるある」ですね。

はい。どこにでもある話ですよね。上にいる人は「もっと声を上げてくれ」と言うのですが、いざ声を上げても、肝心の「上の人」がそもそも聞く耳をもっていなかったら声を上げる意味もないですし、声を上げることで報復にあったり嫌がらせを受けたりすることが想像される環境であれば、「声を上げる」ことはできません。そこに目を向けずに「声を上げろ」「聞く耳はある」といくら言っても、声は上がってきません。そして、そのことをもって「うちには問題がない」となってしまうわけです。

——有色人種の人がなんらかの被害に遭っているのに、警察を呼ぶとかえって自分が尋問されたり捕まってしまうので警察を呼ばないようになり、結果、事件が可視化されなくなるという、アメリカで起きているとされる状況にも似ています。

　事象を矮小化するキライはありますが、私はこれを「混浴温泉問題」と言っています。どういうことかといいますと、「うちは混浴温泉です」と言ってはいるのだけれども、実際はおじさんがずっとトグロを巻いているので女性は入りにくく、「混浴」とは名ばかりの「男湯」になっているような状況です。運営側は女性の出入りを禁止しているわけではないので「混浴」を実施していると言えてしまうし、なんなら、そこに入っていかない女性は「自ら選択的に入らない」だけなので、女性の側の問題だと言えてしまったりもします。

——わかりやすいです。

「なぜダイバーシティに向けた取り組みは失敗するのか※6」（Why diversity initiatives fail）という記事には、職場における人種平等をめぐって、どのような法整備が現在までに進められてきたかが年譜としてまとめられています。年譜は１９６４年のジョンソン政権下での「Civil Rights Act」の法制化に始まり、以後、さまざまな裁判などを通じて、職場におけるダイバーシティと不平等の是正が「名目上は」進んできたことを明かしています。

　２０２０年6月の調査によると、アメリカの3分の2以上の企業が公式に「ダイバーシティとインクルージョン」をめぐるポリシーを設けており、Ｓ＆Ｐ５００インデックス企業のうち半数近くが「チーフ・ダイバーシティ・オフィサー」を置いていることも記事の冒頭に書かれています。

※5　※6

――「制度上」もしくは「名目上」はずっと改善され続けているということですね。

ところが、BLM運動が白日の下に晒したのは、いくら制度があったとしても、実態は何も変わっていないという実情です。

以前、どこかの日本企業で女性のための相談窓口をつくろうとした女性幹部が突然解雇されたり、ある男性社員が育休を取って会社に戻ったら突然転勤を命じられたりといったことが話題になりましたが、いずれの場合も、会社側の対応は「法的には問題ない」という一点張りだったと記憶しています。企業は、問題が起きると判で押したようにこうしたことを言うわけですが、そもそも問題に対して声を上げた人は「法」を問題にしているわけではなく、もっと根源的なところで理不尽を感じているわけですし、強いて「法」の問題にするのであれば「その法はおかしい」と言っているわけですから、議論が噛み合いません。

さらに、これは言うまでもないことですが、現行の「法」によって信任されて「上」のポジションについた人は、その「法」によってその権力が承認され守られているわけですから、その「法」を変えるインセンティブは一切ないわけですね。

――暗澹たる気持ちになってきます。

先の記事の年譜は、それでも果敢に法廷にもち込んだ人たちの闘争の歴史でもあります。そうやって司法に訴えることは何もまして重要なことではありますが、しかしながら、巨大企業を相手に従業員が法廷で争うということ自体、非常に大きな非対称性がありますから、そもそも法廷がどこまで公正な場でありうるのか、最初からあやしいところもあるわけです。企業はお金が続く限りいくらでも裁判を続けることはできるかもしれませんが、コストがあまりに高ければ、個人として裁判で争うこと自体を断念せざるを得ないことも多々あるだろうと想像します。

――とすると、社会も企業もなかなか変わっていきませんね。

ただ、企業というものは市場の信任を失うことになれば命脈を絶たれますので、変化をレバレッジするためのターゲットとして、ある種の狙いやすさがあるのも事実です。実際、BLMを受けて、市民からの猛烈な批判に晒されているのは企業でして、それこそFacebookから数百社以上の企業が広告を引き上げたのは、市民の厳しいプレッシャーがあってのことですし、人種的バイアスをめぐる批判に直接晒されている企業は、金融からエンタメまであらゆる業界に及んでいます。

——そうしたなか、真剣に変革に取り組まなくてはならないと企業は感じ始めているんでしょうか。

危機感はおそらく出始めてきてはいるのだとは思います。上辺だけ取り繕って制度だけをアップデートしてもダメだぞ、という圧も非常に強いですから。今週の〈Field Guides〉自体が、企業に向けて「今回はちゃんとやれ」というメッセージであるようにも見えます。

——記事は企業に向けてどんな取り組みを推奨しているのでしょう。

これは非常にソフトなものですが、例えば、「職場で人種について語るために『文学』を用いる※7」(The case for using literature to kickstart conversations about race at work)という記事では、企業内でレイシズムに関する理解をきちんと広めていくために、文学作品を用いて社員教育を行う「Books@Work」という組織が紹介されていますが、なかではこんなことが書かれています。

「これまで企業がやってきたDEI(Diversity, Equity, Inclusion)プログラムは、システミックレイシズムについて語り合うか、必要なスキルやツール、言語を身につけるといったものに終始してきました。一方、物語を用いて行う対話は、それぞれ違った立場にある人たちがデリケートなトピックについて語り合うことを可能にします」

——先ほどの話の流れで言えば、「声を上げろ」というだけでなく、まずは、言いにくいことでも言える環境をつくれということですね。

はい。同じ論点から以下の記事も非常に面白い内容です。

「HBO『ウォッチメン』の脚本チームに学ぶインクルーシブなカル

※7

チャーづくりのレッスン※8」(Lessons on building an inclusive culture from the writers' room of HBO's "Watchmen") は、HBOドラマ『ウォッチメン』の脚本チームが、いかに多様な人たちの視点を取り入れているかを明かしたものですが、ここでも言われていることは同じで、「女性の視点を番組に入れたいから女性をチームに入れる」「黒人の視点を入れたいから黒人を入れる」だけではまったくダメで、むしろ重要なのは「出されたアイデアを決して否定しないこと」だとしています。

あるショーランナーは、たくさんの人がいる前でアイデアを出し、それがいいアイデアか悪いアイデアかを論じられる際に、パーソナルな感情をもち込むなといくら言われてもそれを実行するのは難しく、自分のアイデアが批評されることで傷ついてしまうことは決して少なくないと語っています。

——HBOの制作チームですら、そうなんですね。

私も身に覚えがありますが、例えば雑誌の編集会議でアイデアを出すのは、やはり勇気がいるんです。自分が面白いと思っていることをつまらないと言われれば誰でも凹みます。ただ、何が面白くて何がそうでないのかを客観的に判断していこうという場ですから、いちいち感情的になっていても仕方ありません。前提としてアイデアがたくさん出てこないことには始まらないわけですから、「どんなアイデアでも出していいんだ」と思える環境を、どうやってつくっていくのかということが大事なんですね。私はそれがまるで下手くそでしたが。

——難しいですよね。

ありきたりといえばありきたりですが、私たちは「人の話に耳を傾ける」ということをちゃんと訓練されてきていないように思います。先のCondé NastのCEOのように、チャンネルや場所を用意すればいろんな意見が上がって議論が可能になるとシンプルに思っている人も多いかと思いますが、人に大事なことをしゃべってもらうためにはこちらが相手の言っていることを、相手の関心領域に沿って聞かなくてはいけないのに、多くの場合、どうしても自分の関心領域に沿って人の話を聞いてしまうんですね。

――ああ、言われてみればそうですね。

個人に限らず、政府だろうが企業だろうが、あらゆる主体が「発信」することばかりにリソースやコストを割いて、「聞く」ことにはまったくリソースを割いていませんし、そうであるがゆえに聞く能力がまるで育っていません。それは外に対してもそうですし、組織の内部に対しても同様なのではないでしょうか。

――ほんとですね。

たしかジミヘンだったと思いますが、「知識はしゃべる。智慧は耳を傾ける」（Knowlegde speaks, wisdom listens）という名言を残したそうです。これまでの社会はひたすら、「しゃべる」ことばかりに労力を傾けてきましたが、「しゃべる能力」は、メンタルヘルスの問題においても、今回の特集が取り扱っている組織内におけるシステミックな不平等と向き合うときにも、ほとんど役に立たないということは肝に命じておいたほうがいいのかもしれません。

――習ったことないですもんね、「話の聞き方」って。

そうなんです。加えて、そうした聞く力の欠如は現状の問題の認識を誤らせることにもなります。先ほど「混浴温泉問題」でもお話ししたように、表面上は何も問題がないように見えていても、逆に問題が水面下に潜ってしまって、さらに見えづらくなっていることに問題の本質があるわけですから、「本人に聞いて、本人が問題ないと言ってるから問題はない」ということでは足りないんです。

――目に見えなくなっている問題をどう可視化するかということですね。

「職場で人種について有効な会話をするためには」のなかで、「レイシズムの改善を当事者にやらせるな」というティップスが出てきます。そのアドバイスはまさに、人種の問題について有色人種のワーカーや女性のワーカーに「どうすればいい？」といくら聞いてみたところで、必ずしも改善につながらないのと同じことです。

※8

——どこから始めるのがいいんですかね。

ふたつの記事が同じことを語っています。先に挙げた「なぜダイバーシティに向けた取り組みは失敗するのか」と「あなたのビジネスモデルはアンチレイシスト？[※9]」(Is your business model anti-racist?) の双方の記事で言われているのは、まず「過去の施策の何が問題だったかをきちんと理解しろ」ということです。

——ほお。

先に見たように、企業でも政府でも、すでにさまざまな施策を打っているわけです。にもかかわらず状況が改善してないのであれば、前の施策に問題があったということで、その評価をせずに、さもいま問題に気づいたみたいなフリをして一から何かを始めても同じことを繰り返すだけになります。すでにある制度の運用がうまくいっていないことが問題なわけですから、それを無視して制度をただ上書きしてみたところで意味がありません。

——たしかに。

うまく運用されていない施策の背後には埋もれている声がおそらくたくさんあるはずで、それをまずは取り出さないといけないということでしょうね。

——冒頭の三浦さんの自殺の話に戻りますと、おそらくですが、ごくごく初歩的な問題として、芸能界において、いったいどの程度の数の人たちが、どのような心労、不安のなかに置かれているのかについて数値もなければ、なんのインサイトもなかったりするわけですよね。そうした状況のなかで制度を変えろと言ったところで、何を変え、それを変えることで誰をどういうふうに救えるのかは見えてきませんよね。

ソリューションを提案するためには、それなりに精緻な課題の特定が必要なはずですが、特に日本ではそうしたきちんとしたリサーチやエビデンスを見ることは本当に稀です。結果、多くが空想に基づいた「ソリューション」になってしまいます。冴えたソリューションは、ソリューションそのものではなく、むしろ見出された課題、つまりはインサイトが冴えているんです。

——言われてみればそうですね。

企業にはいい加減そのことに気づいてほしいですね。そのことに気づいていない時点で、自分たちの「耳」がいかに退化しているかを表しているようなものですから。受信感度の低い企業って、それだけですでにダサいですよ。

——ダサいですね。

市場や社会の動きに最も敏感であるのが企業というものの本来の姿ですよね。それを察知できなくなったような企業は即退出というのが本当の意味での市場原理のはずですが、企業の感度の低さを見るにつけ、そもそも市場原理が正常に機能していないのではないかと疑いたくもなります。

——なんでそれでやっていけるんですかね。

さあ。不思議ですよね。

※9

Field Guides を読む #13

How to build an anti-racist company

July 19, 2020

https://qz.com/guide/antiracist-company/

◉職場で人種について有効な会話をするためには
How to have more productive conversations about race in the workplace

◉反レイシストな職場の姿とは
What an anti-racist workplace looks like

◉なぜダイバーシティに向けた取り組みは失敗するのか
Why diversity initiatives fail

◉データで見る、〝ダイバーシティを失わせる〟ダイバーシティに向けた取り組み
Some common diversity initiatives actually decrease diversity, data show

◉HBO「ウォッチメン」の脚本チームに学ぶインクルーシブなカルチャーづくりのレッスン
Lessons on building an inclusive culture from the writers' room of HBO's "Watchmen"

◉職場で人種について語るために「文学」を用いる
The case for using literature to kickstart conversations about race at work

◉多国籍企業は、もはや中国で沈黙していられない
Multinational companies can't be woke in the US and silent in China anymore

◉あなたのビジネスモデルはアンチレイシスト？
Is your business model anti-racist?

◉南アフリカのポストアパルトヘイト闘争に、企業が学べること
What the corporate world can learn from South Africa's post-apartheid struggles

◉履歴書なし、面接なしの採用のかたち
What hiring looks like without resumes, cover letters, or interviews

◉「紛争解決の原則」は、アンチレイシストな職場づくりに役に立つ
The principles of conflict resolution can help build antiracist workplaces

◉多様性あるチームが、偏見のないマッチングアプリを開発するまで
How a diverse team came up with a dating app designed to combat bias

#**14**

China's changing influence

July 26

チャイナの新世界秩序

コロナ禍のなか起きているあらゆる出来事には
どこかで必ず中国が関わっています。
コロナ後の世界というのは
中国の覇権がさらに強まった世界かもしれず
「ニューノーマル」というのは、なんのことはない
「中国による新世界秩序」のことなのかもしれません。
コロナのトンネルを抜けたらそこは中国だったということに
トンネルを抜けたあとに気づいても時すでに遅しです。

――今週末は連休ということで、いつも土曜日にやっているこの対話を木曜日にやっているのですが、都内の新型コロナウイルスの感染者が本日300人超えとなっています。

心配ですよね。私も最近はふらふらと外食してましたが、控えたほうがよさそうです。

――「日本モデル」などと首相が胸を張っていたのは何だったのでしょうか。

さあ。「民度」のことを言っているのであれば、そもそもそれはモデルではありませんし、PCR検査を積極的に実施しないのが「モデル」ということなら、いまなぜ増やそうとしているのかわかりませんし、おそらくは、他の国が「〇〇モデル」と言っているのにあやかっただけなのではないでしょうか。

――よその国でも使われてますか？

私の知っている限りですと、台湾の蔡英文総統をはじめ、オードリー・タンIT担当大臣なども「台湾モデル」という語を使っている印象があります。行政府のウェブサイトにも「コロナと戦うための台湾モデル※1」というページがあります。

――そこで言う「台湾モデル」とは何を指しているんでしょう。

マスクの在庫をオンラインで可視化するシステムであったり、ロックダウンを行わないで感染拡大を防いだ方法など、色々と具体的な事例がありまして、つい先日も米国の「TIME」が、大学の再開にあたっては台湾の事例に学ぶべきだとする記事※2を掲載していました。ただ、事例ばかりではなく、ここで見ておいたほうがいいのは、むしろ、同じ「TIME」に掲載された蔡英文総統の寄稿文※3ではないかと思います。

――そんなのがあるんですね。

　ウェブ記事は4月16日にアップされていまして、後半を読んでいただくとわかりますが、「台湾モデル」を盛んに喧伝しているのは、ただ「台湾すごいだろ」と言いたいからではありません。引用しておきましょう。

「台湾はたしかに、自国内において効果的にコロナウイルスを封じ込めることができましたが、COVID-19は人類全体に関わる災厄であり、あらゆる国家がともに協力しあうことでしかそれを乗り越えることはできません。台湾は不公正にも、WHOや国連から除外されていますが、製造、製薬、テクノロジーといった分野で私たちの強みを生かし、世界と協働していくつもりです」

――ああ、なるほど。政治的なメッセージなんですね。

　台湾はコロナ対策の成功と、それがもたらした世界的な注目やバズを、国際社会における自国の位置づけを喧伝しプロモートするために、したたかに利用しています。と言えば、もうおわかりだと思うのですが、「台湾モデル」がいったい何と対置されているかといえば、これはもう明らかに「中国モデル」ということになるわけです。

――はあ。

　つまり、中国政府が武漢で行ったような管理国家的なコロナ対策に対する強いアンチテーゼとして「台湾モデル」は提出されていまして、その根本にあるメッセージは、それが「民主的なモデルである」ということです。

――そのあたりはオードリー・タンさんの発言でも明確ですね。

　コロナ対策に限らず、デジタル技術のガバナンスの問題は、現状、中国政府のようなかたちでの「国家による独占」か、あるいはGAFAのような「私企業による独占」か、という、どちらに転んでもさして魅力的ではない両極の間で揺れ続けていますが、台湾は、そうではない「第3の道」に賭けていまして、そのモデルをコロナ対策のような場で立証していくことで中国との距離をできるだけ離しつつ、同時にそのメッセージを通じて、

※1　※2　※3

いわゆる「西側」の陣営を味方につけていこうとしているように見えます。それは、香港で起きていることを、おそらく台湾の人びとが「明日は我が身」とかなり切実に感じているからでもあるように思えます。

――なるほど。ＷＨＯの立ち位置をめぐる中国とトランプさんの綱引きも、そうやって見てみると、もっと大きなコンテクストが見えてきますね。

　これは世界の覇権をめぐる争いで、それぞれのパワーが衝突する舞台として、香港や台湾といった東アジアの小国が矢面に立たされているという構図だと思うのですが、ここで本当に見過ごしてはならないのは、このコロナ禍のなか、中国の覇権奪取に向けた戦略が徐々に明らかになってきたことです。

――え。そうなんですか？

　目下、トランプ大統領との派手なやり取りにばかり目を奪われがちですが、貿易や関税が主戦場であるとばかりは言えなくなってきているのは、つい先日、アメリカ下院外交委員会が提出したとあるレポートからも明らかです。

――どういったレポートなんでしょう？

「The Washington Post」の記事※4によればこのレポートには、「アメリカはもはやサイバー・ドメインにおける未来を中国に明け渡す瀬戸際にある」といったことが相当の危機感をもって書かれているとのことです。イギリスが5G技術の実装にあたってファーウェイを締め出すことを決定し、米国も連邦職員のTikTokの使用を禁止しましたが、こうした措置が矢継ぎ早に取られているのは、まさに「もしかしたらすでに手遅れなのかもしれない」という危機感の表れで、それほどまでにサイバー領域における中国覇権は進行してしまっているんですね。

――ひー。

　そうしたなか、中国政府は２０２０年内に「Ｃｈｉｎａ Standards 2035」という国家戦略を発表するとされていまして、これは製造業におけるグローバル戦略を描いた「Made in China 2025」

をさらに大掛かりに進展させたものと見られています。予測されているのは、ありとあらゆる次世代技術の「標準規格」を決定することのできるポジションを中国が取りにくるのではないかということです。

——それはヤバいですね。

「CNBC」の記事[※5]によれば、例えばスマートフォンの国際規格の決定は、「Qualcomm」や「Ericsson」といった各リージョンのメインプレイヤーたちによって主導されてきたそうですが、この数年中国のプレイヤーの存在感が増してきているなか、おそらく中国は新国家戦略「China Standards 2035」をもって一気に主導権を取りにくるのではないかと見られています。

その対象領域はIoT、クラウドコンピューティング、ビッグデータ、5G、AIからバイオテクノロジーにまで及ぶといいます。

——すごいですね。

アメリカはこれまでデジタル領域において中国とバチバチやってきましたが、それもAppleやGoogleといったカードをもっていればこそできた喧嘩だったわけですが、形勢はもはやすっかり逆転してしまっています。中国がGAFAを出入り禁止にしたのは、当初はやせ我慢のように見えていたかもしれませんが、そうしたやせ我慢の時間のなかで、あっと言う間に国内のビッグプレイヤーを成長させ、しかも予想をはるかに超える実力を身につけさせてしまったことで、逆にアメリカが中国のアプリを禁止せざるを得ない事態になってしまいました。加えて、14億人といわれる巨大市場への参入を拒まれるのは世界各国のグローバルプレイヤーにとっては大きな痛手ですから、そう考えると、もはや中国のほうが手持ちのカードが多そうです。

——今回の〈Field Guides〉でも触れられていますが、製薬や製造業は、もはや中国抜きには存在しえなくなっているわけですしね。ビジネスにおける、いわばエッセンシャルな領域を、安価であることを理由に中国に預けて極端に依存度を高めてしまったことで引くに引けない状況になってしまっているわけですから、西側諸国はまんまと罠にハマったようにも見え

※4

※5

ます。

ちなみにですが、TikTokは、もともとは上海のスタートアップがアメリカで成長させた「Musical.ly」というアプリ※6を「ByteDance」が買収したものですが、知らぬ間に自国内で成長を許していたあたり、政府が関与すべき領域ではないとはいえアメリカの弱体化を見る思いがします。Zoomのファウンダーも、もともとは「Cisco Webex」のエンジニアでした。

――あれ？ Zoomって中国の企業でしたっけ？

いいえ。アメリカのサンノゼが本拠ですが、開発部隊700人ほどが中国にいることから、中国政府による圧力を懸念する声や批判は出ています。Google、Appleをはじめ NASA、SpaceX、ニューヨーク市の学校でもZoomの使用は禁止されていますし、FBIがZoomのセキュリティ問題に関して警告を出したことからも、どれほどアメリカがZoomの背後で中国政府が動いている可能性を危険視しているかがわかります。

――毎日なにかとZoomにはお世話になっちゃっていますが、大丈夫なんですかね。

今回取り上げる〈Field Guides〉は、コロナ危機を通じて「世界各国が中国との関係を大慌てで見直さなくてはならなくなっている状況をレポートしたものですが、「ポストパンデミック世界における中国のビジョンが姿を現してきた※7」（China's vision for the post-pandemic world is taking shape）という記事は、この状況を次のように総括しています。

「中国との関係性を大慌てで再調整する試みが世界中で進行している。多くの政府はどのように製造業を自国に取り戻すか、あるいはサプライチェーンを友好的な国々に移すかを検討中だ。米中関係はもはや後戻りのできない地点を過ぎた。中国が主権を主張する台湾への米国の支援も始まっている。

北京政府の秘密主義と懲罰的システムがローカルな感染症をパンデミックへと変えたという非難を通じて、世界各国が中国への態度を硬化させている状況は、理屈からいえば、共産党にこれまでの外交政策の再考を促すはずだったが、実際は逆のことが起きている。中国政府は好戦的なレトリックをさらに強め、南シナ海の領有権を主張し、ヒマラヤでインド軍と小競り合いを演じ、国家安全法をもって香港を効率的に管理下に置いた。

端的に言うなら、中国はコロナ危機を無駄にするつもりはない。今年起きたあらゆる出来事は、世界に新秩序を打ち立てる道のりにおける避けては通れない通過点であると彼らは考えている。

『2008年の金融危機、2011年のユーロ危機、そしてコロナウイルスのパンデミックを通じて、中国は新たなナラティブを手に入れつつある。それはアメリカの衰退であり、もっといえば西洋民主主義の衰退である。これらの危機は覇権をめぐる新たな均衡を生み出し、それはことごとく中国のシステムに有利に働いてきた』

パリのシンクタンクのアジア担当のシニアアドバイザーはそう語る。

ミネソタで起きた警官によるジョージ・フロイド殺害によって巻き起こった暴動はアメリカ社会の困難をさらけ出し、アメリカが衰退しているという中国のナラティブをいっそう強化している」

——なるほど……。

というなかで「Japan」は、今回の特集には、おそらく1回しか出てきません。

——蚊帳の外、という感じでしょうか？

というわけでもありませんが、言及されているのは中国共産党の英字御用新聞「Global Times」が論説のなかで、「中国政府は米国主導の『反・中国戦線』を分断することにもっと注力すべきだ」としながら、日本政府に対して中国政府が「『米中どちらの肩ももつな』と警告を発した」というくだりのみです。

——とにかく黙っておれ、と。

日本は実際かなり難しい舵取りを要求されているのだと思います。「肩をもつな」と脅されながらも、それでも立場を明かさずにはいられない状況にもあります。香港の国家安全法については、米英豪加4カ国による中国批判の共同声明への参加を日本が断ったことが非難を浴びましたが、「我々はこの決

※6 ※7

定を再考するよう強く求める」というG7の共同声明には参加しています。これについては、「対中外交において、ついに一線を超えた[※8]」という報道が日本でもされています。

——世界が中国とアメリカを軸に二分されつつあるということだと思うのですが、そもそも中国の味方っているんですか?

例えばファーウェイの処遇をめぐる5Gの問題でいえば、中国の味方として知られているのはブラジルとロシアです。加えてアフリカ諸国も入りそうですが、「パンデミックが変えつつある中国のアフリカ戦略[※9]」(The Covid-19 pandemic is changing China's playbook in Africa)という記事は、中国とアフリカの関係がCOVID-19以降、かつてほど盤石ではなくなっていると報じています。

パンデミック以前から、アフリカ諸国の成長にはアフリカ内部での市場の連携といわば「内需」の拡大が必要だという議論がされてきていましたが、その議論がさらに強まっているようです。

アメリカは中国のアフリカ諸国に対する仕打ちを「債務の罠」と呼んで揺さぶりをかけていますが、アフリカ内部でも特に広州でのアフリカ人差別問題以降、中国への一極集中的な依存を分散化していく施策がエチオピアなどの国で講じられ始めていると記事は書いています。

また欧米諸国も、パンデミック後の世界の安定のためにはサハラ以南のアフリカの安定化が重要事項であると、改めて認識するようになっているともしています。

——アフリカの取り合いみたいな様相です。

過去のアフリカ援助が「世界のお荷物を救ってやろう」というものであったのに対して、現在では、特にヨーロッパ諸国は、アフリカの安定を自国に直接影響する問題として捉えるようになってきているようです。その一方でアフリカにビジネスチャンスを見出そうという機運も高まっていますので、かつてのような「搾取の対象」というよりは、自分たちに直接関わりのあるステークホルダーとしてアフリカを位置付けるという方向に変わっていこうとしているのかもしれません。もちろん、パンデミックのようなグローバルな問題になりますと、アフリカを放置しておくことは世界的なリスクともなりますので、医療・保健分野でのアフリカに対する国際協調も今後増えていくだろうと記事は予測しています。

――なるほど。

話を5Gに戻して、中国の対抗勢力についてお話をしておきますと、この5月から6月にかけて、英国を中心に10カ国による「5Gクラブ」が形成され、ここにはG7諸国に加えてオーストラリア、韓国、インドが含まれています。日本はファーウェイを出入禁止にしていますので、当然この「5Gクラブ」の一員でして、瓢箪から駒みたいな話としては、アメリカ主導の産業グループ「The Open RAN Policy Coalition」への参加を求めるよう米国政府から直々にNTTとNECにお声がかかったなんていう話題もあります。

「死んだと思っていた5Gへの希望が蘇った[※10]」と「Nikkei Asian Review」は報じていますが、実際、「5Gクラブ」側でファーウェイの競合として戦えるのはNokiaとEricssonだけだといいますので、援軍が必要になったということなのではないでしょうか。

――かなり慌てふためいている感じがしますね。

5Gを国家の重要課題と位置付けてファーウェイを資金面でも税制面でも優遇してきた中国政府の戦略性と比べると、アメリカも英国も5Gを産業政策レベルで重要事項として位置付けてこなかった[※11]と「Atlantic Council」の記事は報じています。

加えて、この「5Gクラブ」も強固な一枚岩なのかといえばなかなか微妙なところもあるようで、インドは自国内の5Gの試験運用にファーウェイの参加を許していますし、イタリアも排除する意思がないことを表明し、韓国は「ファーウェイのセキュリティリスクは低い」と語り、むしろアメリカが半導体の輸出制限を行ったことを非難しています。「Asia Times」は「韓国がファーウェイ戦争においてピボットした[※12]」と報じています。さらに、カナダもフランスもドイツも、ファーウェイを排除していません。

――足並みがバラバラですね。

※8 ※9 ※10 ※11 ※12

今回の〈Field Guides〉でとりわけ面白いのは、ＥＵ諸国と中国の関係を報じた「COVID-19で決定的に変わる中欧関係[※13]」(Covid-19 is a defining moment in the relationship between Europe and China) ですが、ここではドイツの産業界がいかに中国と抜き差しならない関係になっているかが明かされています。

——ドイツが、ですか。

はい。中国はユーロ危機に乗じる格好でドイツ企業に対して激しく投資をかけまして、ハイエンド工業ロボット製造の「KUKA」を買収したほか、すでに「Volvo」を傘下に収めている中国の自動車メーカー「Geely」がダイムラー社の10％近い株式を取得することで、中国企業がドイツの産業の根幹に食い込むことに成功したと書いています。中国企業に買収された、もしくは出資を受けているドイツ企業を列挙した２０１８年の「Reuters」のレポート[※14]が記事内に紹介されていますが、それを見ると、本当に抜き差しならない状況であることがよくわかります。２０１８年時点の数字ですが、ざっと列記しておきますと、こんな感じです。

Putzmeister（エンジニアリング／買収）
Osram（照明機器／買収）
Meerwind（風力発電／買収）
Kuka（工業ロボット／買収）
Kion（フォークリフト／43％）
Krausmaffei（プラスチック加工機器／買収）
Ista（エネルギー計測／買収）
Hauck & Aufhaeuser(銀行／買収)
Grammer（自動車部品／25・5％）
Energy From Waste（廃棄物処理／買収）
Biotest（医療／買収）
Deutsche Bank（銀行／8・8％）

——ヤバいじゃないですか。「インダストリー4・0」のお膝元のドイツで。しかも金融から医療から再生エネルギーから自動車からロボットまで、次世代テクノロジーによって成長が見込める分野ばかり。

この問題を受けて、当然中国からの投資に対する規制も設けてはいるのですが、それもいまひとつ生煮えでしかないのは、米中の関係が悪くなればなるほど、ドイツの自動車産業のビジネスチャンスが広がるうまみもあるからで、結果断固たる態度にどうしたって出にくいようです。記事はＥＵの外交政策のチーフのこんな言葉を紹介しています。

「中国は競合であり、パートナーであり、同盟であり、またライバルでもある。その複雑な関係性を、ある一面だけで捉えることはできない」

――抜き差しならない関係とはこのことですね。

これはアメリカも同様で、貿易戦争になっているとはいえ、アメリカはスマホから戦闘機までを製造するにあたっては中国のレアメタルに依存してきたので、いまになってその代替を見出すことに四苦八苦しています。レアアースに関わるプロジェクトに国防総省やペンタゴンが巨額を投じている[※15]ことを今年の5月に「Foreign Policy」が報じています。

――厄介ですね。

香港や新疆ウイグルなどでの人権侵害について、メルケル首相やトランプ大統領含め、国際社会がいまひとつ厳しく追及できずにいるのは、こうした複雑な関係性が背後に控えているからで、中国政府側はそのことも見越した上でいたるところで喧嘩を吹っかけていると見られています。トランプ大統領が香港問題を批判した際の中国の反応も実に冷ややかなもので、先にも紹介した政府御用新聞「Global Times」は、「香港の暴動者も警察官も『民主的なアメリカ』がミネソタでのカオスにどう対処しているかをよく見ておくべきだ」と皮肉たっぷりに書き、トランプ大統領の言を「ダブルスタンダード」と一蹴[※16]しています。

――実際、いまのアメリカを見ていると「人権」を盾に中国を非難しても説得力ないですよね。それにしても、世界のすべての国が中国の術中に見事にハマってしまった感は拭えません。

冒頭にお話しした「Made in China 2025」から「China Standards 2035」へといたる流れを見ますと、現在の状況がいかに周到に練られてきたかに改めて驚きますし、しかもそれが狙い通りに推移しているように見えるのは、ちょっと恐ろしいほどです。

「世界の工場」として下請けをや

※13 ※14 ※15 ※16

りながら製造業のレベルを向上させ、14億のマーケットを餌に他国のビジネスを囲い込み、それと同時進行で徹底した排外主義のもと自国内でIT産業を開花させ、その技術力をもって一転、次世代テクノロジーのルールメーカーとして世界を制圧にかかるわけですから、その構想力は凄まじいと言わざるを得ません。比べると西側先進諸国の緩慢さと見通しの甘さは歴然としています。中国政府にしてみたら、そこは嬉しい誤算だったかもしれません。

——と言いますと。

再び「5G」の話になりますが、5Gは実装の段になりますと、これまでの通信技術と比べて、より多くの設備が必要になるそうですが、それらをひとまとめの「スタック」として開発・生産ができる企業は、実は世界にファーウェイ1社しかないそうなんです。中国政府だけが唯一真剣に実装の青写真を描いていたことの結果がそれだとすると、他の国々は、いったい何をそんなにのんびりしていたのかと思いたくもなります。

——たしかに。

しかも次世代テクノロジーということでいえば、IoTやAIにおける規格争いなどが続々と待ち受けているわけですが、それらの分野においても、すでに研究レベルでも実地での経験値の量でも中国は世界に先んじているわけですよね。もちろん「中国は、すべて政府からのトップダウンで、人権や個人情報保護といった論点を無視するかたちで実装できてしまうのだからズルいじゃないか」という声はあるとも思いますが、とはいえ、これらの次世代テクノロジーの分野において、「実装できるのは中国企業だけ」ということになれば、みながそれに従うしかなくなるという結果は同じです。

「China Standards 2035」では、そうした切り札を続々と切っていくことになるのでしょうけれど、5Gにおいてですら西側はこれだけの撤退戦を強いられているわけですから、後続する領域で西側が中国を出し抜ける分野が果たしてあるのかを考えると、これは相当苦しい戦いにならざるをえないのではないでしょうか。

——そういえばコロナ下の4月に

は、デジタル人民元の実証実験[※17]なんかもスタートしていました。

自分自身もそうなんですが、きっと西側諸国の多くも、中国のテクノロジーをどこかで侮っていたのではないでしょうか。自分もアリペイの仕組みを知って衝撃を受けたのが2年前ですから何をかいわんやなのですが、その衝撃というのは、技術そのものの高度さではなく、いかに彼らがエレガントにデジタルテクノロジーの特性を活かしているかというところにあります。彼らがいかにGAFAのやり口を詳細に研究した上で、それとは違うやり方でビジネスを開発しているかに心底感心したんです。

それは昨年上海と深圳を訪れた際にも感じたことなのですが、デジタルテクノロジーのネイチャーを、もしかするとすでに中国の企業はシリコンバレーのプレイヤーたちよりもよく知っているのではないかとさえ感じました。

——そうですか。

台湾のオードリー・タンIT担当大臣がコロナ下で主導したデジタルソリューションは、それはそれで非常にエレガントなものだったと思いますが、中国でWeChatにすぐさま実装された感染追跡機能だったり、遠隔問診や遠隔授業のシステムや二次元コードを用いた地下鉄の乗車登録の仕組み、さらにはロックダウン後に感染可能性のある人とそうでない人とを分類するシステムなどは、たしかに管理主義的側面の強いものではありましたが、極めて理に適ったものであったことは間違いありません。「アフターデジタル」の世界の新しい原理を、なぜか中国人が一番すんなりと身につけてしまっているという事実を、もはや侮らないほうがいいと思いますし、むしろ積極的に学んだほうがいいとすら思います。

——TikTokが化けたのも、結局中国においてだったわけですし。

英国の政府系イノベーションラボ「NESTA」は、この5月に中国のAI戦略に関する詳細なレポートを発表[※18]し、その序文で、中国のやっていることをすべて「全体主義」「監視国家」と片付けてしまうのではなく、そこから学べることは学ぶべきだと書いています。この「NESTA」のレポートを紹

※17

※18

介した「The Conversation」という英国のオピニオンメディアの記事は、読者にこう忠告しています[※19]。

「中国を『悪者』扱いするのは、物事を単純化しすぎているばかりでなく高くつくことにもなる。中国政府のＡＩの使い方には、疑いようもなく危惧すべき側面もあり、それは正しく批判されるべきだが、それで中国のＡＩイノベーションに関する理解のすべてを覆ってしまうべきではない。

世界はもっと本格的に中国のＡＩ開発にエンゲージすべきで、本当に何が起きているのかをもっと詳細に見なくてはならない。中国に関する物語は複雑だ。私たちは一般化された悪者論に抗って、中国がもたらしている有用なＡＩ利用に光をあて、同時に問題の多い利用についてさらに注意深くならなくてはならない」

——「中国に学べ」と言うと、しかし、それだけであちこちから矢が飛んできそうです。

とはいえ「NESTA」のレポートはたしかに勉強になるんです。「イノベーションエコシステムの創出」なんていう話は、日本でも政府が躍起になって進めながらもなかなか実を結ばずにいますが、レポートには「中国の地方行政府が主導するクロスセクターパートナーシップによるローカルなイノベーションエコシステム創出のやり方には、英国の政策立案者にとっても有用な学びがある」と書いています。

コロナ禍のなか起きているあらゆる出来事には、どこかで必ず中国が関わっています。コロナ後の世界というのは中国の覇権がさらに強まった世界かもしれず、「ニューノーマル」というのは、なんのことはない「中国による新世界秩序」のことなのかもしれません。コロナのトンネルを抜けたらそこは中国だったということに、トンネルを抜けたあとに気づいても時すでに遅しです。

——延期された東京オリンピックも、その実現をめぐっては、２０２２年の北京冬季五輪が関わってきますしね。

そうでした。冬季五輪は２０２２年の２月ですから、２０２１年の東京と半年の時差しかないんですね。そこに中国が絡んでくるとなると日本の駆け引きの仕方も当然変わってくるでしょうし、これもまた難しい舵取りでしょうね。

——どうなっちゃうんでしょう。

まったくわかりません。

——うーん。

最後にもうひとつだけ。これは香港のメディア「Inkstone」で読んだこと[※20]ですが、中国は1839年の阿片戦争から1949年の中華人民共和国建国までの110年、つまり日本を含む列強に小突き回されてきた屈辱の歳月を、いまなお「百年国恥」という言葉をもって言い表しているそうです。かつ、その恥辱を晴らすことが覇権を狙う上での根強いモチベーションになっているともいいます。

世界がいよいよ本格的にデジタルトランスフォーメーションを進めるなか、来るべき新世界の盟主として返り咲こうという野望は、そうと知れば単なる権力欲ではなく、むしろ心情的なリベンジであり悲願でもあるのかもしれません。アメリカが世界の盟主の立場から自ら撤退、脱落しつつあるなか、世界でただひとり中国だけが、その立場を奪いにいっているわけですが、その本気度を過小評価してはいけないのだろうなとも思います。

——「百年国恥」ってすごいですね。

その記憶が現政権の政策にも色濃く大きな影響を与えているといいますから、200年前に始まった歴史の因果のなかに、私たちの社会とその未来が放り込まれているということになります。壮大な歴史の因果ですね。ダイナミックです。

※19

※20

Field Guidesを読む #14

China' s changing influence

July 26, 2020

https://qz.com/guide/chinas-influence/

◉ポストパンデミック世界における中国のビジョンが姿を現してきた
China's vision for the post-pandemic world is taking shape

◉中国の債務外交はコロナ時代を生き残れるか
Will China's debt diplomacy survive the Covid-19 era?

◉COVID-19で決定的に変わる中欧関係
Covid-19 is a defining moment in the relationship between Europe and China

◉パンデミックが変えつつある中国のアフリカ戦略
The Covid-19 pandemic is changing China's playbook in Africa

◉パンデミックは、インドが中国に追いつくかつてないチャンス
The coronavirus pandemic has given India a rare chance to play catch up with China

#15

Fixing elder care

August 2

エルダーケアの再生

「これから必要なのは、よりリアリスティックなビジョンです。
世代や技能の異なる人たちが小さく寄り集まり
小さな家々に銘々がひとりずつ暮らしながら
さまざまなものをシェアしながら生きていくことです」

——お疲れさまです。今回でこの連載も、はや15回目です。

早いですね。あっという間です。「Quartz」ＵＳ版の特集〈Field Guides〉を解説するという趣旨でスタートしたものではありますが、こうして回を重ねてみて改めて驚くのは、アメリカで組まれている特集であるにもかかわらず、ほとんどが日本で起きている問題とリンクしているということです。COVID-19の影響がグローバルなものであればそれも当たり前ですが、日本固有の問題と思われるようなことでも、問題の噴出の仕方や世間の反応は違うにせよ、必ずしも日本ローカルのものではないことが見えてきます。

——ほんとですね。特に直近の「通勤」「メンタルヘルス」「アンチレイシズム」「中国」といった主題は、日本でも避けては通れない課題です。そして今回のお題は「エルダーケア」ですから、ここはむしろ日本は先陣を切っていないといけない領域ですね。

実は「Quartz」にはパンデミックの前からこのエルダーケアの問題に取り組んでいる熱心な記者がいるそうでして、彼女がこの１月に公開した記事[※1]は「エイジングのコスト」をさまざまな統計データを元に検証したもので、「数字で見る高齢化」というパートがありますので、まずはアメリカと世界の現状を概観するためにも出しておきましょうか。

——お願いします。

【22%】２０５０年に世界の人口において60歳以上が占める割合

【4億人】２０５０年の中国における60歳以上の人口

【1万人】65歳を迎える１日あたりのベビーブーマーの数

【２０３０年】65歳以上の人口が18歳以下の人口を超えると推定される年

【６００万人】アメリカにおいて２０３０年までにシニアホーム

に転居するであろう人数

【76万8000人】アメリカにおけるシニアハウジング産業の従事者

【4051ドル】介護付きの老人ホームのアメリカの平均月額

【1万1000〜3万3500ドル】マンハッタンの高級シニアホームの家賃

【9万ドル】Medicaid 適用外の人が介護施設に入居する際に自己負担する額

【50／50】65歳で平均総額14万ドルかかる長期ケアを受けなくてはならない確率

といった感じです。

——アメリカのこととはいえ人ごとではないところも多いですね。暗澹としてきました。

これだけ見てしまうとそうなのですが、今回の〈Field Guides〉は一見重たそうでも、読んでみますとポジティブな記事も多く、特に老人介護施設のデザインのアップデートの必要性を語った「COVID-19はいかにして『大バコ』の高齢者介護施設を終わらせるか[※2]」（How Covid-19 will end “big box” senior living）や、エルダー／シニアケアの仕事に就く5人のZ世代の若者にインタビューした「シニアケアはミレニアルとZ世代が望む『充実した倫理的な』仕事[※3]」（The fulfilling, ethical job millennials and Gen Z want? Senior care）など、いまどきの言葉を使うなら「エモい」感じのいい話が少なくありません。

——そうなんですね。

また、老人介護施設がアメリカ、イギリス、スウェーデンなどの国々で感染の「ホットスポット」になってしまったことから、どういった対応策がベストプラクティスとしてありうるのかを検証した記事「COVID-19から老人ホームを救った過激な戦略[※4]」（The extreme strategies that saved some nursing homes from Covid-19）も、どこででも真似できる話ではないにせよ、次に生かそう、今後のベンチマークにしようという趣旨で書かれているので、読んでいて陰鬱な気持ちにはなりません。

——日本で高齢者介護や末期医療といった話題が出てきますと、「どうせ行政はこの先、医療や福祉を賄えなくなるんだから、真剣に高齢者の切り捨てを、あるいは安楽

※1 ※2 ※3 ※4

死について考えたほうがいい」みたいな議論になりがちで、実際この間、その手の話題に事欠かなかったのも事実です。

制度や社会システムやビジネスが現状のまま何も変わらなければ、たしかにデッドエンドになりますが、そんなことはそんなに力んで言われなくとも多くの人が察知しているところです。であればこそ、これまでの制度やその背景にある考え方をアップデートしなくてはならないという話に本来であればなるはずなのですが、そこに頭を使わず、「切り捨てやむなし」みたいなことを、それがさも理性的思考であるといった体でもち出されるのには、いい加減飽き飽きしましたね。

——「金がない、じゃあ切り捨てよう」となる前に「じゃあ、お金を生む仕組みを考えてくれよ」あるいは「お金がなくてもやっていける方法を考えてくれよ」って思いますよね。

それこそ、昨年、若手の知識人・文化人が「終末医療はお金がかかるからやめよう」といった発言[※5]をして問題になったことが、つい最近も蒸し返されていましたが、あれを読ませていただいて驚いたのは、おふたりとも完全に「行政目線」でお話をされていたことです。全体を俯瞰した高みから、ああすべきこうすべきと論じることは必ずしも問題ではないにせよ、議論が進んでいくうちに施策の目指すところが「国民生活の維持・向上」から「行政府の存続」にいつの間にかすり替わっているように感じられました。

——それは本末転倒ですね。

もちろん行政府があればこそさまざまな施策が実施されるわけですから、それを存続させることは大事なのですが、「その存続が第一義なのか？」というところは常に確認したほうがいいように思います。「行政府がなくなったらみんな困るだろ」というのはその通りですが、とはいえ、行政府が仮に破綻したとしてもそれでも社会は続くわけで、どちらが基礎的な条件かといえば「社会」のほうだと思いますし、仮に行政府の存続を第一義においたとしても、それが即「現状の行政府を存続させる」ことを意味するわけでもないはずです。

――本当ですね。

「どうしたって不公平が出るのは仕方ない」というような言い方は、おそらくこれまでも散々使われてきた言い方だとは思いますが、例えば「Black Lives Matter」のような運動がいままさに問題にしているのがそのことなわけです。「上から全体を見渡せている＝だから公正な判断・決定ができる」とみなされてきた人たちの判断・決定によっていかにシステムにおける不平等や不公正が温存されてきたかを明らかにしたのが「Black Lives Matter」運動のひとつの意義だとするなら、ここにきて、まだ「現状のシステムが最優先で温存されなくてはならない」とする物言いは、さすがに苦しいように感じます。

――この連載でずっと語られてきていることは基本、COVID-19をテコにしていかにこれまでのシステムをアップデートするかという話でした。

それは逆に言えば、COVID-19がいかに現状のシステムの限界を露呈させたかということでもあります。

――「アフターコロナ」は「ビフォアコロナとは違うものにしよう」という話なわけですよね。サプライチェーンやデリバリー、通勤のあり方、メンタルヘルスや中国との向き合い方、どれをとっても「できるだけ元に戻らないようにしないといけない」というのが趣旨だったはずですが、日本はなぜだか「早く元に戻ってくれ」という感じになっているのが不思議です。

日常生活の部分においては、早く外食や旅行が再びのびのびとできるようになってほしいと自分も思いますが、社会システムに関する話題は、ただの政権批判に逢着するばかりでいつまでも曖昧模糊として、コロナを通じて何が課題として浮き彫りになって、この機会に何をどうレバレッジしていくのかについて明確なビジョンや指針が出てこない感じはします。この緊急事態のなかで、社会として「何を得たのか」という話がまったく前景化していない印象です。

――何を得たんですかね？

※5

例えば中央官庁とシビックテックの本格的な連携が始まったことや、「change.org」のような署名プラットフォームを用いたアクティビズムが活性化したこと、あるいは、これまでデジタルサービスに接触してこなかった人たちが否が応でも使わざるを得なくなったといったことはそれなりにポジティブなことだとは思います。

――小さいような大きいような。どちらとも取れない変化ですね。

今回の〈Field Guides〉に掲載されているエルダーケアという主題を追いかけてきた記者が書いた特集の総括となる長文記事「COVID-19は高齢者の生き方を変える※6」（Covid-19 will change the way we live as older adults）には、ある介護施設の経営者のこんなことばが紹介されています。

「3月の時点で、いまもっている知識と経験をもっていたならと思います。3月からの数カ月で、私たちはそれまでとまったく違う場所にいます」

――コロナ危機のなかで何を学んだのか、ということですね。

まさにそうです。PPEを確保するために業者さんとの関係性を再構築し、同業者の間でベストプラクティスを共有しあいながら、行政のガイダンスがないところで手探りでプロトコルをつくるといったことを実際に入居者が死んでいくのを目の当たりにしながら進めていったと言います。

――すごい。

ある低・中所得者向けのケアホームのワーカーは、こうも言っています。

「私たちのような低所得のエリアでは、行政がなんらかの手を差し伸べてくれたとしても、それはいつも時すでに遅しとなってからやっています。であればこそ、今回も自分たちでやらなくてはなりませんでした」

――そうした「DIY精神」が発揮されるとアメリカは強いですね。

「行政はあてにしない」と割り切って、自律的に自分たちで手立てを講じることができるのであれば、日本でだってそれなりにダイナミックな動きが草の根レベルでも取れるのでしょうけれど、これは想像ですが、日本の場合、行政がやるのかやらないのかわからない生煮えの状況に置かれることが多いのかもしれません。今回のコロナ禍のなかでは、中央政府に対して自治体が業を煮やすという場面が幾度もありましたが、「中央政府がやらないなら自分たちでやる」と地方自治体が英断を下すようなことは、これまであまりなかったことかもしれません。とすれば、それはそれでひとつの大きなゲインだったのかもしれません。

――そうですね。

コロナ対応において最もアグレッシブな手立てを取った施設や行政府を紹介した「COVID-19から老人ホームを救った過激な戦略」には、コロナウイルスのアウトブレイクを受けて、施設ごと完全にロックダウンしたコネチカット州のケアホームが紹介されています。経営者が17人のケアワーカーとスタッフに従来の3倍分の給与を用意した上で、敷地内に寝泊まりをさせ、外部との接触をすべて遮断するという手立てを講じたそうです。

――へえ。

経営者自身も施設内のオフィスで寝泊まりし、スタッフ向けには駐車場にキャンピングカーを用意したというのですが、結果、コネチカット州の感染者の69%が介護・養護施設から発生したなか、このケアホームはひとりも感染者を出すことがなかったそうです。加えて、これを実施するために経営者自身が3000万円ほど自腹を切ったそうです。

――いい話……なんですよね?

いい話だとは思いますが、とはいえ、これがどの施設でも真似できる施策かといえばそうではないと記事は語っています。こうした「ソーシャルバブリング」、つまり閉じた泡のなかに入って社会から自己隔離するというやり方は、金銭面だけでなくワーカーのフィジカル/メンタルにかかるコストが高いことが指摘されています。

記事は、似たような「バブリング」施策を国家レベルで断行した香港とシンガポールの事例を紹介していますが、シンガポールは長期滞在者向けの介護施設を一気に

※6

ロックダウンし、近隣エリアにスタッフが暮らすための施設を政府が確保したそうですが、そもそもシンガポールのケアワーカーのほとんどは移民労働者であったことが施策の実施にあたって有利に働いたと語っています。

——どういうことでしょう？

メンタルヘルスの観点から見ますと、移民労働者は、そもそも最初から家族と離れ離れで暮らしていますので、現在暮らしている家から移ったとしても、心理的ストレスはさほど増加しないということです。加えて、シンガポールの感染の多くは移民労働者の寮などで起きていますので、むしろ彼らを分散させクラスター化させないためにも、この施策は有効だったとされています。

一方の香港は、ＳＡＲＳの経験から、介護施設には必ず感染管理のトレーニングを受けたスタッフを置くことが義務化されていましたので厳格なバブリング施策をすぐにでも実施できる状況はあったのですが、７月にいったん規制を緩めたことからクラスターが発生し、再度政府が厳しく介入する事態となりました。

——再開が早すぎたということですね。

いずれにせよこうした手立ては、あまり実際的ではないとされていまして、それは何よりもメンタルにかかる負荷が大きすぎるからです。

——とすると、他にはどんな手立てがありうるのでしょう。

これまでの例でも想像がつくかと思いますが、それなりの手立てをきちんと打とうとすれば、やはりどうしても余分のコストがかかります。加えて、これも言わずもがなのことですが、入居費が高額な施設になればなるほどワーカーの待遇もよくなりますし、サービスも手厚くなります。経済的な格差が明確にケアサービスの内容に反映してしまうわけですね。

こんなことはパンデミックが来る前からとっくに明らかになっていたことではありますが、このパンデミックが明らかにしたのは、低所得者向けのケアホームがホットスポットになってしまうとそれが地域全体のリスクになるということです。つまり、高級な地域だからといって安閑としてはいられないわけです。ある地域や場所を切り捨てて放置しておくと、そこで起きた問題が結果として全体に及び、全体の安全を脅かすことになるという観点から、制度的にきちんと「ケア格差」に向き合わなくてはいけないということが真剣に論じられ始めています。

先に紹介した「COVID-19は高齢者の生き方を変える」には、こんな一節があります。

「仮にワーカーたちが通勤によって感染症を広めたとしても、それは彼らのせいではない。それは経済格差と高齢者差別によってもたらされたものだ。ある研究者は語る。『COVID-19以前には、高齢者ケアの問題は、世間の想像力を刺激するものではありませんでしたし、ケアの不平等という問題の責任を、あるひとつの主体に押し付けることができるのかどうかもわかりません。おそらくこれは社会全体の落ち度なのです。いまようやくシニアケアの持続可能性と公平をめぐって新たなモデルを考えようという機運が高まってきましたが、そのことに少し希望を感じ始めています』」

――具体的な取り組みは始まっていますか？

こうした「機運」の一例としてイギリスの厚生大臣が首相にケアワーカーの待遇改善をいますぐにやるように進言したニュース※7が紹介されています。

――ほお。

イギリスはケアホームのクラスター化が問題化した国のひとつですが、「Tortoise」というスロージャーナリズムを標榜するメディアが、英国のケアホームの実態をレポートした素晴らしい調査報道※8があります。そこでは、ケアというものがサッチャー首相以来の民営化によっていかに産業化され、その過程でグローバル金融資本によって牛耳られるにいたったかが明かされています。

興味深いのは高齢化の進行を受けて近年ベッド数は増えているのですが、施設の数は7年前と比べて2000も減っているという指摘です。これは何を意味しているかといえば、施設がどんどん大型化しているということです。

――効率化が進んでいるというこ

※7 ※8

とですよね。

まさにそうです。そんななかイギリスのケアホーム企業の大手「Four Seasons」が経営するグラスゴーのケアホームで90人の入居者のうち13人が1週間のうちにCOVID-19で亡くなるという「事件」が報じられ、その管理体制の杜撰さが国民の激しい怒りを買うことになりました。そもそもいくつかの大手企業の施設はパンデミック以前から安全対策の不備を常に指摘されていたともいいます。

——国は社会福祉を市場化することで健全な競争や多様性がもたらされることを期待したのでしょうけれど、結局寡占が起きて市場の柔軟性が損なわれ、業界全体が暗黒化していったと。

これはなにもケア業界に限ったことではないのでしょうけれど、「民営化」の残念な帰結はだいたいどこも同じで、独占的なプレイヤーが最低限のコストでビジネスを行う方向に走って非人間的な効率化が進行することになります。イギリスでは、それが改めて深刻な問題として厳しく報じられていますし、アメリカでも2029年にはシニアハウジングを得る資金がない中産階級の高齢者は54%に上るといわれていますから、これはイギリスだけの問題ではなさそうです。

——日本もまったく人ごとではない感じですが。

パンデミック下のケアホームの問題は、「Quartz」に限らず「Fast Company」のようなメディアでも折に触れて記事化されていますが、そこではビジネスモデルの改善もさることながら「ケアホームのデザインを変えるべき」という議論もかなり強く打ち出されています。今回の特集でもデザインは大変重視されています。

——デザインがいまおっしゃったような効率化=大型化を促進するビジネスロジックへのアンチテーゼというか解毒剤になりうるということですね。

冒頭に挙げた「COVID-19 はいかにして『大バコ』の高齢者介護施設を終わらせるか」という記事は、まさにそんな内容になっています。

――大バコに変わるオルタナティブってどういうものでしょう？

ここでは、ビル・トーマスという高齢者専門医が20年前に提唱した「Green House Project」が大きく取り上げられています。これは小さな一人暮らし用の一軒家を複数束ねて、村のようなものとして集合住宅を構成するアイデアです。

――ほお。

記事がトーマスさんの言葉をうまくまとめていますので、長いですが引用しておきます。

「高齢者のさまざまなニーズを購入可能なサービスとして提供していくというやり方が絶対にうまくいかないことは、パンデミック前からわかっていたことです。どう計算してもうまくいきません。資産のある人はシニアコミュニティに家をもち、自分の要望に見合ったサービスを購入することができますが、ほとんどの人はできません。これから先必要になるのはミドルマーケットの革命です。それほど資産をもたない人たちは、手もちの財産と昔ながらのやり方でよいご近所さんたちと共に生きていくことを結び合わせていかなくてはなりません。

第二次大戦後から続いてきたサービス主導の『レジャー・ライフスタイル』では、リタイアしたらリタイアした人たちのコミュニティに入り、必要なサービスは外部からお金で調達してくることが当たり前とされてきました。これから必要なのは、よりリアリスティックなビジョンです。それは世代や技能の異なる人たちが小さく寄り集まり、小さな家々に銘々がひとりずつ暮らしながら、さまざまなものをシェアしながら生きていくことです。

ところが、これを実現することはこれまで非常に困難でした。小さな『ポケットネイバーフッド』で世代の異なる人たちと暮らしたいと思っても、そんな物件がまずありませんし、住宅不動産の規制は『核家族』を前提としたルールばかりなのです。私がつくりたいのは子どもたちが中庭を走り回るのをお年寄りが眺めているような社会資本の豊かなコミュニティですが、それは現状の環境ではとても困難なのです。

ただ、それはあくまでもCOVID-19以前の状況です。自己隔離を経て、多くの人がこうした暮らし方を強く望むようになっています。こうした欲求が現在の環境を大きく変えていくことになるはずです」

——若干夢物語のようにも聞こえなくもないですが。どうでしょう。

これだけ読むとたしかにそうなのですが、実はこうしたアイデアをサポートする根拠は少なからずありまして、まずアメリカでは、いま、狭小住宅の需要が非常に高まっている[※9]とされています。これは一般においてもそうですが、ケア施設などでも同様です。オランダでも「Tiny House Nederland[※10]」というプロジェクトが進んでいたりもします。

——へえ、面白い。

加えて、これはトーキングヘッズのデヴィッド・バーンが主宰する「Reasons to be Cheerful」というGood Newsばかりを紹介するメディアに掲載されていた記事[※11]で、「Nesterly」という、高齢者と若者をルームメイトとしてマッチングする「異世代ホームシェア」サービスが紹介されているのですが、このサービスがパンデミックによって人気になっているそうなんです。

——へえ、これも面白いですね。

記事によれば、『他人とホームシエアはしない』と答えた50歳以上の人びとの比率は、２０１４年の59%から２０１８年には29%へと劇的に下がっている」とありますので、先にビル・トーマスさんが語った夢物語は、やや浮世離れしているようにも聞こえながらも実際のニーズは高まっているんですね。「小さい家でいい」とか「違う世代の人と暮らす方が安全・安心」といった感覚が広まっているのは間違いなさそうです。ちなみに、異世代入居の施設ということで言いますと、デンマークの新しい介護施設でも採用[※12]されていまして、これは「C.F. Møller Architects」という建築事務所のアイデアです。

——世代間交流というのは面白い論点ですね。

これも特に新しいアイデアというわけではないと思うのですが、先にビル・トーマスさんが指摘していたように、「不自由になったら、その不自由を金で補う」というモデルは、やはり限界があるわけです。加えて高齢者は「健康」や「五体満足」という指標だけで見れば、たしかに「欠如」だらけではあるかもしれませんが、それとは違うものさしで見れば、老人は十全にもっていて若者に「欠如」しているものだってあるわけですよね。

先に挙げた異世代シェアホームは、お互いが提供できるものを交換し合うことでお互いの欠如を埋め合うものですが、記事にある事例では、若い学生のシェアメイトの「お金」の欠如を埋めるべく老いたシェアメイトが家を貸し、代わりに老いた彼女は「孤独」や「寂しさ」という欠如を若い女学生に埋めてもらうことになります。この事例では、ふたりはとても仲がよいそうなのでお互い得しかしていません。まさに「ウィンウィン」の関係です。

——いいですね。

Z世代に取材した「シニアケアはミレニアルとZ世代が望む『充実した倫理的な』仕事」は、エルダーケアの仕事に就いている5人の若者の声を紹介していますが、彼らは彼らで、仕事というものに「お金以上の価値」を求めていまして、そこには彼ら自身の明確な「ニーズ＝欠如」が反映されています。

紹介されている若者のひとりは「より豊かなエイジングというものがどういうものかを見たいんです。それがいまは当たり前のものではありませんから」と語っているのですが、さらに続けて、「それを見出せない限りは、人生を最後までサポートするやり方は見出せないと思っています。それが見い出せれば後続する世代も老いに向けてちゃんと準備ができるようになるはずです」と言っています。つまり、それは自分たちの問題でもあると言っているわけですよね。

——泣けてきますね。

数年前に専門家の方を招いてダイバーシティをテーマにした連続イベントを開催したことがありまして、東京大学の清水晶子先生にご講義いただいた※13のですが、「そもそもなんでダイバーシティについて考えなきゃいけないんですかね」というあられもない質問に、こう答えられて、深く感銘を受け

※9 ※10 ※11 ※12 ※13

たことがあります。

「ダイヴァーシティの目的って、自分がいまと異なる立場になったときやいまと異なる身体になったときでも生きていける社会をつくることだと思います。誰しも突然仕事を失ったり怪我をして動けなくなったりするかもしれない。それに年をとったり、子どもができたりすることでも立場や身体は変わります。自分が変わってもきちんと生きていけるのかを考えなきゃいけない。

（中略）もっとみんな心配した方がいいと思うんです。だから、たとえ自分がいま問題なく生きていけていたとしても、なるべくたくさんの人が生きていける社会をつくる必要がある。積極的にそういう社会をつくらないと、いざというときわたしたちは生きていけなくなってしまうのですから」

——「エイジング」は誰にとっても不可避なものですからね。

今回の特集にはこんな一文も出てきます。

「エイジングは誰にとっても不可避のものだ。エルダーケアのシステム全体をつくりなおすというプロジェクトが、すべての人に関わるプロジェクトであることを、みんなに身に沁みて感じてもらうことがいまならできるかもしれない」

——核家族化が進んだことで年老いていくということが、自分もそうですが、リアリティとしてわからなくなっているということはありますね。具体的なイメージがないから具体的な準備もできず、せいぜい貯金しておくことくらいしか思いつかない。

日本は世界で高齢化が最も進んでいる国なわけですから、高齢化した社会をどう豊かなものにしていくことができるのか、その経験、知見、インサイトを一番もっていなくてはならないはずです。そこにおいて日本は世界をリードする知恵袋のような存在にならなくてはいけないと思うのですが、実際どうなのでしょうか。

——先進国である日本が、いの一番に「切り捨て」を論じているようじゃいけませんよね。

それだけ事態が深刻だということ

とでもあるのかもしれませんし、言うほどたやすく解決する問題ではないことは、おそらく日本だけでなく世界で状況の改善に取り組んでいる人たちは百も承知のことだと思います。それでも諦めずに手立てを考えていけるのかどうかなのだと思います。そうした地道な取り組みとセットになってこそ、初めて「尊厳死」といった問題も検討可能になるのではないかと思います。

——「いきなりそこに行くなよ」ということですよね。

ちなみに先に紹介したビル・トーマスさんの狭小住宅プロジェクトは「MINKA」と名付けられているのですが、その由来は日本の「民家」なのだそうです。彼の新しいハウジングコンセプトと民家がどうつながるのかはいまひとつよくわからないところはありますが、そこで日本の何かが参照されているのは面白いですね。

——彼のコンセプトは、どちらかというと「長屋」のようなイメージですけどね。

いずれにせよ「狭小住宅」は日本のお家芸でもあるわけですし、COVID-19を機に日本から世界に向けて提案できることはまだまだあるように思えてなりません。

——期待したいですね。

そうしましょう。

——珍しくポジティブな感じで終わりました。

たまにはいいじゃないですか。

Field Guidesを読む #15

Fixing elder care

Aug. 2, 2020

https://qz.com/guide/elder-care/

◉COVID-19は高齢者の生き方を変える
Covid-19 will change the way we live as older adults

◉COVID-19はいかにして「大バコ」の高齢者介護施設を終わらせるか
How Covid-19 will end "big box" senior living

◉COVID-19から老人ホームを救った過激な戦略
The extreme strategies that saved some nursing homes from Covid-19

◉シニアケアはミレニアルとZ世代が望む「充実した倫理的な」仕事
The fulfilling, ethical job millennials and Gen Z want? Senior care

◉高齢者介護の求人には、徹底的なリブランディングが必要だ
Senior care jobs need a total rebrand

#16

Cannabis at a crossroads

August 9

カンナビスの曲がり角

「カンナビスは、医療、農業、コンシューマーグッズ、食品、飲料、娯楽のユニークな交差点に存在している」

――お盆ですね。お休みは取らないんですか？

特にまとめて休みを取ろうという予定はないのですが、周囲が休みになってますので、のんびりはしています。

――何か楽しいことありますか？

ないですね。ないです。

――断言（笑）。最近気になっていることは何かあります？

今回の〈Field Guides〉に近からず遠からずなところで言いますと、イソジンの話は面白いなと思っています（笑）。

――大阪府知事の。面白いですか。どこら辺がですか？

知事が何を考え何が言いたくてあの発言をしたのかはよくわかりませんし、そこにはあまり興味もないのですが、面白く思うのは、即座に売り切れになるほど買いに行く人がいるところです。驚きませんか？

――ほんとですね。日本人、どうしちゃったんですかね。どうしてこんなに踊らされやすいんでしょう。

本日たまたま読んだ記事に「『うがい薬買い占め』で露呈する、日本の学校教育の致命的欠陥」※1というのがありまして、これはまさにいまおっしゃったような観点から「なぜ日本人は批判的に情報を検証することができないのか？」を問題にし、その根本原因を学校教育に求めています。

――ほお。

ＯＥＣＤが行った調査が引き合いに出され、教師が子どもたちに「批判的に考える必要がある課題を与えるかどうか」を問うたアンケートの結果が掲載されています。結果がどうかと言いますと「アメリカは78・9％、カナダ（アルバータ）は76％、イギリス（イングランド）は67・5％、オーストラリアは69・5％」だそうです。

——ふむ。

続けて、「アジアではシンガポール54・1％、台湾48・8％、韓国44・8％。イデオロギー的に国民の体制批判に敏感な中国（上海）でさえ53・3％、ロシアも59・7％となっており、48カ国の平均でみると61％だった」

——はあ。で……。

日本ですよね。記事によると「47の国・地域が40～87％の範囲におさまっている中で、なんと日本だけが12・6％と、ドン引きするほどダントツに低い」そうです。

——低っ！　引くっ！

（苦笑）。加えて、こんな指摘もあります。

「ちなみに、これほどではないが、日本の教員がほとんど実践しない指導がもう1つある。『明らかな解決法が存在しない課題を提示する』という項目だ。48カ国平均が37・5％という中で、日本は16・1％。下にはチェコやリトアニアという旧共産圏の国しかなく、ビリから3番目だ」

——いやあ、もう、情けなくなりますね。

ほんとですね。この数字はこの数字で重く受け止めたほうがいいと思いますし、国民全員で一度落ち込んだほうがいいとは思いますが、だからといってそれが、みんながイソジンを買いに殺到する理由なのかどうかはちょっと腹落ちしないところもあります。

——違いますか。

イソジンの買い占めに走る人に細かく聞いてみたら、別にそれが「コロナに効く」と本気で信じて買いに行っているわけでもないのではないかという気がします。気がするだけですが。

——どういうことですか？

あまりうまく言えないのですが、買い占めに走る人の心理を自分なりになぞってみると、どちらかと

※1

いうと「なんでもいいから買いたい」という衝動のほうが強いのではないかと思うんです。

――え。よくわからないです。

過去に海外のメディアタイトルを扱う仕事をしていたことから、欧米の雑誌を目に通すことがいまでも多いのですが、向こうの雑誌を見ていてあるときにふと気づいたのは、なんらかのガジェットや洋服などを紹介するときに、向こうの雑誌は、基本モノの価格を載せないということでした。

――へえ。

ところが日本の雑誌といえば、私もヒラの編集部員だったときは、本でもCDでも雑貨でもインテリアでも、記事として紹介するときには必ず「値段を入れろ」とやたらと言われました。読者が求めているからそうなのか、ただ単につくる側がそれを必要だと思い込んでいるだけなのか、その理由はよくわからないのですが、少なくとも海外と比較しますと、日本の雑誌は値段というものに異常なくらいのオブセッションがあるんです。そのことにいつも違和感があったんですね。

――はあ。

これって些細なことではあるのですが、一方でメディアが「何を伝えようとしているのか」の根幹に関わることでもあるように思います。つまり、海外の雑誌は「そのモノを知ろう」と言っているところ、日本のメディアは「そのモノを買おう」と言っていることになりませんか。

――たしかに。言われてみると。

アメリカの場合、本やCDは定価が決まっていないので、価格を載せようがないという流通の仕組みに関わる違いもありますので、必ずしも理念の違いから、こうした差異が生まれているわけではないとも思うのですが、「価格の記載はマスト」という規範を自分たちに課したことで、日本の雑誌はどんどん自らを「商品カタログ」へと変貌させていく道筋を辿った可能性はあります。これが読者側に何をもたらしたかといえば、「情報の摂取」が自明のこととして「消費に結びつく」という条件反射を身体化させていくことだったのかもしれません。

――餌を見たらヨダレを流す犬のように、雑誌を手にした瞬間に、即、財布を開く準備をするようになってしまったと。

　雑誌に限らずテレビもある時期からは、「情報」は多くの場合「消費情報」とイコールになっていったように感じます。「トレンド」と呼ばれるものも、自明のこととして「消費トレンド」のことですよね。

　いつからか「消費すること」と「人生」がセットになっていき、気づけば週末になると意味なく近所のモールあたりに買い物に行くことが完全に「人生の一部」になっているわけですよね。でも、そこで買っているものって、多くがいらないものだったりもしますよね。これは端的に「消費」そのものが目的であることを示しているのではないでしょうか。

――なんかちょっとわかってきました。

　インプットされた「情報」が消費という行為を通してのみ消化されるというサイクルが常態になっていると、「消費」というアウトプットが封じ込められた瞬間に自家中毒を起こし始めるんじゃないかというのがここでの私の仮説でして、エッセンシャルな買い物以外は禁止となっている状況によって、そうした自家中毒感が昂進しているのだとすると、なんとなく「エッセンシャルである」という言い訳も立ちつつ、おおっぴらに消費に走ることを許してくれるアイテムの情報は、みんなが喉から手が出るほど欲しがっているものだったのではないかと思うんです。

――「やったー!」って感じで飛びつく、と。

　タピオカがありなら、イソジンだってありなのではないでしょうか。消費の対象よりも消費行動そのもののほうが重要なのだとすれば、タピオカ屋さんの前で行列していた人に、「タピオカがほんとに欲しいんですか?」と聞いても、おそらく何の答えも得られないと思いますし、それとイソジンももしかしたら同じことなのかもしれません。「消費」自体が目的なので、それを正当化してくれる情報と、それを買える場所と一定の自己満足感があればそれでいいんですよ。

――って、言われると、「教育の問題」と言われているほうがまだ救いもあるような（笑）。

日本人に批判能力がないというのも間違いではないように思いますが、とはいえ私の記憶ですと、すでに自分が中学生の頃からずっと日本人には批判能力がないなんてことは言われてきた気もします。個性が大事だとか、自分の考えをもつことが大事だなんていうことは、それこそ学校でも聞かされましたし、メディアでもずっと言われてきていますよね。ずっと同じところで議論が堂々めぐりしているのだとすると、少し違う論点から考えてみたくもなります。

――うー。

とはいえ、この話が、いまことさら厄介なのは、これがいわゆるフェイクニュースと呼ばれるものとつながってくるからです。この間に「〇〇がコロナウイルスに効く」といった科学的根拠の乏しいことを言ったのはなにも大阪府知事が最初というわけではなく、トランプ大統領やブラジルのボルソナロ大統領から「アビガン」と騒いでいた安倍総理まで、前例は少なからずあります。情報源の特定もされぬままいきなり出てくるこうした情報は、これまでであれば「はいはい」といった感じで自然と社会から排除されていったはずですが、これが、もう少し巧妙なものになっていきますと、その情報の「信憑性」の特定はかなり困難です。

――イソジンがコロナに効くのか効かないのかを本気で科学的に議論しようと思ったら、素人にはおいそれと理解ができない話になっていくでしょうしね。

一方に「科学的真実」というものがあって、もう一方に正体不明の「陰謀論」があったとして、それが明確に線引きができてはっきりと分かれているのかといえばそんなことはなく、実際は微妙なグラデーションでつながっているように思えます。最近の海外メディアでは、いわゆる情報汚染について「misinformation」と「disinformation」の両方の語が出てきますが、前者は「誤情報」、後者は「偽情報」と訳されます。「意図せぬ間違い」と「意図的に捏造された情報」といった区分がなされているわけですが、これもはっきりと明示的に線引きできるものでもありませんよね。

――大阪府知事のイソジン発言も、どちらとも取れませんね。

「Fast Company」に「オーガニックな噂」「無邪気なミスインフォメーション」「戦略的なディスインフォメーション」をどう見極めるかといった主旨の論考[※2]が掲載されていましたが、「情報の信憑性」という問題は、コロナ禍が推移していくなかで、どんどん前景化しているのが実態でして、インフォデミックこそ核心的な問題であるという感じすらするほどです。

――そうですか。

イギリスの「Tortoise」というメディアの調査報道記事[※3]にも非常に面白いものがありました。この記事は、「5G陰謀論」や「ビル・ゲイツ、コロナ拡散説」といったコロナ陰謀論の拡散の中心にいて最も影響力を与えているのが、ジョン・F・ケネディの甥っ子にあたるロバート・F・ケネディ・ジュニアであるとしているのですが、この人、名家育ちのただの変人かといえばそんなことはなく、いわゆる環境派の辣腕弁護士として有名な方なんです。

――へえ。

大手石油会社や自動車会社といった「巨悪」と戦ってきた人なんです。その上、アメリカきっての名家であるケネディ家出身。つまり、本来であればわかりやすくリベラル側です。

そんな彼がこれまで戦ってきた「巨悪」の延長線上に仮想敵を探そうと思えば、「製薬業界」や「通信会社」「IT企業」などを格好のターゲットとしてたやすく見い出すことができるはずですが、そうやって「きっと裏で何か悪いことをやっているに違いない」という視点からさまざまな情報にあたっていけば、確実になんらかのキナ臭い情報に出会うでしょうし、そうした情報を積み上げていけば、「コロナはビル・ゲイツがつくった」といった結論にいたるのは、さほど難しくないようにも思えます。それを「陰謀論」と退けるのは簡単ですが、ただ、いざこれまで弁護士として彼が行ってきたような「正義の追求」と「陰謀論」

※2

※3

の分岐がどこにあるのかを探そうとすると明確な答えを得るのは案外難しいようにも思えます。というのも、そのストーリーのなかには真実と真実ではなさそうな情報とがまだらに入り混じっているからです。

――嘘と真実を腑分けするのは案外難しいと。

これはあくまでも心情的な話ですが、今回のパンデミックで世界中のビジネスが大きく打撃を受けているなか、おそらく確実に儲かるのが製薬会社であるのは目に見えているわけです。製薬会社が頑張ってワクチンを開発してくれることを応援したい気持ちこそあれ、「人の不幸をエサにまた大儲けするのか」という思いもないわけではないですよね。

実際、国際機関や各国政府も、不当に値段を釣り上げられたりしないかと戦々恐々としているわけで、こうした状況にあって、一般市民なんていうのはただの「まな板の鯉」でしかないわけですね。そうした無力感と、ある種の物語に誘引されていくこととは無関係ではないはずです。

――映画なんかで観る限り、その手の「巨悪」と政府はだいたい一蓮托生ですしね。なんらかの副作用があったとか、いわゆる「薬害」と呼ばれる問題があったとしても、もみ消されるのがオチだったりします。

「そんなのは映画のなかの話ですよ」と言われても、実際に安倍総理の「アビガン推し」についても利益誘導だとする批判もあったわけですから、「映画だけの話」ではおそらくないだろうという感覚は、市民側には拭いがたくあるようにも思います。

――はい。

というなかで、いわゆる「反ワクチン」(anti-vaxxer)といった運動も起きてくることになるわけですが、アメリカで起きているムーブメントに同調するほどではないにせよ、「ケミカルな薬はどこか信用がおけない」と感じる人は決して少なくないと思いますし、そう感じる人のほうがむしろ常識的なのではないかと考える人だって少なくないと思います。

――身近なところでも「ケミカルな薬はできるだけ口に入れたくない」「病院にはできるだけ行きたくない」と思っている人は、実際少なくないです。どちらかと言えば自分もそちら側です。

これまでの医療や創薬の体制というものに対する、うっすらとした不信感というのは間違いなくあると思いますし、個人的にも、それが言うほどおかしな考えだとも思いません。また、パンデミックによって、そうした体制が、自分たちに不利なかたちで強化されるのではないかと不安を感じるのも、そこまで不当な恐れだとも思えないのですが、それが先鋭化していくと、なぜかその悪の頂点に「ビル・ゲイツ」が登場して「あれ?」ってことになってしまうわけですが、じゃあ、どこからが憶測でどこからが事実なのかを探してみたとしても、その境界はおそらく曖昧化してしまうように思います。

――グラデーションってことですもんね。

白だったはずの色がいつのまにか赤になっていたとして、色が微妙に推移していくなかで、いったいどの時点から赤が混じり始めたのかを特定するのは難しいですよね。だからフェイクニュースの問題を「批判能力の低い人間が騙されている」と断じるのは、現状認識としても合っていないように感じますし、問題の解決にも役に立たないような気がします。

ということで、ようやく今回の〈Field Guides〉につながるのですが、今回の主題となっている「カンナビス」(マリファナ、大麻)に託されている期待のなかには、ある部分では「アンチワクチン」的な心情が含まれているようにも思えます。

――めちゃくちゃアクロバティックな接続すね(笑)。

今回の〈Field Guides〉には、あまりコロナがらみの話はないのですが、私の知り合いの海外在住の方のなかにはロックダウン中のストレス解消にCBDオイルが役に立ったという方もいましたし、それがウイルスに直接効くというわけではないにせよ、有用性はあったようです。

第12話の「メンタルヘルスの転回点」でもお話をしましたけれど

も、特にアメリカの場合、メンタルヘルスに変調を来したときに、最も手近にある「癒やし」として「カンナビス」は大きな助けとなっていたようで、「企業化する『カンナビス・カウボーイ』※4」（The cannabis cowboys are going corporate）という記事は、5月にアメリカのいくつもの州が、カンナビスのディスペンサリー（販売所）を「エッセンシャル」とみなし、営業停止しなかったことを明かしていますし、パンデミック期間中の売り上げの増加は、多くのアメリカ人がカンナビスの重要性を認めていることの表れだと書いています。

——パンデミックの難しさは、外科的に「処置する」ことの難しさにありますね。つまり、個々人の身体と精神とが、社会全体とつながってお互いに作用しあっているなか、病いの原因を隔離・切除することで処置するという西洋医学的な「治療」は、必要不可欠ではあれ明らかにそれだけでは不十分という感じがとてもしました。

ベタな言い方にはなりますけれど、「治癒」というものについて、もっとホリスティックなアプローチが必要なのではないかということは、医療に限らずさまざまな分野で言われていることだと思うのですが、そうしたなかカンナビスが大きく注目されていることには十分な理由があるといえます。先の記事は、カンナビスをこう説明しています。

「カンナビスは、医療、農業、コンシューマーグッズ、食品、飲料、娯楽のユニークな交差点に存在している」

——ホリスティックですね。全体性あります。

カンナビスのこうした理解は、日本で馴染みのあるものと比較するなら「漢方」に近いといえるかと思います。先の説明と比べるなら、漢方は娯楽的な要素は薄いですが、医療であり食品であり飲料でもあるといった部分は重なります。つまり私たちは漢方というものの価値を、症状をピンポイントでターゲットする「医学的機能」よりも、はるかに膨らみのある何かとして認識しているわけですよね。薬膳みたいなものと地続きでもありますし。

——「Quartz Japan」のトシヨシ

編集長は、最近漢方薬を飲み始めたそうですよ。

実は、自分もコロナ下で漢方薬を飲み始めたんです。

——おお、奇遇ですね。

自分は、その辺の薬局で販売している市販のものを買って飲んでいるだけで、体がだるかったり頭痛がしたときに服用していますが、即効性という意味ではケミカルな薬品には及ばないにせよ、化学的な薬を飲むストレスと比べると漢方は格段に気分がいいですし、もう少しちゃんと処方されたものであれば体調を調えていく上で非常に有用だろうという実感はあります。これは、単なる思いつきですが、生搾りジュースのスタンドみたいな感じで漢方ドリンクのスタンドを開いたら儲かるのではないかと思ったりしています（笑）。

——いいですね（笑）。儲かりそう。

ちなみに、コロナに関するこの間の世界のニュースで個人的に非常に面白かったのは、6月5日に香港のメディア「Inkstone」が掲載した記事で、「漢方薬を国家医療システムの重要な要素として位置づける中国政府が、漢方を貶める言動を違法とする法案を提出し猛反発を受けた[※5]」というものです。

——面白い。

政府は、市民からの反発を受けて「漢方薬は世代問わず広く支持され、7万4000人のCOVID-19感染者にも処方され90%の患者に効果があり、その処方箋は3世紀のものだ」と語ったそうです。漢方をディスったり、その科学的根拠を否定したりする言説を違法とするのはさすがにやりすぎだとしても、中国政府が西洋医学とは異なるオルタナティブなものに国家戦略として重きを置いているのは、ホリスティックな医療という観点から見れば、決して不合理なものではないでしょうし、加えて中国政府は、漢方を「ナショナルプライド」の源泉であるとみなして、単に医学上だけでなく、文化政策上も重要であると認識しているそうです。もっとも、その部分が反発を招いた理由でもあったわけですが。

——ふむ。

※4

※5

ホリスティックであるというのは、でも、ある意味そういうことだと思うんです。

――と、言いますと。

医療は単に科学的なものではなく、文化的なものでもあるということです。「医食同源」ということばがあるように、医療は歴史的には食と同じように土地土地の風土、文化、社会に根ざしたものとしてあったはずですよね。それが近代医療による「科学的アプローチ」が普遍化していくなかで、迷信にも似たものとしてマージナライズされていくわけですが、その結果何が起きたかというと、その「科学的アプローチ」そのものによって、医療が自らの手で医療というもの自体を社会やコミュニティから疎外していくことだったように思えます。というのも、病院っていつまで経っても社会に馴染むことのない、異様な姿をした近寄りがたい「異物」のままじゃないですか。

――コミュニティと一体化しているような大病院って、なかなか想像できません。

それも当たり前なんですよね。というのも病院は隔離施設なわけですから。社会から病人を切断するためにある場所なので、馴染んだら困るというのがその基本理念であるはずです。もちろん隔離という機能は重要な機能ではありますが、近年は病院のリデザインは重要な課題とみなされてはいまして、コミュニティに開かれたものになっていかなくてはならないという議論は提出されています。そうやって土地の文化や風土のなかに医療を再び埋め込み直さなくてはならないというなかで、これまで周縁化されてきた療法なども見直されてきています。

――なるほど。

2016年に「WIRED」日本版で「BODY & HEALTH」という特集をやった際に、ドイツにある「世界一厳格なメディカルスパ」を取り上げた※6のですが、そこで採用されていたのは「FXマイヤー療法」と呼ばれる20世紀初頭の自然療法で、いまでいえば予防医学の一種です。

「オーストリア出身の自然療法士、

フランツ・クサーヴァー・マイヤーが確立した『予防と再生』を第一義とする健康法だ。マイヤー博士の理論では、消化器、とくに腸のデトックスと洗浄が『予防医学の出発点』とされる。博士は現代人の食生活を『過食』と断じ、質のよい食物を自分の身体（の大きさではなく内臓の能力）に合った量だけ食べること、そして、食べる際には、とにかくよく噛むことという、いたって根源的な食事法を患者たちに厳しく課したそうだ」

記事はこう説明していますが、こうした施設が人気なのも、やはり健康や身体をホリスティックに捉えるアプローチがあるからです。

——ふむふむ。

カンナビスというものについて言えば、これは単にマージナライズされてきたばかりでなく、「凶悪犯罪者が服用するものである」というキャンペーンがアメリカで長きにわたって推進され、しかもそれがある特定の人種を迫害する根拠にされてきたという複雑な来歴があります。その結果、強烈にネガティブなイメージが浸透してしまった上、「大麻の違法化」はアメリカの刑務所ビジネスを支える利権の巣窟となってもきましたので、それを脱違法化するにいたるまでには長い道のりがありました。それは、主にカウンターカルチャーのなかで、長い時間をかけて、その文化性も含めて地位回復がなされてきた結果です。いずれにせよ、アメリカの文化風土において、「カンナビス」が根深く人種問題と関わってきたことはとても重要です。

——そうなんですね。

「カンナビス」は、これまで「マリファナ」というスペイン語で一般化されていましたが、そもそも、わざわざスペイン語が採用されたのも、私が観たNetflixのドキュメンタリー「Grass is Greener※7」によれば、ヒスパニックの人びとを抑圧するためだったそうです。

——へえ。

加えて、人種問題について言いますと、ジョージ・フロイド殺害事件によって再び非難の対象となっている「警察のミリタリー化」の背景には、アメリカがこれまで

※6

※7

猛然と推進してきた「対麻薬戦争」があると、「VICE」が6月に念入りな論考を掲載[※8]しています。そのなかで、警官によって殺害された黒人がカンナビスを服用していたことから警官による殺害が「正当防衛」とされてきた事例がいくつも紹介されています。こうした現状を踏まえた上で「Quartz」は、カンナビスの合法化は、警官と市民の軋轢を緩和する上でも有効であるはずだと指摘しています。

——さまざまな論点が複雑に絡まりあっていますね。

特にアメリカにおいては人種と政治が複雑に関わっていますので、とりわけ根が深いですね。

その一方で、アメリカのカンナビス事情を見ていて難しいなと感じるのは、中国政府が漢方をナショナルプライドの源泉だと語るようなポジティブなナラティブを、アメリカ文化、特に、カンナビスそのものによって抑圧されてきた黒人や有色人種の側が打ち出せてこなかったところにあるような気もします。これは、先にお話ししたNetflixのドキュメンタリー「The Grass is Greener」を観ていて思ったことですが。

——どういうことでしょう。

アメリカはいわゆるケミカルなドラッグもカンナビスもいっしょくたにして「ドラッグ」と定義していましたので、カンナビスをめぐる長年の闘争は、「その『ドラッグ』リストからカンナビスを外せ」というものだったのですが、先のドキュメンタリーを観ていて思ったのは、実は使用している側も、ある時期まで、政府側のナラティブをそのまま内面化してしまっていたのかもしれないということです。

これは、ジャマイカのレゲエミュージックにおけるカンナビス（ジャマイカですとガンジャと呼ばれたりしますが）と比較してみるとよくわかりますが、レゲエ音楽の文脈では、ガンジャは極めて重要な意味をもっていまして、それは身体にもいいし、魂にもいいし、世界にもいい、ということが歌を通して明確に歌われてきました。これは別の言い方をすると、カンナビスを音楽と通底する「文化」とみなしていたということになります。

ですから彼らには、その他のドラッグに手を染めることがあったとしても、ヘロインやコカインと「ガンジャ」とを同じ地平に並べて一元的に「ドラッグ」として認識する発想はなかったはずです。ガンジャは聖なる薬草で、まさに「ハーブ」であるとする価値定義がレゲエにはありますから。一方、アメリカの文化において、特に白人文化の内部においては、カンナビスを吸うことが「反体制の身振り」としてしか社会的に価値化されてこなかったような気がします。

――ジャマイカではカンナビスは、ただの「カウンター」ではないんですね。

先のドキュメンタリーでは、カンナビスをほかのドラッグといっしょくたにせず、そのポジティブな面を価値化していく新しいナラティノの導入にあたってサイプレス・ヒルやスヌープ・ドッグといったヒップホップのアーティストが重要な役割を果たしたと語られています。

――ははあ。スヌープはなるほど感ありますね。自分でカンナビス・ビジネスもやっていますしね。

そうなんです。スヌープ・ドッグには、「スヌープ・ライオン」というレゲエアーティストとしての別ペルソナがあるのですが、カンナビスを単なる「カウンター」ではなく、ひとつの文化として自立させるために、レゲエというコンテクストを補助線として引く必要を感じたのかもしれません。そうやって、それまでのコンテクストから引き剥がすことで、カンナビスのピースフルでポジティブな価値を語ることが可能になったのではないかと。あくまで推測ですが。

――面白いですね。

カンナビスはボブ・マーリーの理解では「ハーブ＝薬草」ですし、ピーター・トッシュというアーティストによれば緑内障をも治してくれるそうで、そこには明確に非西洋由来の民間療法の痕跡がありまして、それを現状のシステムに対置しつつ、コミュニティの文化的・宗教的・政治的なアイデンティティとして称揚するというナラティブがレゲエにはあります。アメリカにはそうした文化的な立脚点がないところが、なかなか苦しいところだなと遠くから見ていて思うのですが、今回の〈Field Guides〉

※8

が、基本ビジネスの話ばかりであるというところにも、その苦しさが出ているように感じます。

――あ、やっと本題ですね（笑）。

今回の〈Field Guides〉の原題は「カンナビスの交差点」という意味のタイトルで、この数年で爆発的な飛躍を遂げたカンナビス・ビジネスが早くも曲がり角に来ているという内容です。

――そうなんですか。

この間花開いたカンナビス・ビジネスが、資金力のある会社によってどんどん統合が進んでいき、いずれは4社によって牛耳られるにいたったビール産業のような道筋を歩むのではないかという危惧が今回の特集の通奏低音となっています。

――なるほど。

「Curaleafは『大麻のスタバ』を目指す[※9]」(Curaleaf wants to be the Starbucks of weed) という記事では、「カンナビスのスタバ」と謳われる「Curaleaf」という会社のCEOがインタビューされているのですが、まず何よりも驚くのは、この方がスーツにネクタイを締めたコーポレートタイプだということです。カンナビス・ビジネスは長髪のヒッピーがやっているというイメージを払拭する上でもそうしたことは大事だとは思いますし、インタビューのなかで彼自身「対麻薬戦争」に触れながら、「カンナビスはソーシャルジャスティスに資するものだ」と言っているのも、その通りだと共感するのですが、とはいえ、カンナビス・ビジネスが次第にコーポレート主導の巨大ビジネスに発展していくのだとすると、やはり残念な気持ちになってしまいます。

――どうしてでしょう。

先に紹介した「企業化する『カンナビス・カウボーイ』」という記事は、ウォール街がカンナビス産業に大きな関心をもち始めることによって、産業全体が投資家向けのビジネスへと変わっていってしまい「脱違法化」をした意味が損なわれることを危惧しています。

いくつかの独占企業が市場を牛耳ることでローカルな農家や独立系のブランドが締め出されるのは

脱違法化の主旨にも反していると記事は指摘していますが、先に紹介した「Curaleaf」はニューヨーク州のクオモ知事に対して、そうした自家製の「ホームメイドウィード」を禁止するよう働きかけているそうです。

――なんだかな、ですね。

カンナビスに対する市民側、消費者の期待や欲求は、先ほどからお話ししているように、ローカリティに根ざしたホリスティックな価値の部分だと思うんです。ところが巨大企業にドライブされた産業化は、そうした価値を土地やコミュニティから引き剥がし、機能性や効能によって商品化を進め、結果、そもそもカンナビスが体現していたはずの「全体性」を損なっていきます。この特集では言及されていませんが、それこそ映画『インサイダー』のなかで描かれた「巨悪」としてのタバコ産業のようなものが再び出現するといった未来図が容易に頭に浮かんできてしまいます。

――どうしたらいいんですかね。

ビール産業が4社独占だったところに民主化が起きて地場のクラフトビールがわっと登場し、選択肢の多さの楽しさに消費者が気づいていく過程もこの間あったわけですから、望ましい産業の未来は地ビールならぬ「地ヘンプ屋」がたくさんある未来であるはずです。アメリカを見ていると本当にそうなるのか心配ですね。

――ふむ。

勃興直前のインドのカンナビス・ビジネスを扱った記事「まだ見ぬ世界最大のカンナビス産業はインドにある※10」(India has the world's biggest cannabis industry that doesn't exist yet) は、ヒンズー文化のなかでカンナビスはシヴァ神の好物と伝えられており、ヒンズー文化における慣習のなかで、約7000万人の人が年に一度はカンナビスを服用していることをレポートしています。ゆえにインド市場の成長性は極めて高いとしているのですが、こうした話も、アメリカの大企業が主導するグローバルビジネスのなかでインドがただサプライチェーンとして利用されるだけになるのであれば、途端につまらなくなります。

※9 ※10

謀論の温床にもなりえる、と。

まったくややこしい話です。

——『インサイダー』や『ナイロビの蜂』といった映画が描いたような「巨悪」への不信からひとつのオルタナティブとして提出されたカンナビスが、結局は新たな「巨悪」を生み出すような構図になってきているのだとすると本当につまらないですね。って、ここで最初の話に戻ってきてしまいますね。

「コロナにカンナビスが効く」なんていう話がいまもち上がったら、合法化を望んでいる人には一瞬朗報のように聞こえるかもしれませんが、その背後にすでにカンナビスを巨大産業化しようとする企みがうごめいているのだとすると、それもすぐには鵜呑みにできなくなってしまいます。

——そしてそこがまたひとつの陰

Field Guides を読む #16

Cannabis at a crossroads

Aug 9, 2020

https://qz.com/guide/cannabis-crossroads/

- ●企業化する「カンナビス・カウボーイ」
  The cannabis cowboys are going corporate
- ●Curaleafは「大麻のスタバ」を目指す
  Curaleaf wants to be the Starbucks of weed
- ●チャートでみる大麻産業の未来
  The future of the cannabis industry in charts
- ●まだ見ぬ世界最大のカンナビス産業はインドにある
  India has the world's biggest cannabis industry that doesn't exist yet
- ●大麻産業注目のニュースレター、ウェブサイト、ポッドキャスト集
  The best cannabis industry newsletters, sites, and podcasts

#17

Reimagining the office

August 16

オフィスの再想像

COVID-19がもたらした「リモートがデフォルト」の環境は
無意味な会議や仕事などを淘汰した一方で
デヴィッド・グレーバーが指摘した通り
むしろ「ブルシット・ジョブ」を増やす方向に
作用する可能性もありそうです。

――暑いですね。

殺人的です。

――こんな時期にオリンピックをやろうとしてたのかと思うと、改めて正気の沙汰かと思いますね。

本当ですね。ちょうどいまお盆で街は静まり返っていますが、このタイミングでお祭り騒ぎをされていたら暑苦しくて仕方なかったでしょうね。もちろん経済的には大打撃なのでしょうけれど。

――街に人は戻ってくるんでしょうかね?

どうなんでしょうね。夜食事に行くと、だいぶ戻っている感じはありますが。

――リモートワークはどうなるんでしょう。

私は基本ずっと変わらずにオフィスに出ていましたけれど、オフィスと言いましても数人しかいない会社でサークルの部室のようなものですから、これをオフィス通いと呼ぶのかどうかは怪しいですが。

――その「部室」には、そもそもなんで行ってるんですか?

ちゃんとしたオーディオ設備があって大きな音で音楽が聴けますし、本もたくさんありますし、人と打ち合わせをするための設備もそこそこ整っています。大きなテーブルにコーヒーメーカーといったものですが。

――今回の〈Field Guides〉は「オフィス」がお題で、COVID-19によってオフィスの意義が改めて問われているという主旨ですが、特集の総論ともいえる「COVID-19はオフィスを終わらせ、代わりにもっといいものを生み出した※1」(Covid-19 upended the office, but it might have created something better)という記事に、いまおっしゃたのとまさに同じことが書かれています。

「本当のことを言えば、私たちの大半がオフィスに行くのは、出社することが働いていることの重要な証拠であると雇用主たちがみなしているからだ。産業時代がポスト産業時代へと移行していくなかで、物理的に集まる理由がないにもかかわらず、私たちは、出社することでお金をもらっていたのでそうしていたにすぎない。動かすべき機械があるわけではなく、せいぜいあったとしてもラップトップやコーヒーメーカーくらいだ」

デヴィッド・グレーバーの『ブルシット・ジョブ：クソどうでもいい仕事の理論※2』の一文みたいです。

——話題の本ですね。

COVID-19感染拡大のタイミングで、この本の翻訳が、ここ日本で出たのは、なんというか意義深いものがありますね。いま引用されていた、オフィスになぜ私たちが行くのかという議論は、オフィス自体の問題ではなく、「そもそもその仕事必要？」という問題でもありますよね。

——というと？

これは有名になった文章でもあるので、ご存じの方も多いかと思いますが、「ブルシット・ジョブ」(Bullshit Jobs) という問題の出発点を、グレーバーはこう説明しています。

「一九三〇年、ジョン・メイナード・ケインズは、二〇世紀末までに、イギリスやアメリカのような国々では、テクノロジーの進歩によって週一五時間労働が達成されるだろう、と予測した。かれが正しかったと考えるには十分な根拠がある。テクノロジーの観点からすれば、これは完全に達成可能なのだから。ところが、にもかかわらず、その達成は起こらなかった。かわりに、テクノロジーはむしろ、わたしたちすべてをよりいっそう働かせるための方法を考案するために活用されてきたのだ。この目標のために、実質的に無意味《ポイントレス》な仕事がつくりだされねばならなかった。とりわけヨーロッパや北アメリカでは、膨大な数の人間が、本当は必要ないと内心考えている業務の遂行に、その就業時間のすべ

※1 ※2

てを費やしている。こうした状況によってもたらされる道徳的・精神的な被害は深刻なものだ。それは、わたしたちの集団的な魂《コレクティヴ・ソウル》を毀損している傷なのである。けれども、そのことについて語っている人間は、事実上、ひとりもいない」

——まじですか。すごいな。私たちが従事している仕事の大半は、下手すると仕事をつくり出すためにつくり出された無意味な仕事だということですね。

ハッとしますよね。グレーバーはそうした「ブルシット・ジョブ」を大きく5つに分類して、「取り巻き」「脅し屋」「尻ぬぐい」「書類穴埋め人」「タスクマスター」としています。一応解説しておきましょうか。

——ぜひお願いします。

「取り巻き」は、「だれかを偉そうにみせたり、だれかに偉そうな気分を味わわせるという、ただそれだけのために（あるいはそれを主な理由として）存在している仕事」です。

——いっぱいいそう（笑）。

続く「脅し屋」はこうです。「その仕事が脅迫的な要素をもっている人間たち、だが決定的であるのは、その存在を他者の雇用に全面的に依存している人間たち」。

グレーバーはこの典型として「軍隊」をあげていますが、ロビイスト、広報専門家、テレマーケター、企業の顧問弁護士もこれに含まれます。

——広告代理店とかも入りそうです（笑）。

まさに。この章には「わたしの仕事は、需要を捏造し、そして商品の効能を誇張してその需要にうってつけであるようみせることです」という「トム」という名の広告マンの告白が掲載されています。

——次いで、「尻ぬぐい」ですね。

これは原語だと「ダクトテーパー」（duct taper）と命名されています。

——あはははは。

「組織に欠陥が存在しているためにその仕事が存在しているにすぎない雇われ人」という定義です。

――手厳しい。

「書類穴埋め人」は読んで字の如しですが、グレーバーの定義はこうです。

「ある組織が実際にはやっていないことをやっていると主張できるようにすることが主要ないし唯一の存在理由であるような被雇用者」。

――ふむ。

グレーバーはこれらの仕事についてこう付け加えています。

「書類の穴埋めの最大の悲惨は、書類づくりが表向きの目的の達成になんら寄与しないばかりか、実際には目的達成の足を引っ張っているということを、雇われ人がたいていわかっていることである」

――泣けてきますね……そして最後が「タスクマスター」ですね。

これの主要な役割は、「他者のなすべきブルシットな業務をつくりだすこと」です。

――泣いていいのやら笑っていいのやら。しかし、グレーバーのこれらの指摘は本当にすごいですね。

実際、こんな痛快な本もないだろうというくらいの面白さなのですが、最初に指摘されていたように、ここでグレーバーが指摘したことを語っている人が「事実上、ひとりもない」というのが本当であるなら、これは壮大なタブーだったということになりますね。

――本当ですね。「仕事」は常に意義があるもので、それをつまらないと感じたり「意味あるのか?」と問うたりすることは、いろんな言い方で封じ込められてきたような気がします。こうやって多くの仕事が「ブルシット」なのだと言われると、なんかホッともしますね。肩の荷が下りるというか。

ほんとですね。

――とはいえ、なんでこんなことになっちゃったんでしょうね。

そこを説明すると長くなりますが、グレーバーは、自分が食料を大量に所有している封建領主であるのを想像してみることを勧めています。

食料が余っているので、それを豪勢に味わうために「取り巻き」

を雇い、そこに貧しい人たちや孤児や犯罪者が群がってきたら食料を守るために「脅し屋」を雇います。ただ、そうした貧しい人たちをあまりに邪険にすると暴徒化したりするので、その人たちにも「取るに足らない仕事や、必要のない仕事を割り当て」ます。「そうすることで、自らを善良に見せることもできるし、少なくとも彼らの動きを見張ることができる」と。

——ははあ。

グレーバーはこれと同様の力学が、現存の資本主義のもとでも働いていると指摘しています。

——そうやって指摘されると、今日の本題である「オフィス」は、封建領主のお城のようにしか見えなくなってきます。

そうなんです。「オフィスを快適にしよう」という話も、グレーバーの議論に即して見ると、末端の人間を「見張る」ための口実のように思えてきます。

——むむ。

私の聞いた話ですと、リモートワークになったことでのびのびと仕事できるようになった人が増えた一方、1時間おきに点呼があったり、会社支給のパソコンを通じて常時モニタリングされることもあるそうです。COVID-19がもたらした「リモートがデフォルト」の環境は、無意味な会議や仕事などを淘汰した一方で、それこそグレーバーが指摘した通り、新しいテクノロジーの浸透、つまりはリモートワークのためのツールの細分化や複雑化によって、むしろ「ブルシット・ジョブ」を増やしている可能性もありそうです。

——そうか。

「デジタル化によって仕事はより効率化され、業務も減っていく。それによって人はもっと本質的な仕事に従事することができるようになる」といった言説は、テックを後押ししたい人が判で押したように使うものですが、グレーバーによればその想定自体がケインズによって1930年代から提出されてきたことになりますし、それこそ、「ロボット」という単語を世界に広めたカレル・チャペックの1920年の戯曲『R.U.R』

にも、まったく同様の言い方が出てきます。

　ところが現実は、業務を減らすどころか、大量の「クソ仕事」を生み出してきたわけですから、いま、あえて「デジタルテクノロジーの向かう先は、これまでのテクノロジーとは違う」という言い分を額面通りに受け取る理由はありません。

――こういうのもあれですが、テック界隈でいえば、なにかとやたら「チーフ○○オフィサー」がいるじゃないですか。「それ何やるの?」みたいな。ああいうのもうっかりするとただのブルシット・ジョブである可能性もありそうですよね。

　なかには「無理やりこさえたな」というようなものもありますからね。話をオフィスに戻して、まず「社員が戻ってきたくなるオフィスをデザインする方法※3」(How to design an office that employees will want to return to) という記事を見てみましょうか。

　これはタイトル通り、「戻ってきたくなるオフィスのつくりかた」をリスト化した記事ですが、ここで挙げられている要件は、もちろんコロナ下において必要なものではあるのですが、なかには首を傾げたくなるものもあります。「Covid-19 office solutions 2.0」と銘打たれていますが、ざっと挙げてみます。

・より良い体温計
・チェックイン手続きと密集度のモニタリング
・ソーシャルディスタンシング対応のオフィス配置
・プレキシグラスではない遮蔽板
・人を怖がらせないサイネージ
・緑化と空気清浄
・UV電球やUVロボット
・人肌感

――ソリューションとしては具体的ですが、「戻ってきたくなるため」というよりは「社員を連れ戻すために必要な装備」という感じですね。

「社内で感染が起きたらかなわん」という意図しか見えてきませんよね。先ほどの封建領主の図式をいったん頭に入れてしまうと、こうした装備は、もはや「城内で貧乏人にノミやシラミをうつされては困る」という絵図にしか見え

※3

なくなってきます。

——ですね。

あるいは、「非常事にリモートワーカーを管理するためのベストティップス※4」(The best tips for managing remote workers in extraordinary times) や「社員総在宅勤務時代の『社風』の育て方※5」(How to nurture company culture when everyone's working from home) という記事では、リモートになっているなかで、いかにスタッフを気遣うかといったティップスから、スタッフ同士の立ち話などが失われた環境のなかで、どのように会社の文化を育むかが書かれていますが、オンライン上でのちょっとしたイタズラがチームの結束を固めるとか、とにかく上司はこまめにコミュニケーションを重ねていくことが大事とか、グレーバー目線で解釈すれば、ブルシット・ジョブを生み出す温床のように見えなくもありません。

——コロナによって生まれた新種のブルシット・ジョブ。

もちろん、穿った見方だとは思います。オフィスワーカーのメンタルヘルスは、会社組織の生産性という観点からのみならず社会的なイシューとしても重要ですし、そうした社会課題に企業がしっかり取り組むのは望ましいことですが、悪い言い方をしてしまえば、そうした取り組みはただ現状の体制を維持するためだけのものでしかないということにもなりそうです。

——どうしたらいいんですかね？

ここでもまたグレーバーを引きますと、「ブルシット・ジョブは、ひんぱんに、絶望、抑うつ、自己嫌悪の感覚を惹き起こしている。それらは、人間であることの意味の本質にむけられた精神的暴力の諸形態なのである」と書かれています。

「人間であることの意味」という語はとても重たいことばですよね。そもそも仕事そのものが「精神的暴力」であるのなら、上司のまめなコミュニケーションは何の解決にもなりません。

——「人間であることの意味」と「仕事」との折り合いが根本のところでつかなくなってしまっているということですもんね。

「人間であることの意味」は何か

というのは、すぐに答えが出るものでもないとは思いますが、一方で、「仕事が人間であることに意味を与えている」とする理屈はたくさんありまして、それは経済学で言うなら、労働がモノの価値を支えているといった理屈であったり、労働が人間をよりよく成長させるといったプロテスタンティズムを背景にした道徳律だったりします。あるいは、戦後の日本では「社会建設」ということばがひんぱんに使われていたとどこかで読んだことがありますが、「国や社会のために働くこと」を通して、生きる価値が下支えされてきたこともありそうです。けれども、いまこの時代に「なんのために働くのか？」と問われて「生活のため」以外の答えをもち合わせている人は少ないのではないでしょうか。

――そうですね。

「仕事は生活のため」と割り切ってみせたところで精神的な苦しみが軽減するわけでもないのだとすれば、それは私たちのなかに、きっとどこかで「仕事というものは、この世にとって有益なものであるはずだ」という観念が亡霊のように残っているからなのかもしれません。本来は尊いはずの行為を、自分の生活を支えるためだけに使ってしまっているやましさのようなものがあると言いますか。

　仕事は生活のためとバッサリ割り切ることのできる人もいるかとも思うのですが、そう切り捨てることによって、いま言ったようなやましさ自体から完全に自由になれるのかは、よくわかりませんよね。

――「仕事は金のため」という言い方には、どこか偽悪的な身振りを感じますもんね。

　これはグレーバーの議論から離れるのですが、ある知り合いが、「自分のためになんか一生懸命働けるか」と言っていまして、「たしかに」と思ったことがあります。人に頼られるとか、あてにされるとか、自分の仕事を待っている人がいると思えばこそ一生懸命働くことができるということですが、つまらない言い方になりますけれども、人に感謝されることで、やっている仕事に意義が見出されることはたしかにありますよね。逆に、それがなくて、すべてが自分の欲求や自分の幸福観を満たすためなのであれば、私だったら絶対真面目に働きません（笑）。

※4　※5

――自分のことを一番大事にするって難しいことですしね。

そうなんですよね。そういう意味で、人というものは、どこかに利他性が備わっていて、そうした部分と仕事や労働は、本当は結びついていたのかもしれないものを、経済学が経済というものを「自分の利益を最大化する」利己心と結びつけ始めたあたりから、仕事と「人間であること」の関係性はおかしくなったのかもしれません。その結果として、利他心は行き場を失い、経済に一方的に搾取されるだけになっていってしまったとも言えます。

――そういえば昨日今日とソーシャルメディアで、学校の教職員の労働環境をめぐって、「#先生死ぬかも」というハッシュタグが拡散していましたが、子どもであったり老人であったり、人の助けが必要な人のために役立とうとする仕事は、「人を助けたい」という利他心を思うがまま搾取され、果てしなく暗黒化しているように見えます。

「エッセンシャル」とみなされる仕事であればあるほど社会の底辺におかれ、緊急事態にあっては、そこにさらなる圧がかかり、さらに底へと沈み込むことになるという構造は、COVID-19が明らかにした現代社会の最も重大な欠陥だと思いますが、ここで明らかになった「エッセンシャル」な仕事は、そのほとんどがワーカーの利他性をあてにせざるを得ないものですよね。

――おかしな話ですよね。人のために役立ちたいと考えて就く仕事は労働価値が低く、自分のためにやることのほうが価値になるって。

「人間は自分の欲を最大化すべく行動するものである」という経済学がもたらした見立てがまったく現実的なものではないことは、ちょっとでも自分の胸に手をあてて考えてみたらわかるはずなのですが、なぜそれがまかり通ってしまったのか、とても不思議です。

もっともこうした人間観は「合理的な愚か者」という言い方で断罪され、いまはかなり修正されているはずですが、世の中では相変わらずこうした強弁が、特にお金持ちが自分の富を独占することを正当化したいときにもち出されますね。

——やれやれですね。

今回は〈Field Guides〉の中身についていて、あまり触れられませんでしたが、記事のなかで紹介されている、「さまざまな施策を行った結果、チームがひとつになった」といったエピソードは、それはそれでいい話だと思います。人は、それでもやっぱり、仕事というものに意義を感じたいと思っていて、オフィスという空間が「人間であることの意味」を見出すことのできる場所であることを願っているんですね。

——いじましいですが、そうなんですね、きっと。

そのいじましさこそが、むしろ人間の本質なのかもしれません。

グレーバーは『ブルシット・ジョブ』の最後で、「ユニバーサルベーシックインカム」(UBI)を俎上に載せ議論を展開していますが、UBIの導入によって「労働」と「生活」とを切り離すことで、仕事のブルシット化は回避できると書いています。

——いいですね。

彼は、UBIの議論をすると決まって出てくる反論に、こう切り返しています。

「労働にかかわりのない万人の生活保障が提起されると、最初にあがる典型的な反論は、そんなことをしたら人間はたんに働かなくなるだけだというものである。しかし、これは明白な誤りであり、ここではあっさりと退けてよいと思う。二つめのより深刻な反論は、たいていの人間は働くかもしれないが、その多数が自己満足的な関心でのみ働くのではないか、というものだ。つまりへたくそな詩人とか、ひとをイラつかせるようなパントマイマーや、イカれた科学理論の布教者などで街は満ちあふれ、だれもやるべきことをやらなくなるだろう、というわけだ。ブルシット・ジョブ現象が痛感させてくれるのは、そのような発想の愚かさである。自由な社会の一定の層が、それ以外の人びとからすればバカバカしいとか無駄だとおもえる企てに邁進するであろうことはあきらかである。しかし、そのような層が一〇や二〇%を超えるとはとても想像しがたい。ところが、である。富裕国の三七%から四〇％の労働者が、すでに自分の仕事を無駄だと感じているのだ。(中略) もし、あらゆる人びとが、どうすれば最もよいかたちで人類に有用なことをなしうるかを、なんの制約もなしに、みずからの意志で決定できるとすれば、いまあるものよりも労働の配分が非効率になるということがはたしてありうるだろうか？」

面白い思考実験だと思うので、みなさんにも、ぜひ考えてみていただきたいのですが、ＵＢＩが実現したら何を仕事にしたいでしょう。きっと多くの人は、若かった頃に「これをやって喜ばれたい」と思い描いたような仕事をしたいと思うのではないかと思ったりもするのですが、どうでしょう？

——誰も喜んでくれないところでパントマイムを続けることができるのは、よほどハートが強い人だけですよね (笑)。

家賃や生活費から自由になった想定で自分の仕事を思い描いてみたときに、会社やオフィスがどんなものになるかを考えてみるのも面白いと思います。自分が何かをやりたいと思い立ち、同志を集めて、たまに集まる場所が必要だとしたら、それってどんなものになるんでしょうね。

——冒頭にあったように、サークルの部室みたいなことになりそうです。

そうかもしれません。

——そのとき、フィジカルなスペースの価値って、どう定義されることになるんでしょうね？

わかりませんけれど、一緒に音楽を聴いたり、同じ本棚を眺めたりをすることで、自分たちのやっていることや実現したい何かの、手触りや匂いを確かめるみたいなことかもしれないですね。そういう意味で、オフィスというものは本当は文化空間であるべきものなのかもしれません。

——通勤をお題にした第11話で、「リバースコミュート」(reverse commute) という話題が出まして、都心ではなく郊外にオフィスを構えて、たまにそこに社員が出かけていき、みんなでバーベキューして帰ってくるみたいなワークスタイルについて話されていましたけど、オフィスっていうものは、これからは案外、「オフの場」だったりするのかもしれないですね。

そうかもしれません。ただしそれも、そのグループで行われる「仕事」が「人間であることの意義」とちゃんと折りあっていることが前提条件にはなりそうです。オフィスの問題を通して、これからの経営者は、この問題とすべからく向き合わないといけなくなりそうです。

——どうやって、その折り合いをつけるんでしょうね？

一生懸命考えてもらうしかないですね。

Field Guidesを読む #17

Reimagining the office

Aug. 16, 2020

https://qz.com/guide/reimagining-office/

- ◉COVID-19はオフィスを終わらせ、代わりにもっといいものを生み出した
  Covid-19 upended the office, but it might have created something better
- ◉社員総在宅勤務時代の「社風」の育て方
  How to nurture company culture when everyone's working from home
- ◉非常時にリモートワーカーを管理するためのベストティップス
  The best tips for managing remote workers in extraordinary times
- ◉社員が戻ってきたくなるオフィスをデザインする方法
  How to design an office that employees will want to return to
- ◉会社に再出社する前に問うべき4つの質問
  Four questions to ask before going back to the office

#18

The global fight for Hong Kong

August 23

香港のダブルバインド

台湾、香港、韓国、そして日本といった国は
ドメスティックマーケットの拡大が望めない以上
中国本土を目指さざるをえず
そうやって中国市場に依存すればするほど
中国政府に対して厳しい態度を取れなくなるのだとすると
「14億人の巨大市場」というものそれ自体が
壮大なハニートラップのようにも思えてきます。

――こんにちは。いきなりですが、今回は「香港」がお題です。

困りましたね。

――なんで困るんですか？

難しいじゃないですか。

――でも、北京政府のやり方はひどく乱暴じゃないですか。それと戦う香港市民を応援したい気持ちにはなりません？

心情的にはもちろんそうです。それはそうなんですが、とはいえ「頑張れ！」と言った先に何があるのかがよくわからないところがありまして、簡単に「頑張れ！」と言うのも難しいなと思ったりしてしまいます。

――煮え切らないですね。

いつもそうです。まったく関係ないのですが、「山P」って方のお話をしていいですか？

――あ、逃げた（笑）。

「遠回り」と言ってください。

――山Pがどうしたんですか？

つい先日、ある知人から「山Pの問題、どう見てます？」と聞かれまして、まず「山Pって誰だよ」となりまして、ちょっと調べてみたんです。

――ジャニーズの山下智久さんですよ。

何か問題を起こされたんですよね。

――高校生と飲んでいたという話だったかと。謹慎処分になりました。

私は、この手の芸能スキャンダルはそもそもどうでもいいと思っていますし、基本マネジメントのガバナンスの欠如の問題だと割り切ることにしていますので、それ以上思うところもないのですが、少しばかり調べていくなかで、面白い記事に出くわしたんです。

——ほお。

「山Pに忍び寄る中国共産党〝ハニトラ〟のエジキになる可能性[※1]」という記事でして、出元が「東京スポーツ」なので少し差し引いて読まないといけないとは思うのですが、非常に面白いものでした。

——どういった内容ですか？

まず、ジャッキー・チェンの話が出てきます。

——香港の話じゃないですか。

そうなんです。ジャッキー・チェンは言わずと知れた香港映画界のスターですが、ある時期から中国共産党寄りの立場を取るようになり、香港では「北京の狗」と言われるほどまでに嫌われています。デモが加熱しているなかでも、北京政府を擁護するような発言を繰り返しているといわれています。

——悲しいですよね。

この記事によれば、そうした「転向」のひとつのきっかけとなったのが、息子のジェイシーが北京で大麻所持容疑で逮捕された事件なんだそうです。

——へえ。

2014年に友人の台湾人俳優とともに逮捕され、6カ月の有罪判決を受けたそうですが、これは中国においては異例ともいえる軽い判決だそうで、香港のジャーナリストのコメントを引用すると、「これほど軽い判決だったのは、父親のジャッキー・チェンが息子を救ったという説がもっぱら。それ以降ジャッキーは、中国共産党がどんなに横暴なことをしても支持する姿勢を貫いている」ということになるそうです。

——息子を人質に取られて、魂を売らざるをえなくなったと。

それが共産党の言いなりにならざるを得なくなったそもそものきっかけなのか、あるいは、すでに共産党の言いなりになっていたから息子を救うことができたのか、その辺の前後関係はよくわからな

※1

いのですが、この話がなぜ山Pさんと関係あるかといいますと、逮捕されたジャッキーの息子のジェイシーさんと山Pさんがお友だちだというんですね。

——なんと。

以下、引用となります。

「山下はこのジェイシーと友人関係。11年1月から5月まで、自身初のソロアジアツアーを開催した山下は、ツアー初日の香港公演で、客席にいるジェイシーにスポットライトを当て『He is my friend!』とファンに紹介していたのだ。当時、地元クラブへ繰り出したときのプライベート写真がネット流出したが、山下を連れ出した人物こそ、他ならぬジェイシーだった。

『山下は今回の〝未成年スキャンダル〟によって、女遊びが好きな日本人スターと見なされた。中国共産党はハニートラップを仕掛けるだろう。仕事で訪中した際に美女を差し向け、それを弱みに中国寄りの発言をさせるよう仕向け、広告塔にするとか。あるいは、日本の芸能界の闇情報を中国共産党に流す役目を負わされるかもしれない』（香港のジャーナリスト、ジェイ・シン氏）」

——むむむ。つまり、中国政府は、有名タレントの弱みを握り、自国に有利なプロパガンダをタレントの母国に流させることを戦略的にやっているということですね？

少なくとも香港で起きたことはそうだと言っています。

銭俊華さんという香港出身の地域文化研究者が書かれた『香港と日本：記憶・表象・アイデンティティ[※2]』という新書があるのですが、「集合的記憶と香港芸能人の自滅」という章がありまして、ここで銭さんは、香港の芸能人の「裏切り者」ぶりを厳しく断罪しています。

大規模なデモの最中、10月1日の中華人民共和国の成立記念日に中国のTwitterである「Weibo」上で、本土のファンに向けて「誕生日おめでとう」「祖国を愛する」などの投稿をした香港の芸能人について銭さんは、「デモを支持する多くの香港人にとって、それらの芸能人は香港の裏切り者であるだけでなく、道徳がなく、卑劣で、気持ち悪い人間ということになった」と書いています。

――ツライ話ですね、それ。

今年の3月にキムタクさんと工藤静香さんの長女のCocomiさんがデビューされましたよね。

――今日はやけに芸能ネタで来ますね（笑）。

そのときにキムタクさんが、「Weibo」で娘さんを紹介する投稿をしたというニュースを見て驚いたのですが、何に驚いたかと言いますと、まず何よりも「キムタク、中国ではSNSやってんの?」ということでした。

ジャニーズ事務所といえば、日本で最もデジタル化に背を向けてきた企業のひとつで、インターネットへの画像掲載すら禁じてきたほどでしたが、ジャニー喜多川さんがお亡くなりになってからようやくデジタル空間に参入し始めています。個人的には「デジタル」と「ヒップホップ」へのジャニーズ事務所の対応の遅さが日本のグローバルアップデートを遅らせたと思っていますが、なんのことはない、日本では解禁を渋りながらも中国本土では戦略的に利用していたんですね。

――日本の芸能人は結構「Weibo」やってるはずですよ。例えば、2019年10月のものですが、「日経クロストレンド」の「木村拓哉や山下智久も　中国SNS『Weibo』に続々参戦する理由※3」という記事に、こう書かれています。

「編集部が独自に日本のタレントを調べたところ、最多フォロワー数は、12年にアカウントを開設した福山雅治で534万4819人。13年からスタートした三浦春馬と古川雄輝が、それぞれ376万6508人、339万456人と、Weibo歴の長い俳優が上位を占めた。彼らに共通するのは、中国作品への主演経験だ。（中略）山下（フォロワー数172万3176人）と木村（同161万3113人）も、それぞれ『サイバーミッション』（19年）、『2046』（04年）で、中国映画への出演経験がある」

なるほど。ビジネス戦略としてSNSの利用は必須事項だとも思いますので、そのこと自体の是非を一概に問題にするわけにはいきませんが、こうした状況を香港で起きた「芸能人の死滅」という事態と照らし合わせてみると結構怖

※3　※2

い話になってくるように思います。

――たしかに。

先ほど「弱みを握る」ということばが出ましたけれど、ハニートラップや麻薬所持容疑による逮捕以前に、すでに「経済」というところで弱みを握られているのが実情なのではないでしょうか。

台湾、香港、韓国、そして日本といった国は、ドメスティックマーケットの拡大が望めない以上、中国本土を目指さざるをえなくなっているわけですし、そうやって中国市場に依存すればするほど中国政府に対して厳しい態度を取れなくなるのだとすると、「14億の巨大市場」というものそれ自体が壮大なハニートラップにも思えてきます。

――怖いですね。

昨年、香港を2日ばかり訪ねて、雑誌「STUDIO VOICE」のアジア特集※4の編集を担当したスタッフとともに地元のヒップホップアーティスト数人に会ったのですが、そのインタビューがちょっと衝撃的だったんです。

――ほお。

というのも、会うなり愚痴なんです。20歳そこそこのアーティストが「10代の頃から5～6年ヒップホップをやってきたけど、もうなんのためにやってるのかわからなくなってきた」と、いきなりこうなんです。

――どうしちゃったんですか。

彼が言うには、「もう香港では誰も音楽なんか聴かないんすよ」ということらしいです。

――どうしてですか？

「家賃もどんどん上がっているし、みんないい仕事につくことで頭がいっぱい」なんだそうで、「音源をネットに上げても、反応してくれるのは本土のリスナーばかり」という状況だそうです。

――それは苦しいですね。といって、本土に向けてつくるようになれば、「裏切り者」と言われるでしょうし。

私は、映画監督のウォン・カーウァイがデビューした頃に学生生活を送った身ですから、映画を含めた香港文化の活況が、当時とても眩しく見えていたのを覚えています。ですから、「昔はあんなによかったじゃない」という話をしましたら、有名な映画会社は「とっくの昔になくなった」と言うんです。調べてみましたら、カンフー映画を世界化した「ゴールデンハーベスト」は、97年の返還前後に苦境に立たされてスタジオを閉鎖し、2007年に本土の企業に身売りしてしまっていました。

――「ゴールデン・ハーベスト」といえば、ブルース・リーからジャッキー・チェン、サモハン・キンポー、チョウ・ユンファといったスターを国際化した名門中の名門じゃないですか。

ジャッキー・チェンはもちろんですが、サモハンの『燃えよデブゴン』シリーズは、子どもの頃に地上波で放映されていましたので、クラスの誰もがサモハンのことを知っていましたし、ジェット・リーのデビュー作である『少林寺』は、友だちと連れ立って観に行ったくらいでしたから、かつての香港映画は日本でもキラーコンテンツだったんです。

それが気づいたら中国マネーの軍門に降っていたということになるわけですが、そう考えるとジャッキーが転向したといった話は、必ずしも個々人の道徳心の話ではないことにもなります。大きくいえば、文化産業全体が20年近い時間をかけて切り崩されていったわけですよね。

――怖いですね。

これは銭さんが『香港と日本』で書かれていることでもありますが、かつて国民が憧れロールモデルとしたようなスターや、自分の青春の思い出を彩る映画や音楽が、ここにきて自分たちに敵対するものとして立ち現れてくるわけですから、これは相当にキツいと思います。アイデンティティに関わる危機とも言えそうです。

――市民と文化が敵対させられている、と。

例えば、ジャニーズ事務所のタレントのすべてが自分たちを抑圧しようとしている機構の擁護者であったり、あるいは宮崎駿さんのような日本文化のアイデンティティをつくってきた巨匠が中国政府に屈し、「ナウシカ」も「トトロ」

※4

も観るに堪えないような状況になったとしたら、これは相当厳しいですよね。

——まさに文化的アイデンティティの崩壊ですね。

　おそらく中国政府は、それを狙って非常に周到に戦略を仕掛けているのだろうと思われます。去年見た記事ですが、北京政府は、香港の次は台湾をターゲットにしており、台湾の映画祭「金馬奨」に「中国本土の俳優や監督を参加させない」と脅しをかけていたりもします。これは暗に「『金馬奨』に参加する俳優や監督と本土は一線を引く」というメッセージになりますから、台湾の産業全体も個々の製作者や俳優さんも「踏み絵」を踏まされることになります。「映画.com」の記事「大陸からの圧力か？　映画賞『金馬奨』授賞結果に台湾人の不満が噴出[※5]」は、２０１４年のものですが、この時点ですでに「侵攻」が始まっていたことは、いまにしてみれば明らかではないかと思います。

——言われてみると、香港のデモには文化人が登場しませんね。

　そうなんです。そのことが、自分もある時期からものすごく気になっていまして、それこそ「Black Lives Matter」周辺を見てみますと、ごく初期にはケンドリック・ラマーがそれをテーマにアルバムをつくったりしましたし、今年に入ってからも、Run The Jewels のKiller Mike が胸を打つ演説をして素晴らしいアルバムを発表したりしています。

　アメリカの政治運動全体を見ても、ビリー・アイリッシュやテイラー・スウィフトといったアーティスト／アイドルが反トランプを明言する動きが活発ですが、香港のデモでは、自分が知らないだけかもしれませんが、そうした動きがあまり見えてきません。天安門事件のことを思い出してみても、崔健《ツイ・ジェン》なんていうミュージシャンの音楽がテーマソングとしてバックグラウンドに流れていた記憶があるのですが。

——誰ですか、それ？

　中国ロックのパイオニアのひとりで、ライブのときに赤いハチマキで目隠しをしていてカッコよかったんです。せっかくなので一応

「Wikipedia」から引用しておきますね。

「1989年に、北京で天安門事件が起こった頃、人気の絶頂にあり、『一無所有』はストライキ学生たちの愛唱歌となった。崔健のコンサートは余りに人気があるため、中国共産党によって許可が下りないようになり、2003年まで大きなコンサートは開けなかった」

　2012年にご本人に「VICE」が行ったインタビュー※6もありますので、興味がある方はぜひ観てみてください。

――今回の香港のデモについていえば、周庭（アグネス・チョウ）さんという方がある意味アイコンになっていますけど、どうなんでしょうね。

　もちろんアグネスさんの信念や献身を疑うつもりは毛頭ありませんが、ただ、拘束中に欅坂46の歌が浮かんだという彼女のコメント※7を見るにつけ、私が思い浮かべてしまうのは先の香港のラッパーたちの苦渋でして、彼らからすると、彼女みたいな方こそが「音楽なんか聴かない香港人」の典型なのではないかと思ってしまいます。

――ふむ。

　何が悲しいかといえば、本当は彼らのようなラッパーこそがデモのナラティブをつくったり、音楽という非言語を用いてデモの大義を後押しすべきであるところ、アグネスさんがよすがとしているのがおそらく一番「体制側」に転びそうなところにいる、よその国のアイドルグループだということです。残念ながら、欅坂からはどこをどう押しても「アグネスさんを支持する」というメッセージは出てこないと思うんです。

――ビジネスとしてアジアマーケットを大事にすればするほど、中国政府にモノが言えなくなる、ということですよね。スポーツではNBAも一悶着ありましたしね。

　あれはまさに典型的な例ですね。NBAのヒューストン・ロケッツのGMが「香港支持」のツイートを撤回※8させられましたが、NBAのような極めてパワフルなグローバルコンテンツホルダーでも抗うことができないわけですから、大方の企業や個人が転ばざるを得ないのも仕方がないのかもしれま

※5 ※6 ※7 ※8

せん。

——香港の絶大なる味方であるはずのアメリカですら、正面から喧嘩が売れないところはある、と。

いまアメリカが強硬にバチバチとやりあっているのは、トランプ大統領が選挙戦略としても有効だと見ているからだと思いますが、仮に次の大統領選挙でトランプ氏が当選したとしても、その後どうなるかはわかりませんし、バイデン氏が大統領になったらなったで、弱腰になっていく可能性は強いともいわれています。ヨーロッパでも、こと対中関係においてはメルケル首相ですら煮え切らないところもあります。日本は言わずもがなですが、香港をめぐる対応においては、実際どの国も非常に難しいダブルバインドに陥っているように見えます。

——「香港のデモの最大の擁護者がトランプ」という状況は、たしかに何かがねじれていますね。

トランプ大統領は、中国を叩くことが次期大統領選を有利に導くと考えて「敵の敵は味方」の理屈で香港や台湾を支持し、「バイデンは中国に対して弱腰だ」という言い方を盛んにして、民主党政権になったら「アメリカで中国語が必修になる」と煽っています（「バイデン氏勝利なら『米国民は中国語習得が必要に』トランプ氏が主張※9」）。それに対抗するかたちでバイデン氏は「強硬姿勢を貫く」とは言っていますが、疑問符をつける声が保守陣営からは上がっています。

——人種差別発言を繰り返しながら警察の暴力を野放しにしている大統領が中国の香港に対する横暴を激しく非難し、その大統領を非難している対立候補が中国の横暴については生煮えな態度では、いったい何を支持したらいいのかわからなくなってしまいます。

「産経Biz」は『中国に手ぬるい』批判に対抗　バイデン氏が対中強硬打ち出す※10」という記事のなかで、「台湾問題に関しては、台湾支援の立場を明確にするトランプ政権とは対照的に、バイデン氏周辺の外交専門家は『一つの中国を尊重すべき』とする民主党の伝統的立場を打ち出しており、中国に付け入る隙を与える恐れが強い」としています。あるいは、「Newsポストセブン」が掲載する「American

「Thinker」というフェイクニュースサイトに見えなくもないメディアの翻訳記事「憂慮すべきバイデン親子の中国ビジネス※11」には、こんなことも書かれています。

「バイデン氏が大統領になれば、中国の国益にかなうことは間違いない。彼の息子であるハンター・バイデン氏も、それによって恩恵を受けるだろう。彼は過去10年間、中国政府が支援する投資会社BHRの取締役を務めてきた。ニューヨークタイムズの報道によると、ハンター氏は2017年に同社の株式の10%を約42万ドルで購入したという。

　ジャーナリストのピーター・シュワイザー氏の著書によれば、ハンター氏は父親がオバマ政権で副大統領を務めていた時期に中国を訪れ、同社は中国共産党との間で15億ドルの巨額投資契約をまとめたのだという」

――困りましたね。

　このような「バイデン民主党＝親中国」というナラティブは、保守党が民主党を批判するときの常套句ではありそうなので全部を真に受けていいのか留保も必要ですが、ただ、アメリカと中国との香港をめぐる綱引きのなかで一番気にしておかないといけないのは、今回の〈Field Guides〉にある記事「米中の睨み合いが、香港をより中国的でより重要な金融ハブへと変える※12」（The US-China standoff is turning Hong Kong into a more valuable—and more Chinese—financial hub）が指摘している内容かもしれません。

――と言いますと。

　この記事が指摘しているのは、デモや国家安全維持法の施行をめぐる騒乱を経ても、香港の株式市場（HKEX）は、停滞しているどころか、急激に伸長しているということです。

――え、そうなんですか。

　この記事は「香港市場を見ている限り、米中関係が最悪の局面にあることを読み取ることは困難だろう」という一文から始まっていまして、中国政府による反民主的な管理体制の施行は、香港の金融市場の魅力を決定的に損なうことになるとするこれまでの予測や、

※9　※10　※11　※12

この予測に基づく国際的な圧力は、まったく功を奏していないとしています。

——えええええ。どうしてなんでしょう。

記事によれば、この間中国企業のアメリカでのビジネス活動や上場を厳しく制限すべきとの声が上がるなか、「Alibaba」や「JD.com」といった中国の大手企業は、ニューヨーク証券取引所やNASDAQに代わる資金調達拠点を求めてHKEXでの上場を進めつつあるそうです。

そして、その大きな誘引力として、アメリカではずっと批判に晒されてきている「dual-class shares」(デュアルクラスシェア)を、HKEXが2018年に導入したことが指摘されています。

——なんですか、それ。

自分もまったく不案内でよくわかっていないのですが、試しに「M&A Online※13」というサイトを見てみますと、こう書かれています。

「起業家(創業メンバー含む)に対して、1株で複数の議決権が付与された株式(B種普通株式と呼称されることが多い)を割り当てるもの」「最も多くみられるのは、B種株式1株当たり10議決権を付与するスキームだ。A種普通株式は当然1株1議決権なので、B種を持つ創業者の議決権割合は発行済株式数の保有割合より高くなる。これにより、起業家が会社の所有権(過半数の維持を狙うことが多い)を掌握することが狙い」

——どういった効果があるんですかね。

簡単に言うと創業者が株主の意向と衝突することなく会社経営を行うことができる制度だそうで、新興企業や「ディスラプティブな」イノベーション企業には願ってもないものなのだそうです。これを採用した「WeWork」の親会社「We Company」の暴走が昨年問題になりましたが、企業の暴走を防ぐ安全弁であるはずの株主の役割が無効化してしまうことが起きるようです。次の記述を読んでいただけば、だいたいどういうことかおわかりいただけるかと思います。

「デュアルクラスといえば、識者

がまず思い浮かべるのは、米Alphabet（以下、グーグル）や米Facebook（以下、フェイスブック）だろう。グーグルは創業者のLarry Page氏とSergey Brin氏及び一部の経営陣で議決権の約58%を確保している。一方、Facebookでは創業者のMark Zuckerberg氏が、委任された議決権も含め、やはり約58%の議決権を確保している。

　だから、いくら世間が両社の独善的な経営を非難しても、少なくともコーポレートガバナンス（株主統治）の観点で彼らにブレーキをかけることは難しい。

　例えば個人情報の問題が明るみに出たフェイスブック。最近の株主総会で、外部株主からこのいびつな資本構造を解消すべきという株主提案がなされた。これに外部株主の実に83%が賛成している。言うまでもなくこの提案は、同社会長兼CEOのザッカーバーグ氏個人により否決されている。

　まさに『金は出せ、口は出すな。儲けさせてやるから』というところか」

――ははあ。

　イノベーションを加速させる上では有用な仕組みでもありつつ、それが暴走したときに歯止めが効かないという問題点がアメリカで大きく取り沙汰されているなか、逆に香港があえてそれに門戸を開いたことにはなにやら大きな意味がありそうです。

　イノベーション企業の世界的な中心地としての地位を、香港はこれを機に、今後一気に高めていくことになるのかもしれません。加えて、この制度の導入と同時にHKEXはバイオテック企業に大きく門戸を開いたとの記載もあります。

――なるほど。

　中国の世界覇権を扱った第14話で、次世代テックの国際スタンダードを握ることを中国が狙っていることに触れ、「China Standards 2035」という、まだ全貌が明かされていない国家戦略を紹介しましたが、こうしたビッグピクチャーを睨みながら香港という場所を見つめ直してみますと、香港の重要性がよりいっそう明確になりそうです。

――深圳の隣ですもんね。

　イノベーション都市である深圳

※13

をドライブさせる金融装置としての香港株式市場の位置づけが、今後、より明確になってくるのかもしれません。

「米中の睨み合いが、香港をより中国的でより重要な金融ハブへと変える」の記事は、中国政府が国家安全維持法の施行によって、株式市場を含む経済活動のすべてを中国本土のやり方に服従させようとしているわけではなく、むしろ現状の香港の金融システムを本土に移植し、そのモデルを中国全土に展開することを目論んでいると指摘しています。であればこそ、香港の金融業界は、国家安全維持法については楽観視しています。HKEXのチーフエグゼクティブのCharles Liさんはこう語っています[※14]。

「国家安全維持法は、商業活動、契約上の取り決め、金融取引、資本の流れ、係争の解決、人材の移動や情報・データの流れをガバナンスするあらゆる法規制とは無関係である」

もっとも、それが本当にそうなのか、反対意見もありますので鵜呑みにはできませんが。

——このLiさんという方の言われていることを真に受けたとすると、今後、中国企業をめがけて世界中のお金が香港に流れ込んでいくことになるわけですね。

アメリカはそれを避けるべく、アメリカドルを干上がらせることを検討しているとも囁かれていますが、欧米や日本企業などにとって、すでに香港が中国本土にアクセスするための重要拠点となってしまっていることを考えると、こうした施策には現実味がないだろうと記事は書いています。

——うーん。なんか、ここでもまた首根っこを押さえられちゃってますね。

記事の締めは実に暗澹たるものでして、こう書かれています。

「香港の成功を支えてきた重要な要素である表現の自由と法の支配が損われることは明らかである。その一方でドルへのアクセスは安定しており、中国本土とのつながりはより強化された。中国経済や中国のハイテク企業にビジネスチャンスを伺う欧米の投資家の意欲も衰えてはいない。ロンドンに本社を置き、香港で多くの業務を行っているHSBCとStandard Charteredのふたつの銀行が、英国政府の方針に逆らって国家安全法を支持したことは、こうした風向きを端的に表している」

——香港はもはや市民の生活空間でも文化空間でもなく、ただの金融空間であって、その機能だけが全面的に拡張されていくという話なんでしょうか。

香港からの移民の大量受け入れに踏み切ったイギリスの対応をめぐる「香港の自由を求める運動の新たな拠点：英国※15」(The campaign for Hong Kong's freedoms has a new base: Britain)や、天安門事件の頃に匹敵するほどの移民が起きるだろうとする「香港に押し寄せようとしている『天安門』以来の移住の波※16」(Hong Kong is about to see a Tiananmen-era wave of migration)は、これから起きるであろう香港市民の流出を取り上げた記事ですが、英国はそもそも移民の流入を嫌がってBrexitに踏み切ったわけですし、２０１９年時点では香港のデモに興味を示していなかったとさえ記事は書いています。

それが国家安全維持法の施行とともに風向きが変わるわけですが、それも２０４７年まで維持されるはずだった「一国二制度」という英国が敷いた枠組みが反故にされ、メンツを潰されたからだといいます。そこにコロナを機に反中国の機運が高まったことを受けて強硬姿勢に突入し、プロテストを首謀した容疑で逮捕され本土で拷問を受けたとされるサイモン・チェンや、ネイサン・ロウといったアクティビストの亡命を認めるにいたっています。

——英国が今後のプロテストの前線になると書いていますね。

サイモン・チェンは、すでに英国内に亡命政府を立ち上げる構想を語っているそうですし、ネイサン・ロウも、英国を戦略拠点として使っていくことを声高に謳っています。

——英国は、３００万人にのぼる香港人が英国籍を取ることができるよう道を探るという方針を打ち出していますが、これは相当な英断ですよね。

ただでさえコロナによって英国史上最悪の不況ともいわれる経済

※16 ※15 ※14

的打撃を受けているなかで、いったいどうやってそれだけの数の移民を養うことができるのか、考えただけですでに茨の道ですよね。ビジネスエリートはまだいいのかもしれませんが、そうでない市井のワーカーは、人手が足りていない「エッセンシャルワーク」に従事することになるのかもしれず、それがすでに奴隷労働化している状況は、この連載でも度々指摘してきましたが、「香港に押し寄せようとしている『天安門』以来の移住の波」の記事には、トロントやバンクーバーに移住した香港移民たちの苦闘の歴史が描かれており、その苦難がまた繰り返されることになるのかもしれません。

——人ごとのようなことしか言えなくてほんと情けないのですが、前途多難ですね。

そういえば、つい先日『イップ・マン外伝 マスターZ』という映画を観たんです。

——はあ。

これは、英国統治下の香港で、ブルース・リーの師匠でもあった中国武術のグランドマスター「イップ・マン」と因縁のある詠春拳の達人が、麻薬の密売をしている組織を叩き潰すという作品です。最終的には麻薬密売の黒幕は、英国人ビジネスマンとそれとグルになっていた英国総督府だったことが明かされ、彼らの狗同然だった香港警察も最後に真相に気づき、正義の鉄槌を下して終わるという、いかにも香港映画らしいオーソドックスな勧善懲悪映画です。

——ふむ。

香港映画は、ブルース・リーの時代から、英国総督府だったり日本軍であったり、自分たちを支配下に置いてきた時の権力者に素手で立ち向かうヒーローの姿を常に描いてきました。その一方で香港の警察が描かれる際には、常に外来の権力機構と市民の間に入って苦しい立場に置かれる存在として描かれてきました。

——そうですね。

カンフーアクションのヒーローは、武器ももたないで素手で戦うことで、強い声や強い武器をもたない市井の人たちをレペゼンしていたわけで、であればこそ、その精神にアメリカの黒人も強く感化されることにもなりましたし、実際、アメリカで香港映画を最初に受け入れたのは黒人たちで、その影響はいまでもヒップホップのなかに脈々と流れています。

――ウータン・クランがまさにそうですよね。デビューアルバムは『少林寺三十六房』がモチーフでした。

はい。いま紹介した『イップ・マン外伝 マスターZ』もまさにそういう映画なんです。これを製作した「東方電影」はレイモンド・ウォンという香港映画界の重鎮が新たに起こした会社で、その第1作が本作です※17。ただ、いまこのタイミングで本作を観ると、どうしても微妙な気持ちになってしまうんです。

――どうしてでしょう。

英国人という悪の手から自分たちの土地を取り戻し、中国人のアイデンティティを取り戻そうというメッセージは、かつてであれば香港人の「自由」を求める声として取れるものでしたが、現在の状況下においては共産党が発するメッセージとして読みとれなくもないですよね。

――たしかに。中国による、西側に対するネガティブキャンペーンにもなると。

そうなんです。この作品の難しさは、物語の骨子はいままで通りだという点です。ただ、その背後に共産党がいることを疑った瞬間にメッセージが反転し、権力に素手で立ち向かう男の物語は、下手をすると中国への馴化を促す物語にもなりうるんですね。「香港の警察も本当はツラいんだ」というメッセージは、ジャッキー・チェンの『ポリス・ストーリー』以来、定番の切り口ですが、いま、この時点で、それにうっかり同情してしまうのは、やはり危険かもしれません。

――うーん。もうあんまり無邪気に映画も観られなくなっちゃいますね。

文化を市民と敵対させて引き離したり、近づけたと見せて別の方向へと引っ張っていったりと、香

※17

港ではいまそういう凄まじい文化戦略が展開されているように自分には見えます。今後どうなっていくのかまったく予測できませんが、ひとつ確実に言えるのは、文化を後回しにして、それが停滞したり瓦解していくのを放置しておくと、あとでひどいしっぺ返しを食らうことになるということではないでしょうか。

——しかも、中国はそれを戦略的に仕掛けてくる可能性があるということですよね。

考えすぎだったらいいんですが、どうもそのような気がします。中国政府がどこでそれを学んだのかはわかりませんが、文化と政治の関係を冷徹に見抜いているように思えてなりません。

——日本はどうなりますか。

つまらない話ですが、日本のタレントも、「Weibo」に中国語で発信をしていくのであれば、同じように欧米向けにも発信活動をしておくことは、もしかしたら大事なのかもしれません。ビジネス上の依存を一国に対して深めすぎないことは、文化産業に限らず、あらゆる業界でこれからますます重要になってきそうです。韓国がK-POP、映画、ドラマといった分野で欧米やその他の世界と関係性を深めていることは、対中国戦略においても案外重要な意味をもつのかもしれません。

Field Guides を読む #18

The global fight for Hong Kong

Aug. 23, 2020

https://qz.com/guide/hong-kong/

◉「我々はみな香港人」：香港の抗議運動は、いかにして世界の闘いになったか
"We are all Hong Kongers": How the Hong Kong protest movement became the world's fight

◉香港の自由を求める運動の新たな拠点：英国
The campaign for Hong Kong's freedoms has a new base: Britain

◉米中の睨み合いが、香港をより中国的でより重要な金融ハブへと変える
The US-China standoff is turning Hong Kong into a more valuable—and more Chinese—financial hub

◉年表：香港で何が起きているのか
A timeline that explains what's happening in Hong Kong

◉香港に押し寄せようとしている「天安門」以来の移住の波
Hong Kong is about to see a Tiananmen-era wave of migration

#19

Higher ed goes remote

August 30

大学のトランスフォーメーション

アメリカにおけるレイシズムの問題
米中のデジタル覇権争い
さらにオンライン教育のメインストリーム化による
教育産業の構造転換といった問題系が
ダイナミックに錯綜しています。
大学という一見ドメスティックな空間も
グローバルな環境のなかで
激しく流動しているのが見てとれます。

――安倍首相が辞意を表明しましたね。

いきなりですね。そこからですか。

――何か感想なり、ご意見あります?

うーん。どうでしょう。色々とツッコミどころはありそうですが、やはり気になるのは誰が引き継ぐのかという点でしょうか。

――誰になるんでしょうね?

実際誰になるのかにはそこまで興味がないのですが、気配として感じるのは、誰がなったとしても、ただでさえ下がっている自民党の支持率がダダ下がりするのではないか、ということです。

――麻生（太郎）、岸田（文雄）、石破（茂）、河野（太郎）といった名前が取りざたされているようですが。

面白いなと思うのは、いま挙げられた方って、みんな2世とか3世だということで、大変失礼な言い方で恐縮ですが、みなさん政治家の「ボン」、いわゆる「ぼんぼん」でいらっしゃるんですね。

――たしかにそうです。

「ボン」や「お嬢」といった存在はちょっと面白いなと思っていたりしまして、程度の差こそあれ、誰しも人生のどこかで、そうした方と出くわしたりしたことがあるのではないかと思うのですが、社会において「ボン」や「お嬢」という存在はユニークなものですよね。

――そうですか。

ミュージシャンなどでも、そういう類の人ってそれなりにいると思うのですが、育ちがよかったりお金に恵まれて育ってきた人は、必ずしも全員がそうだとは言いませんが、いい意味で屈託がなかったりお金にこだわりや執着がなかったりと、独特の鷹揚さがあったりしますよね。

――たしかに、そういう人いますね。

ある意味浮世離れしているので、思い切りがよかったり、変なところで大胆だったりします。例えばレディ・ガガという方は、お父さんがインターネット事業で成功していて非常に裕福な家庭に育っています。彼女は富裕層が通う学校に通っていたそうで、そこで歴代の名家の子女に「成り上がり」とイジメられたそうですが、富裕層の世界にも相応の序列はあるにしても、ガガさんの思い切りのよさや大胆さというのは、とても「お嬢」感があるように感じます。

――ストリートから這い上がってきた、という感じはないですもんね。

だからといって「お嬢だからいい」とも「お嬢だからダメ」とも思わないのですが、「ボン」や「お嬢」とかって呼ばれる人にも、やっぱり社会のなかでの役割というものはあって、それは時にとてもポジティブに作用することがあるように思うと、まあ、言いたいのはそれだけなのですが。

安倍さんという方も、またそういう意味では典型的なぼんぼんであるわけですが、変な話「お腹が痛い」と言って辞めて、その後もう一度首相の席に返り咲いたものの、同じ病状で2度目の辞任をして、それでもなお「第3期目を！」という声が上がるのは、やはりなかなかに愛されたぼんぼんだなと思うわけです。

――自分は安倍信者の方々の心性はまったく理解できないのですが、これが例えば麻生さんだったらそうはならないんだろうな、という感じはちょっとわかります。

そうなんです。そもそも「信者」と呼ばれる層が存在していること自体が、安倍さんという人の不思議さで、例えば岸田さんや麻生さんに「信者」がつくというイメージはなかなか湧きませんよね。河野さんは多少可能性があるかもしれませんが。

――ですね。

同じ「ボン」でも愛され方は、

色々ですが、では、安倍さんだけがなぜ突出して、これだけの長期政権を許すまでに支持されたのかというと、やはり非常に不思議です。そこは本当はかなり面白いテーマだと思うのですが。

——トランプという人もそうですよね。

トランプさんも絵に描いたようなぼんぼんで、それを支持しているとされる白人の中間層の人たちの何もレペゼンしていないはずですが、なぜか「one of us」だと思ってもらえていたりするんですね。自分たちの生活や生き方がどういうものなのか、まったく知りもしない人であるにもかかわらず、なぜか「彼こそが自分たちの代表だ」と思う人がいるのは安倍さんもそうで、安倍さんを批判する人は、まさにそのことをもって安倍さんを批判するわけで、その批判は実際どこも間違ってないはずですが、そういう批判があってなお、信者の方々は安倍さんを支持するわけですよね。

それは傍から見るととても非合理な判断に見えますが、当人たちのなかではメイクセンスしているはずなんです。で、そこにおいて「ぼん」というファクターはとても重要なものなんじゃないか、と思ったりするんです。

——なるほど。よくわかんないですけど（笑）。

今後起きることをぼんやり思い浮かべてみますと、誰が後継になったとしても、いわゆる保守陣営の人たちが安倍総理に対してそうしてきたように温かみをもって味方になってやろうという感じが減るのではないかという気がしていまして、仮にそうなったとすると、じゃあいったい安倍さんの何がそこまでの求心力を生むドライバーになっていたのかは謎として残ります。そこはやはり不思議なんですよね。というのも、政策や政治信条においては、特段求心性を生み出す内容はないわけですから。

——そうですか。右寄りな傾向は強いじゃないですか？

とはいえ、2014年以来靖国神社にも行っていないそうですし、習近平さんの来日に執心するあまりコロナ対応が遅れたと謗られ、そもそも観光立国を謳って中国から大量の観光客を招いたのも安倍さんですよね。という意味でいうと、愛国や道徳教育を重視していたわりには、親中国でもあったりと、なにかと首尾一貫しないように見えます。

　安倍さんの功績はこれだけあるぞと援護するツイートなどを見てみますと「女性の雇用をこれだけ増やした」といったことも語られているのですが、その功績を真に受けたとしても、その話と、愛国的な文脈での「家族が大事」といった話とどういう一貫性をもってつながっているのかは、判然としません。

――あちこちでねじれていますよね。とはいえ、負のレガシーはたくさんありましたよね。それこそ「モリカケ桜」といわれるあたりのことですが。

　モリカケという問題を見返してみて改めて興味深いなと感じるのは、まさに今回の〈Field Guides〉のお題である「教育」という分野を舞台にして起きた問題だという点です。

　自分は熱心にこの問題を追いかけていたわけではないので詳しくはないのですが、安倍総理の辞任というタイミングで今回の〈Field Guides〉を眺めてみますと、まったく関係ない話題であるとはいえ少しばかりつなげて考えてみたくなります。

――今回の〈Field Guides〉のタイトルは「Higher ed goes remote」で、訳せば「高等教育、リモートになる」ですが、モリカケとはだいぶ遠くないですか？

　もちろん遠いのですが、とはいえ、〈Field Guides〉のなかで盛んに語られているのは、コロナウイルスによるパンデミックが大学というもののあり方を変えるだろうということでして、大学というものが非常に大きな岐路に立っているということでいえば、少なくとも加計学園の問題は関連しなくもありません。

――そうですか。

「ウェブちくま」というウェブサイトに斎藤美奈子さんの「世の中ラボ」という連載がありまして（註：２０２０年11月時点で非公開）、「加計問題の裏にある国家戦略特区とは何か」という２０１８年の記事で加計学園問題が解説されているのですが、それによれば、この問題の発端にあるのは、まず「獣医学部」というものが50年以上日本で新設されてこなかったということなのだそうです。

これは文科省と日本獣医学会が、既得権益を守るために新規参入を拒んできたことが理由だとされていますが、その既得権益をかいくぐるために「国家戦略特区」という制度を使って、半ば強引に「学部新設」の道筋をつくったんですね。「国家戦略特区」の牽引役だった竹中平蔵氏のことばを引きながら斎藤さんが解説するところによると、この制度はこういうものだそうです。

「国家戦略特区の旗振り役である竹中平蔵は、『大変化』なる本で、日本を『世界一ビジネスがしやすい国』にするためには規制緩和が必要だとブチ上げ、次のように述べている。

〈なぜ、規制改革は進まないのか。端的に言えば、既得権益を持っている人々がそれを手離さないからです。象徴的なのが、いわゆる『岩盤規制』（役所や業界団体などが改革に強く反対し、緩和や撤廃ができない規制）でしょう。誰もが以前から『おかしい』と思っているにもかかわらず、一向に改革できないわけです〉。

小泉構造改革以来の、相も変わらぬ持論。ただし、国家戦略特区では構造特区とは別のしくみをつくったと彼は豪語する。

すなわち、担当大臣、地方の首長、民間企業の三者が参加した『ミニ独立政府』のようなしくみをつくる。〈ただし、方針に反対する関係省庁も出てくるはずなので、中央政府に総理をトップとする「国家戦略特別区域諮問会議」（私もメンバーの一人）を設け、最終的にはそこで決着できるようにしています〉。

最終的には首相がすべての裁量権を持つしくみ。しかも諮問会議のメンバーは全員、首相の側近。〈日本の行政の歴史において、こういう試みは初めてです〉と竹中は胸を張るが、そらそうだろう。こんなの事実上の首相の独裁だもん」

——首相が一切の手続きをすっ飛ばして導入できてしまうということですね。

こうした「特区」というアイデアは、それが一概にダメだというものでもなく、「イノベーションというものがこれからの経済を切り開いていく上ではことさら重要だ」という文脈においては行き渡ったアイデアで、ソフトウェア開発の用語で「サンドボックス」といわれるものですね。

――はあ。

『IT用語辞典 e-word[※1]』というサイトから引用しますと、こういうものです。

「サンドボックスは、砂場、砂箱という意味の英単語で、コンピュータの分野では、ソフトウェアの特殊な実行環境として用意された、外部へのアクセスが厳しく制限された領域のことを指すことが多い」

要は、実行環境を人為的につくって、そのなかで実験を行うということですが、デジタルの世界では完成プロダクトになる前のベータ版でサービスを公開し、フィードバックを反映しながら改善していくというやり方は一般的なもので、ベータ版やさらにその前のプロトタイプを試験する環境をつくることはとても重要なこととされています。

――それはわかります。

政府に限らず民間企業でも、これは同様でして、「新しいことをやりたい」となったときに「それはうまくいくのか?」と上司に問われても、新しいことなわけですから「やってみないとわからない」という答えしかなかったりします。「うまくいくというエビデンスを出せ」と言われても、エビデンスを取るためにも実行してみる必要があるわけでして、それでも実行の許可を得るためにエビデンスが必要となれば、これは堂々めぐり、俗にいう「ニワトリが先か、たまごが先か」の議論にしかなりませんので、結局、新しいことは何もできなくなってしまいます。

――そらそうですね。

ですから、まずはスモールスケールで実験するような環境が必要、となるのですが、竹中氏のおっしゃることに賛同するかどうかはおいたとしても、頭の固い上司に新企画をつぶされた経験がある人であれば、こうした「サンドボックス」的な仕組みの必要性は感じるところでもあるはずです。

※1

——はい。わかります。

そこから教育の話に戻しますと、学部の新設が50年も行われていないというのは、やはり異常な事態であるような気はしますよね。世の中の需要や欠如に応じて、次の社会を支える知識や技能をもった人を育てるためには、高等教育機関にもそれなりの柔軟性も必要だとするなら、特区という制度を使ってトップダウンで「岩盤規制」を突破するという考え方もどこかで必要だろうと思わなくもありません。

——ふむ。

とはいえ、そうした制度を仮に擁護したからといって、それが即、新自由主義者・規制緩和主義者の竹中氏が考えているように「そこを自由市場にしてしまえ」という話になるわけでもないはずでして、加計学園の問題は、斎藤さんが指摘されている通り、国家戦略特区というものを自明のものとして「自由市場」とみなすその歪んだ定義と、それをなんら批判的な検証も受けずに実行することを可能にした制度設計と、獣医学という「おいしいビジネス」に進出しようとしたビジネスセクターの欲望とがピタリと合致するところで起きた、悪どい帰結だったということにはなってしまいます。

——ははあ。

さらに、斎藤さんは郭洋春さんの『国家戦略特区の正体：外資に売られる日本[※2]』という本を引き合いに出しながら、こうも語っています。

「悪の権化のようにいわれる『岩盤規制』とは〈医療・農業・教育・雇用など、一九八〇年代の中曽根政権から始まった日本の新自由主義路線にあっても緩和が先送りにされてきた分野の規制を指す言葉だ〉（『国家戦略特区の正体』）だそうだが、郭も指摘する通り、医療、農業、教育、雇用は〈まさに国民の生活、いや、生命そのものに直接関わる領域〉であり、利潤の追求を第一義的に求めるビジネスに丸ごと譲り渡していい分野ではないはずだ」

——もう、ほんと、その通りですね。

その通りですよね。で、ここか

らが本題ですが、ご存じの通り新型コロナによって大学はなかなか学校を再開できず、リモートで授業を行うことに四苦八苦しています。これがもし仮にデフォルトの状態になっていったとすると、そもそもの大学のビジネスモデルが崩壊していくことになりかねません。

——どういうことでしょう。

フィジカルな空間って基本「有限」ですよね。

——はい。

有限であるがゆえに定員というものが設定されることになりますし、その「定員」という上限があることによって個々の大学の「稀少性」が担保され、そうであればこそ「そこに入れること」が価値化されるわけですよね。

——あ、そうか。

ところが、オンラインへの移行は、定員という設定自体を無効化してしまうわけですよね。先日、お客さんがせいぜい30人ほどしか入れない小さなライブスペースを運営している方が、ライブ配信をやってみたら600人も視聴者が集まって驚いたとおっしゃっていたのですが、その数はフィジカル空間であったらさばけない数です。そこにこそデジタルビジネスの可能性があるわけですが、その可能性を認めた瞬間、難しい問題も出てきます。

無尽蔵に開かれたデジタル空間では、「稀少性」をつくり出すことが難しくなりますので、それまでと同じやり方では価値を出すことが難しくなってしまいます。インターネットの登場による既存の産業構造の崩壊は、基本この問題をめぐって起きています。

——ふむ。

例えば一部の大学で講座をオンラインでオープン化してしまえば、講義内容で価値の差別化ができる大学は、それこそ世界中から学生を集めることができますが、その代わり、ほかの大学は一気に不要になってしまいます。つまり「勝者全取り」になってしまうわけです。

——トラヴィス・スコットと「フォートナイト」がコラボしたバーチャルライブを思い出しますね。

※2

あれは２７７０万人が同時参加したといわれていますが、フィジカルのライブでは到底動員できない観客を集めることがデジタル空間においては可能になります。これは、アクセスのハードルが下がるという意味ではもちろん素晴らしいことですが、その一方で、ごく一部の少数のプレイヤーしか勝ち残れない競争になるということでもあります。

――すでに有名な人であればこそ、それだけ集客ができるわけですよね。

大学のZoom化においては、いまのところまだそうした事態にはいたっていませんが、似たようなことはすでに進行しています。「公立大学が教授たちの反対を押して営利目的の学校を買収している[※3]」(Public universities are buying the for-profit schools their professors criticize)という記事は、公立大学が営利大学を買収するケースとして、アリゾナ州立大学が「Zovio」というEdTech企業が保有している営利大学アッシュフォード大学を買収した事例を紹介しています。その買収計画のなかで明かされているのは、非営利部門は「アリゾナ・グローバル・キャンパス」の名前で残しながら、大学全体としては、「Zovio」のテクノロジーを用いながらオンラインエデュケーションの拡充に乗り出していき、その収益の19・5%を「Zovio」が得るということです。

――ビジネスセクターがそうやってがっつり入ってくるとなると、世界中からどんどんお客さんを集めてどんどん収益を伸ばしていこうという方向に進むのは避けられなさそうですね。

先ほどからお話ししているように、こうした動きは、必ずしもすべてがネガティブなわけではありません。というのも、何かを学びたいと思ったときに、稀少性の高い設備や訓練が必要な分野を別にすれば、キャンパスというフィジカルな空間に身を運ばなくてはいけないこと自体がハードルになっている人が少なからずいるはずだからです。

――と言いますと。

さまざまなケースが考えられるとは思いますが、社会人でも、仕事がリモートになり時間の使い方に弾力性が生まれたことで、オンライン講座を受けることのハードルが下がりましたよね。

——たしかに。「人生100年時代」には、生涯学び続けることが大事だなんていわれてるわけですしね。

　コロナ以降、Zoom や YouTube で、イベントやセミナーやワークショップなどが無尽蔵に開催されていますが、現場で人と接する楽しみがなくなっているとはいえ、家で寝転びながら参加できることを「まじ楽だな」と思っている人は、相当数いるはずです。仕事しながら参加することだってできたりするわけですから、とにかくハードルが下がります。

——そうですね。

　それが一般化してしまうと、今後、現場のイベントが再開されたとしても、当たり前のように「配信はないんですか？」という問い合わせが出てくることになると思います。

　現状においては、配信の準備にはそれなりの設備やノウハウや予算も必要ですが、今後配信がさらに一般化していけば、さまざまなテクノロジーやツールの登場でコストも手間もどんどん下がっていくはずです。

——ふむ。

　もちろん、オンラインイベントやセミナーと大学の授業を同列に語るのは大変失礼ではありますが、とはいえ、オンラインになった瞬間、そこも同列化されてしまうことにはなります。

——大学の授業も、YouTuber との競争にのまれていくと。

　いまのところまだ YouTuber と競いあう事態にはなっていませんが、既存の大学にとってオンライン大学はすでに大きな脅威となっています。

　先に紹介したアリゾナ州立大学のお膝元には、フェニックス大学という、これまで50万人もの学生を輩出してきたマンモス・オンライン大学があるそうで、さらに近隣には、グランドキャニオン大学というオンライン中心の別の大学もあるそうですから、こうした営利大学に存在を脅かされていると

※3

いう危機感を、公立大学は相当強くもっているのではないかと思われます。

また、アリゾナ州立大学による営利大学の買収という事例は、必ずしも公立大学として初の事例ではないそうで、過去にマサチューセッツ大学が「戦略パートナー」としてブランドン大学という営利大学と提携した例もあるそうですが、このブランドン大学は、オンライン講座中心で、学生は主に社会人だそうです。

——オンライン大学の躍進、すごいんですね。

ただ、オンライン中心の営利大学は卒業率が20%にとどまっていたり、あるいは突然倒産したなんていう事件もあったことから、その意義が疑われてもいます。オバマ政権によって強い規制を受けたことから、2010年から2018年にかけて学生数が半減したそうです。

授業のクオリティを上げたり、よい教授を雇うことよりも、学生を集めるためのマーケティング費用に莫大な予算を注ぎ込んでいるため、非常に不健全な財務状況になっているともいわれていますから、オンライン大学の側には、公立大学の傘下に入ることで、逆に信頼性を回復したいという目論見もあるわけですね。

——ビジネスにひた走るだけの学問レベルの低い大学は市場性がどんどん下がっているということですね。それは健全ですね。

記事では「Legitimacy」ということばが使われていますが、教育というものにはやはりそれなりの「正当性」が必要で、それはなぜかといえば先ほどの斎藤さん／郭さんの指摘にあった通り、それが国民の「生命そのものに直接関わる領域」だからです。

——若い人にとっては自分の一生を左右するものですもんね。

それは単に学歴という面からだけではなくて、大学というものが、単なる教育空間ではなく文化空間でもあるからで、特に若者にとってはそうですよね。

——ほんとですね。

さらに、大学というものは外交

上も極めて重要なものでして、そうした観点から今回の〈Field Guides〉のなかで大きく取り上げられているのは、アメリカにおける「外国人留学生」の位置付けです。

——ほお。

アメリカは、これまで世界有数の留学先となってきたわけですが、コロナを機にその潮目が変わるのではないかというのが、「アメリカの大学に留学する価値はあるのか？※4」(Is it still worth studying at a US university as an international student?) という記事で扱われている問題です。記事は、こんな文章で始まります。

「アメリカはこれまで長きにわたって外国人留学生を受け入れることで多くの恩恵を受けてきた。世界トップクラスの教育をアメリカが提供する代わりに、私たちは留学生たちにアメリカ文化を体感してもらい、何十億ドルもの経済効果を得るだけでなく、アメリカ人の同級生たちと強い絆を育んでもらうことができる。こうした関係性がうまく機能するとき、教育システムは『ソフト外交』における強力な武器となる」

——たしかにそうですね。

ところが、コロナ禍のなかでトランプ政権は、大学が閉鎖されオンライン授業に移行したことを受けて、留学ビザを取り消すことを発表しました。ハーバード大学やMITといったトップスクールの反対によってこれは撤回されましたが、記事はこうした動きをしたこと自体が、留学生たちに「あなたたちは歓迎されていない」というメッセージを与えることになってしまったと指摘しています。

アメリカは中国、インドからの留学生が非常に多いことから、中国との政治的な関係悪化はてきめんに中国人留学生に影響を与えますし、インド人留学生にとっても、人気の行き先として、アメリカはすでにトップの座をカナダのトロントに奪われていることが明らかされています。これがいかに大きな損失であるかを、「NAFSA」という教育者の連盟のシニアディレクターは、こう説明しています。

「国際留学生や研究員たちは雇用を生み出し、イノベーションをド

※4

ライブし、クラスルームを豊かにし、国内の安全性を高めます。そしてゆくゆくは、外交戦略上の重要な財産となります」

――日本ではなかなかこういう議論を聞かないですね。

観光客を増やしていくことも大事でしょうけれど、より持続的で強い人的交流を求めるのであれば、留学生は大きな財産となりますし、日本国内の経済がこれだけ行き詰まっているわけですから、イノベーションを推進してくれるドライバーとしての留学生の存在をもっと積極的に位置付けることもできるはずです。

――国家戦略特区とかいうなら、そういう空間をつくってもよさそうじゃないですか。

そうですよね。留学生離れが起きていることに危機感を抱いたアメリカの大学は自ら海外に進出し始めていまして、ニューヨーク大学は「Go Local」というプログラムを上海の大学のキャンパスで開校することをこの7月に発表しています。さらにペンシルバニア州立大学は中国本土で自校のプログラムを受講できるよう現地の大学と提携したそうですし、インド政府は大学側のこうした動きを受けて、外国の大学が参入できるように規制緩和をしたそうです。

――激しく動いていますね。

一方で、世界中に100万人いるといわれる中国人留学生は、授業のオンライン化によって難しい立場に立たされています。「中国人学生をリモートで教えている大学はファイアウォールの強化が必要だ[※5]」(Universities teaching Chinese students remotely need to scale the Great Firewall)という記事が明かしているのは、せっかく「外の世界」を見たくて留学しているのに、自国からオンライン授業に参加するのでは意味がないと感じる学生さんも多いということで、加えてオンライン化によるセキュリティリスクも問題視されています。

――どういうことでしょう。

中国本土から外国の授業にオンラインで参加する場合、監視されている可能性が高いので、のびのびとディスカッションに参加できなくなってしまいますし、そもそも中国ではアメリカのオンラインリソースが利用できないという問題もあります。こうしたことを考慮した上で、授業を運営する大学側も、学生が当局に睨まれることがないよう注意を払う必要が出てきており、慎重なやりとりが大学当局と学生の双方に課せられていると記事は報じています。

——米中の対立がリアルタイムで大学を直撃しているんですね。

アメリカにおけるレイシズムの問題、米中のデジタル覇権争い、さらにオンライン教育のメインストリーム化による教育産業の構造転換といった問題系がダイナミックに錯綜しています。

かつ、米中の軋轢を縫ってカナダ、英国、ドイツといった国々が外国人留学生という巨大マーケットを虎視眈々と狙ってもいますので、大学という一見ドメスティックな空間もグローバルな環境のなかで激しく流動していることが見てとれます。

無責任な立場から見れば非常に面白い状況ではありますが、こうした変化に翻弄されるのは若者たちですし、若者の未来は国の未来であることを思えば、これは重大なイシューですから、こうした世界の動きのなかで日本の教育機関がどうあるべきなのか、もう少し真剣な議論があってもいいように は思います。

——聞けば聞くほど加計学園をめぐる問題のしょぼさが際立ちますね。「わざわざ特区までつくって、なんで獣医学部?」という疑問が拭えません。

ペットブームによって動物と人とがより近い関係になっているといわれるなか、ヒト／動物間の感染症の問題はこれからますます注意が必要になってくるでしょうし、口蹄疫といった問題を受けて「食の安全」を担保する上でも、獣医学部出身者が今後さらに必要になってくるという主張にはそれなりの正当性はあるようにも思いますし、そうした仕事に就きたいという需要に対して供給が追いついていないのであれば、それを解消する必要もあるかとは思いますが、官邸主導で国家戦略特区にしてまで実行するほど国家戦略上の重要性がある分野なのかどうかは判断が分かれそうです。

※5

——コロナを機に、政府主導で「DX、DX」（デジタルトランスフォーメーション）と騒いでいるわりに、ITエンジニアが膨大に不足しているという話もあるじゃないですか。

「2030年には最悪79万人のITエンジニアが不足する」という経産省の予測が、たしか2015年に提出されていたはずですが、2017年にガートナージャパンが行った調査※6によれば、「2020年末までに、日本のIT人材は質的に30万人以上の不足に陥る」そうです。最後にこのレポートのサマリーを掲出しておきましょう。

・2020年末までに、日本のIT人材は質的に30万人以上の不足に陥る
・2020年までに、日本のIT部門の10%が、IT組織の「一員」としてロボットやスマートマシンを採用する
・2020年までに、オフショアリングを実施する日本のIT部門の50%が、コスト削減ではなく人材確保を目的とする
・2020年までに、非IT部門が単独で進めるITプロジェクト（開発・運用・保守）の80%以上が、結局はIT部門の支援・助力を求めざるを得なくなる

——2020年末って、まさにいまじゃないですか。

ですね。

——とほほほほほ。

※6

Field Guides を読む #19

Higher ed goes remote

Aug. 30, 2020

https://qz.com/guide/higher-ed-remote/

◉２０２０年は、米国の大学の転換点として振り返られるだろう
History will look back on 2020 as a turning point for US universities

◉公立大学が教授たちの反対を押して営利目的の学校を買収している
Public universities are buying the for-profit schools their professors criticize

◉中国人学生をリモートで教えている大学はファイアウォールの強化が必要だ
Universities teaching Chinese students remotely need to scale the Great Firewall

◉アメリカの大学に留学する価値はあるのか？
Is it still worth studying at a US university as an international student?

#20

The next bubble

September 6

ネクストバブルの恐怖

「株価をもって経済を語るとき
3つのルールを覚えておこう。
一に、株式市場は経済ではない。
二に、株式市場は経済ではない。
三に、株式市場は経済ではない」

——安倍首相の退任を受けて後継レースが活発化していますが、驚いたのは、退任を受けて支持率が20ポイントも上がったことでした。8月の29、30日に、共同通信が行った調査によるとですが。

すごいですよね。「泣き」が効いたということなんでしょうか。こうしたセンチメントを追い風にして、ソーシャルメディア上では海外のメディアが安倍総理の功績を讃えていることを喜びとともに伝えている投稿を見かけます。

——実際どうなんですか？　功績を讃えてるんですか？

私が見た範囲ですが、たしかに好意的なものはありました。例えばトランプ政権の国家安全保障問題担当大統領補佐官だったジョン・ボルトンが「The Washington Post」にオピニオンを寄稿[※1]していましたが、それなんかはベタ褒めと言ってよかったんじゃないでしょうか。

——先日回顧録というか一種の暴露本を出版した人ですよね。

はい。ボルトンは同記事で、先進国の国家元首として唯一トランプ大統領と良好な関係を築くことができたこと、経済問題や中国、北朝鮮問題において非常にバランスの取れた立ち回りをしてきたことを高く評価しています。

——アメリカにとって都合がよかったということなんじゃないんですか？

どうなんでしょう。ちなみにボルトンの暴露本は、驚くほど日本についての言及が多いそうです。私は読んでいませんので、引用で恐縮なのですが、「ボルトン「暴露本」が示した、想像を超える日本への関心と信頼[※2]」という興味深い記事が「日経ビジネス」に掲載されていましたのでご紹介します。

「直近のオバマ政権時代で国家安全保障担当の大統領補佐官を務め

たスーザン・ライス氏の回顧録では、全534ページで日本への言及はわずか10回、日本の首相に触れた箇所はゼロだった。これに対し、全578ページのボルトン回顧録では、日本への言及が153回、安倍晋三首相が157回ある。さらに、谷内正太郎・日本版NSC局長への言及も21回に上った」

――それって、どういうことなんでしょう。

　この記事を書かれたキヤノングローバル戦略研究所の宮家邦彦さんは、「ボルトンが語ることが事実だとすれば」と断りを入れた上で、ボルトンが詳細に本書のなかで語っている外交交渉の舞台裏を読むにつけ、2013年の「NSC」（国家安全保障会議）設置以降、「日本の外交政策の質と量と影響力が、一昔前に比べ、文字通り飛躍的に向上していることが分かる」と評価しています。

――へえ。そうなんですね。

　ただ、別の話もあります。ボルトンは本書のなかで、韓国の文大統領の北朝鮮観を「スキゾフレニク」と呼んで韓国国民の反感を買ったそうですが、安倍総理のイランに対する態度も同様に「スキゾフレニク」と評してもいるそうです。これをどう取るかはうかつには言えませんし、相手の言いなりになるばかりが外交ではないでしょうから、批判されたからといって、大きく取り上げることもないのかもしれません。いずれにせよボルトンは、安倍首相が粘り強くストイックな姿勢でトランプ大統領と相対してきたことを最大限に評価しています。

――とはいえ、拉致問題や北方領土問題といった分野でのゲインはなかったとの評価もありますね。

　ボルトンの寄稿文を読む限り、アメリカのアジアにおける最大の関心は中国の影響力をいかに中立化するかにありましたから、ワシントンが提唱し、近年アジアの地政学において重要な概念となっている「自由で開かれたインド太平洋[※3]」というイニシアティブにおいて安倍首相が「真の創始者」であったこと、そして日本、インド、オーストラリア、アメリカの連携における重要なアクターだったことを何よりも褒めています。

※1　※2　※3

ボルトンはさらにこうも書いています。

「中国の経済的、政治的、軍事的野心に対して、アメリカとその同盟諸国は数十年にわたって北京政府の狙いを見過ごしてきてしまった。それに対抗する戦略は一夜でできるものではないが、とはいえ対抗戦略が早急に必要でもあることを、安倍はよく理解していた」

――経済のみならず、次世代テクノロジーの分野における中国の世界覇権への野望については、この連載でも度々出てきましたが、世界の地政学がダイナミックに書き換えられようとしているなかで、拉致や北方領土といった積年の問題をどう外交戦略のなかに位置付けるのかは難しそうですね。

そうでしょうね。

――一方で、安倍首相の功績は経済政策にあったともよくいわれますが、これに関しても株価をもって成功だとする人がいる一方で、経済成長率や生産性の低さをもって失敗とする向きもあります。

ここは私の最も苦手な領域ですので、アベノミクスといわれる施策の評価は専門家におまかせしたいのですが、今回の〈Field Guides〉がまさに「新しいバブル」というお題ですので、まずは経済の指標としての株価というものについて考えてみたいと思います。

――いいですね。

今回の〈Field Guides〉は、コロナ禍を受けて経済が大打撃を受け、多くのアメリカ国民が経済的な不安を感じているなか、個人向けの投資、いわゆる「リテール・トレーディング」が大ブームになっていることを受けての特集となっています。実際、経済はこれだけ打撃を受けているにもかかわらず、株式市場は一時急落はしたものの以後持ち直し、なんなら活況を呈している状況がありまして、実感と株価のそうした乖離が、多くの人にとって腑に落ちなかったりするわけですね。

――その気持ち悪さはありますね。なんか世の中大変な感じがするのに株価は下がってないから平気だって言われると「実際どうなの?」と思ってしまいます。これはアベノミクスというもののいわく言いがたい腹落ちのしなさとも関わりそうです。

これは何も日本だけではなさそうでして、新型コロナで大変なことになっているのに、なぜか株価が上がっているという状況を受けて経済学者のポール・クルーグマンが「The New York Times」にオピニオンを寄せていましたが、タイトルは「経済崩壊、株価急騰：いったい何が起きてる？[※4]」（Crashing Economy, Rising Stocks: What's Going On?）というものでした。

――面白そう。

そのなかで、彼は強くこう主張しています。

「株価をもって経済を語るとき、3つのルールを覚えておこう。一に、株式市場は経済ではない。二に、株式市場は経済ではない。三に、株式市場は経済ではない。

つまり、主に欲と恐怖の共振によって駆動される株式のパフォーマンスと、実際の経済成長の関係は、無関係か、あったとしても緩やかなものでしかない。1960年代に偉大なるエコノミスト、ポール・サミュエルソンは『株式市場は過去5回の景気後退を9回予想した』と皮肉った」

――ふむ。

この言説には、さまざまな反論もあるでしょうし、ここでも詳細な議論は専門家のみなさんにお譲りしたいのですが、現状アメリカで起きていることを見ていくと、クルーグマン先生がおっしゃっている話に、さまざまな襞を与えることができるようにも思います。

――はい。

まず、いまアメリカで起きている株式ブームをドライブしているのは「仲買アプリ」というものでして、一般の人たちがアプリをダウンロードすれば簡単に株の売買が始められるそうです。なかでも人気なのは「Robinhood」「Charles Schwab」といったアプリで、「個人向け投資ブームはいかに米国株式市場を揺るがしているか[※5]」（How the retail trading boom is shaking up the US stock market）によれば、ロックダウン以降、「Charles Schwab」「Interactive Brokers」「TD Ameritrade」といったトレーダー

※4

※5

アプリは100万人以上の新規ユーザーを獲得しているほか、最も人気の「Robinhood」は2020年に入って300万人顧客を増やし、総計で1300万人のユーザーを抱えているとされています。

——すごいですね。

こうした一般投資家の大量の流入は、まだ機関投資家を凌駕するには至っていませんが、NASDAQのチーフエコノミストによれば「迫ってはいる」とされています。

この一般投資家の急激な増大の背景には、「スポーツ賭博を楽しんでいた人たちがロックダウンのスポーツ中止を受けて株式市場に流入している」という仮説もあるそうですが、実際にはコロナ期間中に急激に起きたことではなく、スマートフォンの普及につれて長い時間をかけて積み上がってきた状況なのだと、デジタルウォレット提供者に向けて仲買サービスを提供する「DriveWealth」のCEOは語っています。さらにそこにインドやオーストラリアのサービス事業者が参入してきたことで、一般投資家がグローバル化しつつあるのだとも語られています。

——株式市場の民主化ですね。

「Robinhood」は、まさに「みんなのための投資」(Investing for Everyone)がタグラインとなっています。さらにキャッチコピーを見ると「ロビンフッド、手数料ゼロ投資のパイオニア、あなたのお金をもっと働かせる方法を増やします」と書かれています。

——みんなが銀行に貯め込んでしまい、お金が動かないことに日本政府は苦慮しているとも聞きますが、スマホベースでどんどん投資して、どんどん資産を増やしていこうというわけですね。

それ自体は悪いことではないと思いますし、手軽にAppleやTeslaの株を買えたりするのは楽しそうです。これだけ先行きの不透明な時代になれば、こうした自衛的な資産運用も世の中をサバイブしていく上では必要なようにも思うのですが、その一方で、今回の〈Field Guides〉で盛んに懸念が表明されているのは、こうした動きが再びバブルを生み出すのではないかということです。その懸念が現実にならないよう、「そもそもバブルはいかに起きるのか」という問題にかなりの分量が割かれています。

――これまた面白そうです。

面白そうではあるのですが、そもそもバブルがなぜ起きるのかという問いには、実際のところ「これ」という明確な答えがないんですね。「ホルモン、政治、テクノロジーがグローバル株式市場のバブルを煽る※6」(Inside the hormones, politics, and technology fueling a global stock market bubble) と題された長文記事は、バブル発生の原理を、まず神経科学の観点から、テストステロンホルモンの過剰分泌によって説明しています。

――あはは。そこですか。

はい。冗談のようですが、かなり真剣に議論されていまして、「『根拠なき熱狂』を生み出す分子」であるテストステロンの分泌を詳細に迫っている教授の研究が紹介されています。ケンブリッジ大学のジョン・コーツという先生で、『トレーダーの生理学※7』(The Hour between Dog and Wolf) という本は日本でも翻訳されていまして、こんな宣伝文句がつけられています。

「トレーダーや投機家たちの脳と身体の関係から、バブルが発生し、経済恐慌が起こるとしたら…。そして、ホルモンの濃度を調べることで、今日、利益をあげるかどうかを予測できるとしたら…。大儲けにつながる勘を強化できるとしたら…。あなたは生理学をどう活用する? (中略) 金融と生理学の新たな領域を紹介する、刺激的な一冊」

――面白そうですね。

もちろん、生理学・神経科学はあくまでもひとつの視点で、記事ではこのほかに、政府の失政がバブルを招くとする見解も紹介されていますし、その価値や市場性を特定するのが困難な新奇のテクノロジーがバブルを誘引するといった説も紹介されています。

――なるほど。

そうしたなかで非常に面白い視点を授けてくれるのは、先ほど引いた「根拠なき熱狂」ということばを世に提出したノーベル経済学者のロバート・シラーです。

※6 ※7

――10年ほど前に話題になった『アニマルスピリット※8』の人ですね。

はい。今回の〈Field Guides〉に含まれてはいないのですが、シラー教授は2017年に「Quartz」のインタビュー※9を受けていまして、そのなかで「バブル」というものについて、「誰かがうまいストーリーを思いついて、その物語の布教に成功すれば、どでかいことが起きる」とシンプルに語っていまして、そのいい例が「ビットコイン」だと言っています。

――ノーベル経済学賞受賞者とは思えない、拍子抜けするような説明ですね（笑）。

ビットコインは「サトシナカモト」という未だ特定されていない謎の人物に起源があったり、国家によってコントロールされないといった「物語」がやはり強力に人を惹きつけるんですね。かつてそれがリーマンショックの影響下にあった人びとの「不安＝Angst」に強く働きかけたとシラー教授は説明しています。そして教授は、ビットコインの事例を出したあとに、トランプ大統領についても語っています。

――ほお。

「彼の支配力には素晴らしいものがある。オーディエンスが何に駆られているのかを聞き分け、そこにある物語を把握する能力において、彼は天才だと思う。加えて、デジタル化され国際化した社会において私たちが潜在的に感じている所在なさや不安を的確に把握している。彼は、その『不安』に働きかけながら、有権者であるあなたがこの新しい世界で成功するための物語を提供する。トランプの物語が人気なのは、だからだ。それは思考の感染症といってもいい」

――なんかすごいところにきました。バブルの話がインフォデミックの話につながるという。

面白いですよね。このインタビューのなかでシラー教授は、何度か「バイラル」という語を使いつつ、陰謀論のようなエクストリームで狂ったナラティブこそがバブルを引き起こすのだと語っています。多様な論点がアクロバティックに錯綜する非常に面白いコメントですので引用しておきますね。

「トランプの語る物語は狂った物語で、それがバブルをドライブさせる。とはいえ彼の言うことは、口には出さないけれど多くの人が思っている事柄だったりする。トランプはまた、富や裕福であることを正当化する。私たちが金持ちを蔑んでいたのはついこの間のことだ。私たちの大統領は億万長者だ。そしてそれが歓迎されている。みんな金持ちになれる。トランプの物語はビットコインに限らずあらゆるバブルを着火しうる。そして実際ハウジングのバブルや株式市場のバブルがいま発生しつつあるように見える」

――2017年のインタビューということは、トランプ氏が大統領に就任した直後ですね。

はい。

――面白いですね。

シラー教授の話を現在につなげますと、トランプというそれ自体がバブルである大統領によってバブルの機運が2017年の時点ですでに形成されていたのが、2020年にいたってパンデミックとインフォデミックに世界が見舞われたことで、新たなバブルの危険が迫りつつある、と、こういうわけですね。

――コロナ下のアメリカの混沌を思い起こしながらその話を聞くと、「根拠なき熱狂」という言葉がさらにヤバいものに聞こえます。

アメリカの株式市場は、2009~2014年にかけて3倍にまで急騰したそうですが、リーマンショックから立ち直れなかった人たちの、そのときに勝ち馬に乗れなかった恨みはまだくすぶっているそうで、それがいま「パンデミックは買い時」というナラティブにさらに拍車をかけているようです。前出の「ホルモン、政治、テクノロジーがグローバル株式市場のバブルを煽る」には「隣人が金持ちになることほどの悔しさはない」ということばが紹介されています。

――そうした感情がさらにテストステロンホルモンの分泌を増大させると。

先ほど紹介したケンブリッジ大学のコーツ先生によれば、テストステロンホルモンは、血液により

※9 ※8

多くの酸素を運ぶ作用があることから筋力も増大するそうです。ですから、テストステロンホルモンが出ているときには多幸感や「オムニポテンス」が増大し、自信に満ち、恐怖心もなくなるそうです。

――オムニポテンス？

「全能」という意味ですね。「不能」あるいは「無力・無気力」を意味する「インポテンス」の対義語です。

――なんだか、やたらとマッチョですね。映画『ウルフ・オブ・ウォールストリート』を思い出します。

実際、女性のテストステロンホルモンは男性の10〜20％ほどだそうで、男性も20歳前後をピークに年々減っていくそうなのですが、コーツ先生は、であればこそバブルを抑制するためにも、株式市場におけるダイバーシティは重要だとおっしゃっていまして、女性や高齢男性の存在がバブルの抑止力になると論じています。

――80年代末における日本のバブルも、やたらとマッチョだった印象があります。

コーツ先生のインタビューを掲載した記事「ロビンフッドをやっているときにあなたの脳で起きていること[※10]」（This is your brain on Robinhood）は、昨今の仲買アプリがアテンションエコノミーの手法を投入してゲームやソーシャルメディアのように依存性を高めることを意図的にやっていると指摘しています。こうした技術の高度化は、そうしたマッチョ性をさらに昂進させてしまいそうで危険な匂いがしますね。

――トランプというバブルは、ソーシャルメディアによって創出されたところもありますし。

「Robinhood」のようなアプリによってもたらされる「株式市場の民主化」は、それ自体は意味のあるものでしょうし、それがコーツ先生の言うように市場にダイバーシティをもたらすことにもつながるのでしょうけれど、その一方で、市場の「バイラルエコノミー性」が増大していくことになると収拾がつかなくなるようにも思えます。しかも、そうした傾向をトランプ大統領のようなリーダーが煽っていけば、株式市場自体がインフォデミック化するようなことも起きかねませんよね。

――怖いですね。

「ホルモン、政治、テクノロジーがグローバル株式市場のバブルを煽る」は、記事をこんな文章で締めています。

「パンデミックは目が飛び出るほどの巨額の負債を政府にもたらし、政府は最も手頃なやり方で、そこからの脱却を目指すだろう。COVID-19の蔓延はテック企業のハイプを増大させた。スマホによって株取引のハードルはかつてないほど下がっている。こうした事態は過去数世紀にわたるバブルの歴史の教訓を生かす必要性を示唆している。手遅れになる前にブレーキを踏むべきだ」

――ソーシャルメディアをはじめとするデジタルアプリの来し方を見ていると、ブレーキを踏むのも簡単ではなさそうですけどね。

パンデミック下における情報汚染のありようを見ていると、もはや打つ手がないほどに「アウト・オブ・コントロール」になっているように見えます。情報空間で起きているこの混乱が、株式市場に襲いかかるとなったら、これはおおごとでしょうね。

――お金が関わる分、「いいね！」するよりも、少しは慎重になりそうにも思えますが。

いいや、むしろお金がかかっている分、余計理性を失うのかもしれません。

――困ったもんですね。

ちなみに今回の特集にはブックガイドがついてまして、株式市場とバブルの関係を理解するための本4冊が紹介されていますので、最後にそちらを挙げておきましょう。

――いいですね。

まず、ロバート・シラー教授の『投機バブル 根拠なき熱狂：アメリカ株式市場、暴落の必然※11』(Irrational Exuberance)と、最新著書の『Narrative Economics: How Stories Go Viral and Drive Major Economic Events※12』が挙げられています。後者が、先ほどお話し

※10 ※11 ※12

した「物語」と「経済」の関係を扱った本のようです。

——サブタイトルに「バイラル」って言葉がありますね。

はい。次いで、リチャード・セイラーの『Nudge』。日本では『実践 行動経済学：健康、富、幸福への聡明な選択[13]』のタイトルで翻訳されています。そして、先ほど紹介しました、ジョン・コーツの『トレーダーの生理学』。

最後にウィリアム・クインとジョン・ターナーが、歴史上のバブルを18世紀のパリ・ロンドンから80年代の東京、90年代のシリコンバレー、2000年代の上海まで追跡し分析した『Boom and Bust: A Global History of Financial Bubbles[14]』で、これはこの8月に出版されたばかりの本です。

——面白そうです。

このほか、この「投資とバブルの最新情報を学ぶ本、ジャーナリスト、学者たち[15]」(The best books, journalists, and academics for keeping up with bubbles and trading) には、株式市場やバブルといった領域で注目しておくべきジャーナリストや研究者が紹介されていますので、チェックしていただくといいかもしれません。

※13 ※14 ※15

Field Guides を読む #20

The next bubble

Sep. 6, 2020

https://qz.com/guide/next-bubble/

◉個人向け投資ブームはいかに米国株式市場を揺るがしているか
How the retail trading boom is shaking up the US stock market

◉ホルモン、政治、テクノロジーがグローバル株式市場のバブルを煽る
Inside the hormones, politics and technology fueling a global stock market bubble

◉ロビンフッドをやっているときにあなたの脳で起きていること
This is your brain on Robinhood

◉史上最大級の巨額詐欺事件の黒幕バーニー・メイドフは、いかに米国の投資ブームを引き起こしたか
How Ponzi mastermind Bernie Madoff enabled the US retail trading boom

◉投資とバブルの最新情報を学ぶ本、ジャーナリスト、学者たち
The best books, journalists, and academics for keeping up with bubbles and trading

#21

Decision making

September 13

意思決定のパラドクス

世界が複雑化し、予測不能性が高まっているなか
より合理的で、より精緻な予測に基づいた
意思決定が求められている一方で
意思決定の合理性が高まれば高まった分だけ
人間の弱さが浮き彫りになっていくというのは
いま、意思決定を担う多くのリーダーが
おそらく直面している
面白いパラドクスなのではないかと思います。

――つい昨日、さるメディアに若林さんが編集されたムック『次世代ガバメント』が取り上げられていましたね。

そうみたいですね。

――なんでも菅総理候補が提唱した「デジタル庁」のアイデアが、この本にルーツがある[※1]という内容だそうで。

みたいですね。

――すごいじゃないですか。

そうですか？

――あれ。嬉しくもない、と。

どうでしょうね。本当に読まれたのかどうかもわかりませんし、自分が一番伝わってほしいと思っていたところが届いているのかもわかりませんから。都合のいいところだけ取り出されて拡張されても、こちらはいい迷惑ですし。

――それはそうですよね。

菅さんという方が「自助・共助・公助」みたいなことをおっしゃったときに、少しイヤな予感はしたんです。というのも『次世代ガバメント』というムックは、「公助」が弱体化したときに人の生活や社会を守るためには、「自助」「共助」の仕組みを社会のなかにおいて強化する必要があり、そのとき「公助」はそれを下支えする一種のプラットフォーム的な役割となり、その仕組み全体をデジタル技術によって強化することができるといった主旨の本なのですが、この骨子だけを理解をしたとしても、それで即バラ色の未来がもたらされるような話でないことは明らかですから。

――そうなんですね。

ムックのなかでも書いていますが、こうした社会像をいち早く提出したのは英国のキャメロン首相でした。

——へぇ。

「ビッグ・ソサエティ」というコンセプトを打ち出してキャメロン首相は当選したんですが、そのコンセプトの要点はこのようなものです。

・コミュニティに権限を与える：ローカリズムと権限移譲
・コミュニティ内で市民がアクティブな役割を担うよう後押しする：主体的参加
・中央から地方政府への権限移譲
・生活共同組合、相互会社、慈善団体や社会企業を支援
・行政情報の公開：オープンで透明なガバメント

——なるほど、とは思いますが。

ところが、これは英国ではすこぶる評判の悪いコンセプトでして、当時の国民の57％がこの施策を「公共事業を削減するための口実にすぎない」と考えたとされていますし、当時の労働党党首だったエド・ミリバンドは、「市民社会の再興という美辞麗句を用いて、コストカットを正当化しようとするシニカルな試み」「仮面をかぶった小さい政府」とバッサリ切り捨てています。あるいは「キャメロンが考える理想の社会は、国家というものが存在しないソマリアのようなものらしい」と揶揄されたりもしました。

——なるほど。たしかにそうですね。菅さんの「自助・共助・公助」に対しても同じような批判が出ています。

とはいえ、おそらくこれからの国家は、どの国であれ財政が悪化していくばかりになることは目に見えていますし、簡単に増税できるわけでもないとなれば、ビジネスセクター、シビックセクターのなかに公共的なものを埋め込んでいかなければ社会を持続できなくなるだろうという見立てはその通りだとも思います。

かつ市民のなかにも、それを受け入れようという機運はあって、それこそ菅さんという方のお気に入りとされている「ふるさと納税」のような施策は、市民の「共助」の機運に支えられたものだと思いますが、とはいえ、「オレらもう無理なんで、あとはよろしく」と

※1

一方的に「公助」を手放されても、それはそれで「おいおい、ちょっと待て」となります。

——そりゃそうですね。

そもそもデジタルテクノロジーを最大限に活用したガバメントというものは、そのアイデア自体のなかにプライバシーなどの大きな問題を孕んでいるわけですから、政治や行政のいままでのマインドセットや仕組みのなかでそれを実装したらブラックボックス化がいっそう進み、独裁性が強まるのは火を見るより明らかなんです。

——ふむ。

それでも「デジタル庁」をおっしゃりたいのであれば、それを実現する上で一番重要なファクターである「信頼」というものを、よくよく考えていただきたいと願わずにはいられません。

——「信頼」ですか。

デジタルテクノロジーはデータというものを通して人を丸裸にしていってしまうものです。あたりまえのことですが、丸裸にされて嬉しい人はいませんよね。

——たしかに。

「なぜ自分たちだけが丸裸にされなきゃいけないんだ」と当然思いますよね。

——はい。

そういう仕組みのなかでできるだけ公正性を担保し、行政府によってこちらが丸裸にされている状況をブレイクイーブンにしようとするのであれば、反対にこちらからも行政府を丸裸にできる環境にするしかありません。もちろん外交や安全保障など例外的な領域はありうるとは思いますが、デジタルガバメントの基本的な考え方は、まず第一に行政府側の「透明性」を実現するということで、台湾のIT担当大臣のオードリー・タンさんは、それを「ラジカルな透明性」と呼んでいます。実際彼女が出席した会議やインタビューはすべて内容がパブリックにされる前提になっています。

——そうなんですね。

これはオードリーさんのことばですが、デジタル民主主義における最も重要な原理のひとつは「transparency by default」、つまり「透明がデフォルト」ということです。これがまず「信頼」の最もベーシックな前提条件となります。

――オードリーさんは、それをよくおっしゃっていますよね。

加えて「accountability」つまり「説明責任」も重要です。デジタル民主主義は行政府と市民のお互いの「信頼」がないところでは成立しないというのが基礎的な原理でして、民主主義国家において行政DXと不断の信頼構築とは不可分のものです。

――「都合のいいところだけ取り出されてもな」というのは、その辺のことですね。

デジタル庁をおっしゃっているたかつての政権はといえば、議事録もロクに残さないどころか、平気で公文書を破棄したり改竄したりしてきたとされているわけですし、デジタル庁をおっしゃっているその方も、ろくに説明責任を果たさず、率先してメディアを恫喝したりしてきたともいわれています。さらにいえば首相を争う段でも、昭和型のブラックボックススタイルを踏襲されているわけですから、デジタル政府において不可欠であるところの「透明性」や「説明責任」というものをどう考えているのか、いささか首を傾げたくもなるわけです。

――「DX」の本義をわかっていない、と。

昭和のマインドセットでデジタル化を進めてもロクなことにならないのは明らかです。新しい時代環境に適合すべく国民に「変わる」ことを強要するのであれば、まずは自分から率先して変わるのが筋ですよね。次に首相になる方や、そのそばにいらっしゃる閣僚、官僚のみなさまが「DX、DX」を言い募るつもりなら、自ら範を垂れてもらわなくては国民もついていきません。

――DXを推進しなきゃいけない担当大臣や経済界のトップが、パソコンもろくに使えないとか、ありえないですよね。

自分が変わる気もない人に「変われ」と言われてもね、ということですね。そんな簡単な機微もわからなくなっているのだとしたら、政治家も官僚も相当浮世離れしています。うらやましいくらいです。

——ほんとですね。

今回の〈Field Guides〉は「Decision making」、つまり「意思決定」を扱った特集ですが、非常に面白いものであるだけでなく、コロナ対応における各国元首の「意思決定」を念頭におきながら読むといっそう示唆に富んでいます。

——つい先日、コロナの専門会議の議事録が、要約とはいえ平均10行しかなく、かつ「意思決定者」の発言も一切なかった[※2]ことを「毎日新聞」が指摘していましたが、一連のコロナ施策における「意思決定」の合理性のなさと不透明さときたら呆れるほどでした。

——はあ。

今回の〈Field Guides〉で一番長尺でメインの記事ともいえる「ビデオゲーム研究が、より良い意思決定者について教えてくれること[※3]」(What a study of video games can tell us about being better decision makers)は、コロナの話から始まっていまして、しかも、安倍内閣の「意思決定」における象徴的な政策ともいえる「学校封鎖」をめぐる話題からスタートしています。

——いいですね。

といっても、これは施策の是非を扱った記事ではなく、「スーパーフォアキャスター」(superforecaster)と呼ばれる、未来予測のプロをめぐる話です。

——はあ。

今回の〈Field Guides〉に通底する問いは「よい意思決定のためには精度の高い予測が必要だが、精度の高い予測を常に人間の『認知バイアス』が妨げている。とするなら、そうしたバイアスに陥ることなくより精度の高い予測を可能にするにはどうするべきか?」というもので、この記事では、「IARPA」という組織が主宰する「FOCUS」(Forecasting Counterfactuals in Uncontrolled Settings)というプロジェクトが紹介されています。

――なかなか物々しいですね。

そうなんです。記事を読んでまず驚くのは、その物々しさなんです。「IARPA」は「DARPA」の姉妹組織で、正式名称を「The Intelligence Advanced Research Projects Activity」といいます。CIAやFBIといった諜報コミュニティのためのリサーチを行う国家情報局長官室の一部門だそうです。

――へえ。

国家的な意思決定を行うための「情報の取り扱い」を専門とする研究機関で、この「FOCUS」というプロジェクトは「制御できない環境下における反事実の予測」をテーマに研究を行っています。ここでいう「反事実＝Counterfactuals」というのは、簡単に言いますと「もし、あれがこうなっていたとしたら、現実はどう違っていただろう？」と考えるときの『もし』の先にあるシナリオ」のことだと思っていただくとよさそうです。

――「意思決定」をめぐる研究を国家諜報組織で行っているというわけですね。

はい。記事で紹介されているエレイン・リッチさんという研究者は、まさに「学校を閉鎖しなかったとしたら何が起きていただろう？」という質問に答えることで、「学校封鎖がどれだけ感染封じ込めに有効だったのか」に答えを与えようとしています。

――すごいですね。

これはあくまでもリサーチで、彼女が実際の政策立案に関与するわけではありません。ここでは統計モデルなどを用いたシミュレーションを行うわけですが、このリサーチのなかで「Civilization V」というゲームを使って、より良い「意思決定」のプロセスをモデル化しています。この辺も非常に面白い話なのですが、記事が注目しているのは、むしろ、このプロジェクトを主導しているエレイン・リッチさんの思考プロセスそのものです。

――彼女が、さっきおっしゃった「スーパーフォアキャスター」なんですね。

※3

※2

そうなんです。彼女は、2008年の米大統領選の予測で一躍有名になったネイト・シルバーの予測技術に興味をもち、「The Good Judgement Project」というプロジェクトに参加したことで予測の才能を見出されて「FOCUS」に参加したのですが、記事のなかで自分自身でも語っているように、実はなんの専門家でもないんです。

——そうなんですね。

記事には「引退した薬剤師」と紹介されていますから、おそらく若くもなさそうです。ただの一市民です。そもそも、いま挙げた「The Good Judgement Project」は「一般人の予測が専門家の分析に勝るかどうか」を研究してきたペンシルバニア大学の心理学の教授が始めたもので、エレンさんは、そこで非常に優秀な予測能力を発揮したといいます。

——面白いですね。コロナ対応のなかでは、「専門家会議」なるものが非常に権威あるものとして位置付けられていて、そのなかで「政府が専門家会議の意見をちゃんと聞いていないんじゃないか」といった批判はありましたが、「専門家の予測は一般人の予測よりマシなのか？」という問いは、さすがになかったですね。

ここで重要なのは、「予測」というもの自体が、特殊なものごとの見方を要求するということで、「専門家」と呼ばれる人はデータを取り出してそれを解析することはできても、そこから「何が起きるか」を予測するプロでも達人でもないということです。

——めちゃ面白いです。とすると、エレインさんは何の達人なんですかね？

彼女のみならず「The Good Judgement Project」で高い能力を発揮した人たちに共通しているのは、次の点だと記事は書いています。

- 数字を読む能力が高い
- 「外からの視点」を常に考慮する
- 思考がオープンである
- 自分の視点への反証を常に探す
- ひとつの理論に依拠せず、複数の競合する理論を見渡す

――なるほど。たしかに、これは「専門家」には難しそうです。

ちなみに「外からの視点＝Outside View」という用語は、ノーベル賞を受賞した行動経済学者ダニエル・カーネマンの提唱した概念で、目の前にある問題と類似の構造をもった問題をさぐり当てる思考を指しているそうです。これと対置される「内なる視点＝Inside View」は、俗に「認知バイアス」と呼ばれるもので、詳しく知っていることほど自分が想定する結果通りになると思ってしまったり、好意的な判断を下してしまうことを指しています。

――自分が詳しい領域についてであればあるほど、それを相対化する視点はもちづらくなりますよね。

さらに記事は、専門家にありがちな問題として「ベストプラクティスを採用しない」という問題を挙げています。

――あるやり方にどうしてもこだわってしまうわけですね。

はい。ですから、精度の高い予測を行うためにはひとりでやるのはダメで、まずは複数の個人で予測を行ってから、それを全員でもち寄って検討し、そこからまた個人で予測をして、というプロセスを繰り返すことで予測の精度を上げていくそうです。このやり方は、冷戦下のアメリカの軍事戦略の立案と研究を行っていたランド研究所で開発された「デルファイ法」という手法をベースにしているそうです。

――それにしても、「予測」をめぐる研究っていうのは、国家レベルで昔から存在してきたものなんですね。改めてそのことに驚いてしまいます。

面白いですよね。「認知バイアス」ということばが出てきたところで、次の記事「意思決定の失敗を克服するためのツール※4」（Use this tool to overcome the biggest decision-making mistake）に移りたいと思いますが、いわゆる認知バイアスを引き起こす最大の要因は、まず「自信過剰＝overconfidence」で、これこそが「バイアスの母」であると記事は書いています。

――それはなんとなくわかります。

さらに、自信過剰のなかでも

※4

「overaccurate」であることが、とりわけ問題だとされていまして、これは「自分が知っていることについては、無駄に正確性にこだわってしまう」傾向を指します。この傾向を測るためのテストが記事内に用意されているのですが、これも非常に面白いです。

——どういうものですか。

「Facebookの創業年は？」「Amazonの株の1月の価格は？」といった質問が5つ出てきて、最初の質問であれば「何年〜何年の間」、2つ目であれば「何ドル〜何ドルの間」といった答え方をするのですが、ここでのお題は「正確に当てろ」ではなく、「5つの質問のうちきっかり4つが正解になるように答えろ」となっています。

——面白い。Facebookの創業年が見当つかない人は、1900年から2020年の間とでも答えておけばいい、ということですね。

はい。ただ、5問全部正解してはダメなので、ここが難しいところです。私も最初試したときは、ちゃんとお題を読まなかったので、正確に当てることにムキになってしまい2問しか正解しなかったのですが、「きっかり4問正解しろ」となると、まったく違うアタマの使い方をしなくてはならなくなるんですね。面白いのは、問いが出されるとついムキになって正解を出そうとしてしまうことで、しかも多くの場合狭いレンジで答えようとしてしまうところです。

カリフォルニア大学のドン・ムーア教授は、「人は自分が知っていること以上の知識をもっていると思いたがる」という傾向を、この調査を通じて明かしています。

——つまりオーバーコンフィデントかつオーバーアキュレートである、と。

こうした認知上の傾向は、個人レベルでは大きな問題にならなかったとしても、企業や、まして国家の運営に関わる組織の「意思決定」においては、重大な問題を引き起こすことになります。

——たしかに。どうしたらいいんですかね。

記事には、まずこう書かれています。

「自分の自信に見合うように自分

の知識レベルを上げる努力は役に立たない」。

――え。そうなんですね。

ムーア教授は、これをきっぱり否定していまして、専門知識が増えていくにしたがって過信も増大すると語っています。

より良い意思決定をするために自分の知識を増やすのは逆効果で、教授はむしろ、まずやるべきは、できるだけ具体的に物事を語ったり理解していくことだとしています。「運転がうまい人」と誰かが言ったときに「運転がうまい」とはいったい何を指しているのかを明確にしていくということです。次いで「できるだけ数字にして言い表し、かつ確率として言い表していくこと」。そして最後に「何度も考えてみること」を推奨しています。自分の頭のなかで何度も意見を戦わせるということですね。

――ふむ。難しそうな難しくなさそうな。ただ、何かを決定するような議論をしたり考えたりする際に、いちいち「それは何パーセントくらいの確率で起きるだろう？」などとは、あまり考えないですね。

「あなたの意思決定プロセスを改善する方法[※5]」（How to improve your decision-making process）という記事では、意思決定の精度をあげるための6つのステップが紹介されていますが、ここで面白いのは、私たちの意思決定の大半は、「最良の選択」を選び取るところではなく「十分な選択＝Good Enough」に向けられているという点かと思います。

――「これで十分だろ」っていう選び方ですよね。あるあるですね。

できるだけ「最良」を目指すためには、次の6つをちゃんと実行することが大事だとされています。

1. 問題を定義する
2. 判断基準を設定する
3. 判断基準に優先順位をつける
4. オルタナティブな可能性をどんどん出す
5. それぞれのオルタナティブを順位づけする
6. 最適な決断を選ぶ

※5

——「最適な決断を選ぶ」ってそりゃそうだですが、そこが難しいのではなかったでしたっけ？

そうなんですが、そこにいたるまでの順位づけのなかで、選択はだいぶ狭まっていますので、ある程度の目鼻立ちはついているはずです。かつ、最後のステップでは、必ず「その決断が失敗したときに、その理由を人にどう説明するか」を考えることも勧めています。そうすることで最終判断の脆弱な部分が明らかになり、それが見えると、そこを強化することが可能になるわけです。最終判断をする前にうまくいかないときのシナリオをあらゆる角度から検証することを絶対に欠かすな、と記事は書いています。

また、「感情は極めて重要な情報だ」とも記事は言っています。「なんかしっくりこない」といった感覚・感情は、「何か見落としていることがある」可能性を示唆しているので、そうした感情を見落とさないように注意しています。

——それでも思い描いていた予測は、だいたい外れますよね。

予測は必ずしも思い通りにはいきませんし、あとで「もし、こうしていたら、結果は違っていたはずだ」という思いに苛まれることにもなります。そうした「後悔」は、その後の意思決定に重大な影響を与えます。

——後悔、したくないですね。

「後悔はなぜ痛ましく、それでいて必要なものなのか[※6]」(Why regret hurts so much—and why it's good for us) という記事は、「後悔」と「意思決定」の関係性についての、これまた非常に面白い記事です。

記事のポイントをいくつか紹介しますと、まず、後悔には「やったことに対する後悔」と「やらなかったことに対する後悔」の2種類があるとされています。

「やったことに対する後悔」はまだ自己正当化がしやすく、少なくとも何かは「やった」ことがいずれ自己肯定感へとつながりますが、「やらなかった後悔」は自分を正当化するのが難しく、自分を責め続けることになるという点で、より乗り越えるのが困難だと記事は書いています。

——身につまされますね。

ただ、キルケゴールという哲学者は、「結婚しても後悔するし、しなくても後悔する。どっちにせよ後悔する」と言ったそうで、後悔という感情は、結局のところ人生は一度しかないという事実につながっているものだと記事は解説しています。つまり、人生のあらゆる出来事は、時間を巻き戻してもう一度やり直すことはできませんし、A／Bテストをやってから選択することもできません。

――ですね。

であればこそ、後悔は不可避のものですが、後悔の感情が作動している限りにおいて、人は過去を精査・分析して、そこから何かを得ようとしているわけですから、その意味では後悔という感情は極めて人間的なものであり、ポジティブなものだとも言えます。

――たしかに。

記事は、こんな素敵な文章で閉じられています。

「後悔のない人生を歩むことが重要なのではない。後悔をもつことで自分を憎むようにならないことが重要なのだ」

――いいですね。

「意思決定」の話からだいぶ遠くまで来てしまいましたが、意思決定というものの難しさは、こう見ていくと、どうやら人間の弱さに関わっているのかもしれません。

――認知バイアスから後悔まで、人間が人間であることのバイアスが、そこには大きく関与しているわけですもんね。

こうした研究が盛んに行われているのは、もちろん最終的には正確無比な予測を行うことを目指してのことではありますが、それが面白いのは、こうした研究が、結果として人間の弱さ、つまりは人間の人間らしさを明かしているように見えるところです。

――はい。

世界が複雑化し、予測不能性が高まっているなか、より合理的で、より精緻な予測に基づく意思決定が求められている一方で、意思決定の合理性が高まれば高まった分

※6

だけ人間の弱さが浮き彫りになっていくというのは、いま、意思決定を担う多くのリーダーがおそらく直面している面白いパラドクスなのではないかと思います。

——自信をもちすぎているやつはいい判断ができない、と研究が明かしているわけですしね。

そう考えると、いま求められる「意思決定者」の資質は、そうした人間の弱さに対して正直であることのように思えてきます。実際、コロナ対応で評価されたリーダーは、わからないことについてわからないと言えるような、そういう弱さをもってリードするような方たちでした。

——言われてみればそうかもしれません。

弱さに対して正直であるからこそエビデンスを重視しますし、弱さに対して正直であればこそ「もし～だったら」を最大限に考慮します。弱さに対して正直であればこそ決定にいたるまでの一連のプロセスもきちんとオープンにする。そういうやり方を取らざるを得なくなっているんですね。

——最初に話に出た「透明性」や「説明責任」には、そうした弱さもすべて明かすということが含まれているわけですね。

「俺が言うんだから間違いない」といったこれまでのマッチョな意思決定が決定的に世界のありようとズレてきているのを見るにつけ、未来は予測不能でわからないという前提に立ってベストな選択を選び取っていくという作業は、より謙虚さを要するタスクになっているように思います。そうした謙虚さをもって社会なり組織なりを導くためには、まずは、みなと同じ地平に立って、隠し立てすることなくオープンマインドをもって世界と相対することが不可欠なんでしょうね。

——わからないときはわからないと言われたほうが、かえって安心することもありますよね。わかったふりとか、やれているふりをされるのが一番不安になるわけで。

「信頼」とは要はそういうことですよね。信頼って弱さを分かち合うことじゃないですか。

——ほんとですね。日本の政治家にできますかね？

お年を召した方に、いまから「変われ」というのは、もはやすでに酷な話かもしれません。「変われ」と要求することは大事なことですが、それで実際に変わることは期待はしないほうがいいのかもしれませんね。

——残念な感じですね。

世代が移っていくなかで徐々に変わっていくと思いますよ。

Field Guidesを読む #21

Decision making

Sep. 13, 2020

https://qz.com/guide/decision-making/

◉ビデオゲーム研究が、より良い意思決定者について教えてくれること
What a study of video games can tell us about being better decision makers

◉意思決定の失敗を克服するためのツール
Use this tool to overcome the biggest decision-making mistake

◉すべての偏見の母：「過信」を克服するためツール
A tool to practice overcoming “the mother of all biases”: overconfidence

◉あなたの意思決定プロセスを改善する方法
How to improve your decision-making process

◉よりよい意思決定を助ける「キャリア形成」の質問
The “career-making” question that will help you make better decisions

◉後悔はなぜ痛ましく、それでいて必要なものなのか
Why regret hurts so much—and why it’s good for us

◉直観を鍛えることで、意思決定は改善される
Train your intuition to make better decisions

#22

The TV ad of the future

September 20

テレビコマーシャルの瀬戸際

クルマの広告に出ている木村拓哉さんが
いくら「やっちゃえ」と言ったところで
その会社が実際に「やる」ことにはなんの影響もありません。
広告はただのイメージであって
企業は、そこでは何の行動も約束していませんし
企業の実体性を何も表現していません。
ところがいま消費者が見ているのは
経営的な失敗を繰り返している会社の
行動そのものなわけです。

——おはようございます。今日は東京にいらっしゃらないそうですね。

そうなんです。出張で九州に来ています。

——この原稿はホテルで書いているんですか？

最近のホテルは部屋でタバコが吸えなかったりしますので、ホテルの喫煙室に籠っています。

——迷惑ですね。

だと思います。

——はかどります？

何年か前のお正月に「ニーズに死を」という、自分が書いたものとしてはよく読まれた記事がウェブに掲載されたことがあるのですが、その記事も実は旅先の温泉旅館の喫煙所で書いたのでした。

——喫煙所で書いたものは縁起がいい、と（笑）。

今回もよく読まれるといいのですが。

——今回は「テレビ広告」がお題です。

はい。まったく関係がないのですが、つい数日前でしょうか「美少女」としてなにかと取り上げられる香港のプロテスターの方のツイートが話題になりました。

——「閣僚が『トンカツ好き』とか、そういう情報って必要ですか？」という主旨のアグネス・チョウさんの投稿※1ですね。

はい。「トンカツ好き」といった情報は、「たしかにいらんね」と多くの方が思われたようで、賛同のリプライが数多く寄せられていましたが、そうしたリプライのなかに「人となりがわかると親近感が湧くから、そうしちゃうんでしょうね」といったコメントも一定数ありました。そうやって「好物はトンカツ」や「バスケ大好き」と言われれば「へえ、そうなんだ」と思ったりして、場合によっては親近感が湧くことはたしかにありますよね。

ただ、そうした指摘を読みながら気になったのは、そもそもなぜテレビ局や新聞社が、政治家の情報を提示する際に、その人の「人となり」や「親近感」に気を配らなくてはいけないのかという点です。

——どういうことでしょう?

仮にそれが選挙戦の最中で、政治家が有権者に自分の「人となり」を知ってもらい「親近感」をもってもらうようにあらゆる手を尽くすということでしたら、さほど気にはなりません。むしろ、それは当然でしょうし、そのために趣味や過去のクラブ活動や好きな食べ物からペットから家族の交友関係までを総動員したところで特にやましいこともないように感じます。自分のことを自分で宣伝しているだけですから。

——そうですね。

ところが、本人とは本質的に関係のないテレビ局や番組が、菅内閣の閣僚の「人となり」を伝えなくてはいけないと思っていたり、「親近感をもってもらう必要がある」と思っているとしたら、それはなんだか変ですよね。

——そこで紹介される「人となり」は、基本いいことばかりでしょうしね。「洗濯、掃除は一切せず、すべて妻に任せきり」といった「人となり」を伝えてくれるなら面白いですけど。

テレビ局や番組が自分たちの局や番組に「親近感をもってもらう」ためにさまざまな戦術を使うのは自分のことだからいいとして、なぜ、頼まれてもいないのに、わざわざ「他人の親近感」の向上を気にする必要があるのかは、考えてみてもさしたる合理性もありませんし、加えてオーディエンスとの間に「テレビというのは、テレビに出ている人に親近感をもってもらうようにするものだ」というコンセンサスができているのだとすると、それもまた、なんだか気味が悪いですよね。

※1

――なんでそんなことが起きるんですかね？

よくわかりませんが、可能性としてはふたつあるかと思っています。ひとつは「菅内閣の閣僚」は「他人」ではないという可能性です。

――今後何かとお世話になる方々だから、社交辞令でもいいから本人のいいところを紹介しておけ、と、そういうことですか？

このツイートを取り上げた毎日新聞の記事「新閣僚『人となり報道』は本当に必要か？　香港からの問いかけ[※2]」は、自紙を省みながら、こんなことを書いています。

「改めて、17日付の毎日新聞朝刊を開いてみた。中面に載っている菅内閣の閣僚と自民党幹部の記事を見ると、それぞれ冒頭から中盤は政治家としての経歴などが書いてあるが、終盤は『ゴルフは政界屈指の腕前』『同僚議員と組むバンドではボーカルを務める』といった『人となり』で締めるケースが多い。

このスタイルは、実は政治報道に限らない。記者が経済部所属時に、新社長を紹介するコラムもそうだった。最初は社長就任までに取り組んだ大きな事業やビジネス上の信条などについて書くが、最後の数行は流れを変え、趣味や家族構成で終える。記者自身、本当に必要な要素なのかを十分に考えることなく、『この手の記事はこういう様式だ』と思い込んでいた面も否めない」

――たしかに、これは問題ですね。

はい。「この手の記事はこういう様式だ」という規範が気づかぬうちに当たり前になっていたこと自体も問題なのですが、果たしていつから、なぜ、このような「様式」がはびこることになったのかも同じくらい問題だと思います。そこが、ふたつ目の可能性に関わります。

――はい。

と、偉そうに言ってはみたものの特段確証があるわけでもないのですが、テレビや新聞社においてこうした「様式化」が始まるのは、広告収益にビジネスを依存するようになっていったあたりからなのではないかという気がします。

——ほお。そうですか。

あくまでも勘です。ただ、「親近感をもってもらう」手法の様式化は「好感度」という指標の導入と関係がありそうな気がします。「好感度」というものは、そもそもがメディアの指標ではなく、広告代理店がクライアントに提出するための指標ですよね。テレビ側の指標でいえば、そこにあるべきは「面白いか・面白くないか」で、例えば横山やすしや勝新太郎といったスターは、間違いなくスターであったはずですが、「好感度」という指標の対象ではなかったように思います。

——たしかに（笑）。

もちろん、ある種のアウトローぶりが「支持」はされていたとは思いますが、CMで使うには、かなり高いハードルがあります。広告クライアントを説得するためには、テレビで「これだけ支持されている」だけではダメなんだと思うんです。「こういった人たちから、これだけの共感を引き出せます」という指標が必要で、それが「好感度」というもので、それはメディアのなかでの「支持」とは本来違うものだったはずです。

——ふむ。

メディアが自分たちのコンテンツを査定する指標と、広告の指標は別個に存在したはずだったのが、いつの間にか「好感度」という指標によって一元化されていったのではないかという気がしてなりません。

アグネスさんが指摘した「人となり」は、まさに「好感度」創出の様式であって、それをメディアが勝手に規範化していくことで、「好感度」が、政治家であれ、企業人であれ、スポーツ選手であれ、メディアに露出するあらゆる人を査定する指標になってしまったのではないでしょうか。ちなみに、いまあえて「露出」ということばを使いましたが、これも広告の用語であって、メディアサイドの人間は、自分たちのメディアに登場してもらうことを「露出」とは言いませんよね。

——広告の視点が幅を利かせることで、その人の本来の価値とは無関係な「好感度」という指標にメディア全体が最適化されていって

※2

しまったというわけですね。

そもそも芸能事務所は、ごく一部の大物を除いては、俳優やタレントがテレビや映画でいくら実績を積んでもさして出演料は上がらず、メディアで露出を稼いで知名度と好感度を上げることでCM契約料を釣り上げていくビジネスモデルだと聞きますが、仮にそうだとすれば、主戦場のように見えているテレビや映画は、実はビジネス上のプライオリティが低く、実際は広告クライアントのための顔見世のようなものでしかないということにもなります。

――そのことをコンテンツをつくる側も出演する側も、そして消費する側も自明のこととして受け止めるようになってしまった、と。

「親近感」というものは大事で価値のあるものなのだと多くの人が認めているのはアグネスさんのツイートへのリプライを見ても明らかで、それは「広告目線」が社会全体に敷衍されてしまっていることの表れとも見えます。

――アメリカでよく言われるのは、トップの俳優はテレビCMには出ないということですね。

コンテンツが面白いから観ているお客さんがたくさんいて、そうであればこそ、コンテンツのついでに広告を観てもらう、という順番がそもそもだったはずで、アメリカにはまだそれを愚直に守ろうという意志があるということなのかもしれません。もっとも、それはあくまでも順序の問題で、だからといって広告が格下ということでは必ずしもなく、広告、映画、テレビはそれぞれが違う業界で、異なる経済性と基準があると理解されているということなのではないでしょうか。

――番組が先で広告は後、ということですね。

原則的にはそうなんだと思います。もっとも、それも微妙なところはありまして、例えば「ソープオペラ」ということばがありますよね。

――はい。いわゆる「昼メロ」のことですよね。

あれが、なぜ「ソープオペラ」と呼ばれるようになったかご存じですか？

――さあ。

これは今回の〈Field Guides〉のメイン記事の「テレビ広告を絶滅から救う方法※3」(How to save TV ads from extinction) の冒頭に書かれていることなのですが、50～60年代に、石鹸で有名だった生活用品の大手「Procter & Gamble」がスポンサーとなって主婦向けのドラマを数多く制作していたことから、そうした一連のメロドラマを「ソープオペラ」と呼ぶようになったそうです。

――へえ。いまで言うところのブランデッドコンテンツじゃないですか。

この場合は明らかに広告的な目的が先にありますが、それでも、広告が前に来れば来るほど視聴者は離れていくという点についてはアメリカのメディアは非常に気を使ってはいまして、その辺はもしかしたら日本よりも健全といえるかもしれません。

――そうなんですね。

「『シンプソンズ』『グレイズ・アナトミー』の尺はなぜ短くなり続けているのか※4」(Why TV shows like "The Simpsons" and "Grey's Anatomy" keep getting shorter) と題された記事は、『シンプソンズ』と『グレイズ・アナトミー』というふたつの長寿番組の放映時間の長さを「Quartz」の記者が検証してみた労作でして、それによると、１９８９年のスタート当初の『シンプソンズ』は1編の長さが23分だったのに対して、２０１７～18年の第29シーズンでは、21・3分に減っていると言います。

――広告のせいですか？

はい。テレビ局のＦＯＸは、こうした広告の過度な押し込みを反省するかたちで、２０１８年には「1時間あたりの広告を2分間削減する」方針を打ち出したと記事は書いています。

――番組が人気であればあるほど広告を出したいクライアントも増えるものの、広告を増やせば増やしただけ番組が損なわれてお客さんが離れていくことになる。これはたしかに難しいバランスですね。

※4

※3

もっともテレビ業界はそんな悠長なことを言っている場合でもなく、先ほどのソープオペラの逸話を紹介している記事「テレビ広告を絶滅から救う方法」は、デジタル化による視聴プラットフォームの分散化、それに伴う番組の断片化、若者のテレビ離れは、これまでのマス広告を無効化していると語っていますし、それに連れて広告に対する嫌悪はいっそう強まっているとしていますから、もはや広告をどうバランスするかといった話では済まなくなりつつあります。

「広告なし」を標榜しコンテンツ料のみで勝負しているNetflixが、２０２０年の年末にはサブスクライバーが2億人に到達するまでに成長していることの要因には、間違いなく視聴者の広告離れがあるといわれています。

——ですよね。

加えて、アメリカでも旧来型の「テレビ」—記事では「リニアテレビ」ということばを使っていますが—の視聴者の平均年齢は60歳を超えているそうで、こうしたことがさらにテレビ離れに拍車をかけているという深刻な問題もあります。ただ、その一方で記事には面白い数字も紹介されていまして、同じ広告予算をリニアテレビとデジタルメディアに投下した場合、広告効果は、リニアテレビのほうが4倍高いのだそうです。

——それはどう考えればいいですかね。

額面通りに理解するなら、大企業がマスに向けてキャンペーンを打つ上で、まだリニアテレビは有効だということですよね。ですからテレビ広告の需要も供給も、いますぐには消えてなくなりはしないだろうと記事は予測しています。

とはいえ、その一方で「リニアテレビはかつてＴＶビジネスの中心だったが、いまはより大きな全体の一部の戦略にすぎなくなっている」とも語っていますので、デジタルへの移行は不可避とも見られています。テレビ広告は有効ですが、主戦場はテレビではなくなるということですね。

さらに、デジタル空間における広告がリニアテレビの4分の1ほどしか効果を生まないという数字を、デジタル視聴者の広告嫌悪の強さの表れとして見れば、デジタルへの移行は広告ビジネスの縮小を招くことを意味します。デジタルへの移行は不可避だが、それにともなう減収も不可避、という状況です。

——日本だとそこで諦めて、「じゃあデジタルに移行するのをやめよう」となりそうなものですが（笑）、アメリカはきっとそうじゃないんでしょうね。

Warner MediaのADイノベーション部門のトップは、こう言っています。

「ストリーミングサービスへの移行を脅威とは考えてはいません。むしろそれは最大のチャンスです。未来に向けて上手に橋を架けなくてはなりません。リニアテレビは死ぬわけではなく、DtoCとストリーミングの文脈において再発明されるのです」

——さすがです（笑）。

これは会社全体の方針のようで、Warner Mediaはこうしたトランスフォーメーションに向けてリニアテレビ出身の役員を数人解雇したとされています。

——とはいえ、トランスフォーメーションの具体的な方策は、どういうものになるんですかね？

「NetflixにはCMがないが、それは広告がないことを意味しない※5」（Netflix doesn't have commercial breaks, but that doesn't mean it won't have ads）という記事は、Netflixの広告ビジネスについて予測したものですが、Netflixは、ご存じの通り広告モデルの一切を否定しています。

——それが売りですからね。

一方でHuluやNBCUniversalの「Peacock」というストリーミングサービスは、広告なしのサブスクリプションよりも安い価格帯を設定し、広告ありのメニューも導入していますので、必ずしも「サブスク＝広告なし」というわけではありません。

野村ホールディングス傘下の「Instinet」という企業のレポートによれば、Netflixがこうしたモデルを導入した場合、10億ドルの収益を生むと試算されているそうですが、それでもCEOのリード・ヘイスティングスは、その可能性

※5

をきっぱり否定しています。

――ほかに何かおいしい話でもあるんですかね？

記事によれば、Netflixがいま最も注力しているのは、グッズからイベントにいたる360度ビジネスを可能にする強力なＩＰ、いわゆるフランチャイズの開発だといいます。

――『アベンジャーズ』や『スター・ウォーズ』のような長期にわたって展開可能なＩＰですよね。

そうですね。最近『ゲーム・オブ・スローンズ』のクリエイターと契約を結んだことが報道されていましたが、これは、こうした戦略の一環と見ることができるのかもしれません。

――なるほど。

また、広告ではないのですが、企業タイアップのようなことはやっていて、例えば『ストレンジャー・シングス』の配信に合わせて、コカ・コーラと組んで、かつてあった「New Coke」ブランドをリローンチするというキャンペーンも行っています。

――ふむ。

とはいえ、関係者がビジネスとして大きくなると最も注目しているのは、実は「プロダクトプレイスメント」なのだそうです。

――はあ。

これは結構ヤバそうです。

――お。

記事では「Mirriad」というスタートアップが紹介されていまして、この会社は何をするかといいますと、ＡＩでドラマや映画の場面を解析し、画面に映っている看板広告や机に置かれているラップトップやコーヒーのブランドなどを、視聴者の嗜好に合わせて選び、ふさわしい映像をジェネレートして画面内に埋め込んでいくというものです。このデモ動画※6はぜひ観てみてください。すごいですから。

――観ました。すごいです。映画やドラマの場面を広告スペースと見立てて、そこにジェネラティブなアドネットワークを走らせるというようなことですよね。凄まじいですね。

ウェブやソーシャルメディアで洗練されてきたデータドリブンなターゲット広告とプロダクトプレイスメントをＡＩでつないで映像空間を広告化しようというのは、それだけ聞くといかにもえげつない話ですが、ここで重要なのは、視聴体験を中断させることなく広告を挿入できるということでして、しかも自分にとってなんの興味もないものがなんの脈絡もないやり方で表示されるこれまでの広告と比べるとマシかもしれないと考えられていることです。

——ふむ。とはいえ、ターゲット広告の気持ち悪さは、すでに問題にはなっていますよね。

もちろんそうした懸念はありまして、プライバシーの問題は、デジタルテレビの広告ビジネスにおいても大きなハードルになるはずですし、ＧＤＰＲ（ＥＵ一般データ保護規則）的な個人主権の原理に即して、いちいち「同意」が必要となるのだとすれば、それも相当厄介です。

今後のテレビ広告の考え方の基本線は、先に見た「広告の増加」と「視聴体験」のトレードオフをどう解消するかという点にありますが、このトレードオフの解消のためには、視聴者主権のアプローチを取らざるを得ないと考えられています。先の記事はこう書いています。

「テレビ広告を未来に向けてディスラプトする最良の方法は、視聴者の視聴体験をディスラプトしないことだということに、テレビ局はついに気がついた。未来においては、視聴者が、いつ、どのようにＣＭを観るかを決定することになるだろう。テレビ局や広告主が決定するのではなく」

——決定権が供給側から需要側に移るわけですね。それはちょっといい見通しかもしれません。

この基本線に沿って、いまDisneyやWarner Media、NBCUniversalが試験しているのは、「Pause AD」というものだそうです。

——なんですか、それ。

※6

Hulu によれば、全視聴者が映画や番組を見ている際に「一時停止＝Pause」のボタンを押す回数をすべて合わせると、月間で数十億回に上るそうなんです。

——ははあ。

「Pause AD」は、視聴者が番組や映画の最中に一時停止をすると画面に広告が現れてくるというシンプルな仕組みですが、視聴者の動態を見れば、それだけで月間数十億回広告枠を確保することができることになります。かつ、「同意」という観点から言えば、一時停止ボタンを押すことをもって「同意した」とみなすことも可能になります。

——面白い。かつてならCMのタイミングに合わせてトイレに行っていたのが、こちらのトイレのタイミングに合わせてCMタイムになるというわけですね。視聴者主権感あります。

ここにターゲット広告の手法を導入すれば、これまでのテレビとは違って、大手クライアントだけでなく中小企業にも広告の門戸を広げることもできます。

また「テレビ広告にはびこる陰湿なレイシズム※7」(The insidious racism in today's TV ads) という記事が問題にしている、広告におけるシステミックな差別の緩和に貢献しうるとも考えられています。

——視聴者の人種や肌の色などに即して、それに相応しいプロダクトやサービスのCMを提供することができるようになるということですよね。

はい。これまでのテレビでは、こうしたキメ細かいアプローチができませんでしたので、人種的ダイバーシティに考慮して有色人種を起用したとしても、どうしても色の薄いモデルが選ばれることになってしまっていました。人種やジェンダーをめぐるスタンスやアプローチに視聴者がますます敏感になっているなか、これまでのテレビ広告は、企業にとっても非常に大きなリスクになっていくことが予想されます。視聴者主権がより強固なものになっていけばいくほど、その傾向はより強まります。そうしたなか、視聴者に応じて広告をある程度カスタマイズしていくことができるようになれば、こうしたリスクは軽減されるのかもしれません。

——たしかに。

ちなみに、いまお話しした肌の色の薄いモデルの起用は、とりわけ「美白系」の化粧品・スキンケア商品のCMにおいて問題になっています。視聴者からの強い反発を受けてジョンソン&ジョンソンは、「Neutrogena Fine Fairness」「Clear Fairness by Clean & Clear」といった「肌の色を『明るく』見せるプロダクト」を、この6月に廃止したそうです。

その一方で、ユニリーバは「Dove」ブランドの美白クリームを「リブランディング」することを発表したのですが、ジョンソン&ジョンソンの動きと比べると生煮えだと、さらなる批判を浴びました。とくにユニリーバは、この間、人種公正を訴えるキャンペーン広告を巨額の予算を投下したことでも知られていましたから「広告と実際の行動とが伴っていない」という二重の批判を浴びてしまいました。

——世間の目はいよいよ厳しいですね。

この記事、「テレビ広告にはびこる陰湿なレイシズム」は、イリノイ大学で広告を研究している教授のこんなことばで締められています。

「いま起きている人種の公正をめぐる運動がいつまでブランドや広告代理店に影響を与え続けるのか、あるいは責任を問う声がいつまで続くのかを決めるのは消費者であり、その力はますます強まっていく。ソーシャルメディアのおかげで、あるイシューを一定数の人たちの間で持続的に問題化しておくことも可能になった。消費者の声がすべてなのだ。そして消費者は社会における多種多様な問題に企業がどう向き合っているのかに、ますます意識を向けるようになっている」

——広告のなかで「やってるフリ」をしたり、うわべだけ取り繕うことが困難になってきているわけですね。もはや嘘はつけませんね。

テレビ業界も広告業界も、消費者・視聴者の主権性を受け入れることにしか生き残りの道がないというところまで来ているのだとす

※7

れば、その変化に乗り遅れることで一番赤っ恥をかくことになるのはクライアント企業です。

——ここまで来たところで冒頭のアグネス・チョウさんのコメントを振り返ってみますと、その重大性が改めて見えてくるように思います。

デジタルコミュニケーションはそのネイチャーとして、発信者の発信内容と行動が一致することを求めます。これは10年前にダグラス・ラシュコフというメディアセオリストが『ネット社会を生きる10ヵ条[※8]』で書いたことですが、彼は、デジタルネットワークのなかでは「真実を語ること」が正解だと語っています。と同時に、これまでの広告の原理は通用しなくなるとも書いています。

——広告は基本すべてがフィクショナルな「イメージ」だったわけですもんね。

クルマの広告に出ている木村拓哉さんは現実にはそのクルマをつくっている会社とはなんの関係もありませんし、彼が「やっちゃえ」と言ったところで、その会社が実際に「やる」ことにはなんの影響も関係もありません。それはただのイメージであって、企業はそこではなんの約束もしていませんし企業の実体についても何も語っていません。

ところがいま消費者が見ているのは経営的な失敗を繰り返している会社の行動そのものなわけです。それらの失態をいくら木村さんの「好感度」をもって取り繕おうとしても、もはや限界があります。といって、それは木村さんの限界でも、その自動車会社の限界でもなんでもなく、むしろ広告とそれを流しているメディアの建て付けの限界です。

——そう言われるとアグネスさんが指摘した「過去の言論やスタンス」と「トンカツ好き」の対比は、まさに「行動」と「広告」の対比としてパラレルであるようにも思えてきます。

「トンカツ好き」と唐突に差し出される言説そのものが広告的なフィクションでしかなかったということなのかもしれません。今回の〈Field Guides〉が教えてくれるのは、そうしたフィクションを支えてきた建て付けがいよいよ通用しなくなっているということでしょうし、広告・メディア業界は、もはやそれを自らディスラプトしないことには、未来にたどりつくことはないということです。

——日本のメディアは大丈夫ですか？　なんか、この連載、毎回、この終わり方ですが。

「未来は向こうからやって来るものではなくて、自分の手でつくるものだ」というのは飽きるほど聞いたクリシェだとは思いますが、アメリカの企業は、それを実地で進めている感じがしますね。あるいは最近覚えたこんなことばもあります。

「この世で大事なことは、自分が『どこ』にいるかではなく、『どこに』向かっているかである」

——誰のことばですか？

宇野重規先生の本に紹介されていたオリヴァー・ウェンデル・ホームズというアメリカの昔の最高裁判事のことばです。

——いいですね。で、日本はほんとに、どこに向かってるんですかね？

せめて「後ろ」ではないといいんですが。

※8

Field Guides を読む #22

The TV ad of the future

Sep. 20, 2020

https://qz.com/guide/tv-ad/

◉テレビ広告を絶滅から救う方法
How to save TV ads from extinction

◉NetflixにはCMがないが、それは広告がないことを意味しない
Netflix doesn't have commercial breaks, but that doesn't mean it won't have ads

◉「シンプソンズ」「グレイズ・アナトミー」の尺はなぜ短くなり続けているのか
Why TV shows like "The Simpsons" and "Grey's Anatomy" keep getting shorter

◉テレビ広告にはびこる陰湿なレイシズム
The insidious racism in today's TV ads

#23

The home office handbook

September 27

ホームオフィスの含意

ここにおいて注目すべきは
そもそも「家で仕事をすることは
いつから当たり前ではなくなったのか」を
問うている点ではないかと思います。

──お疲れさまです。調子はいかがですか？

元気ですよ。

──先週の九州出張はいかがでした？

朝からずっと缶詰でワークショップのお手伝いをする仕事でしたから、とくに九州を満喫したわけでもありませんが、4連休だったこともあって、往復の飛行機がぱんぱんに満席だったことにとにかく驚きました。というよりもドン引きしたのですが、航空会社はいったい何を考えているんでしょうか。これだけ「三密」が問題視されているなか、密閉空間にスシ詰めですよ。

──航空会社というよりも、「Go To」とやらの問題のような気もしますが。

往復ともに国内線で、行きは赤い会社、帰りは青い会社でしたが、「さすがに問題じゃない？」と地上スタッフにお伝えしましたら、「減便してますので」と言われたのですが、感染防止という観点からすれば、ほんとは逆ですよね。

──ソーシャルディスタンス的な観点からいえば、増便して各機の客席を減らすというほうが、まあ、正しい感じはしますよね。コストのことは度外視して考えるならば、ですが。

よくわからないのは、飛行機のなかで「Care Promise」という安全を謳ったキャンペーン映像を流していたのですが、映像を眺めていた範囲では、主たる内容は「スタッフが感染しない、もしくはスタッフからの感染が起こらないよう万全の注意をしています」でして、「おい！　そこじゃねえぞ！」とついキレそうになってしまったのですが、乗客間の感染は管轄外ということなんでしょうかね。乗客の体温検査などは空港側でやってくれ、ということなのかもしれませんし、せっかくお上がゴリ押しして実施してくれた「Go To」にタテ突くわけにもいかないでしょうから、致し方ないのかもしれません。

――空港での検温はあるんですよね?

なかったような気がしますね。どこかでモニタリングしていたのかもしれませんが。いずれにしましても、この数カ月で訪れた空間のなかで、ハンドサニタイザーやプラスチックの間仕切りなどをあれほど見かけない空間も初めてというくらいにパンデミックとは無縁の空間でした。飲食店や映画館、ライブハウス、スポーツ競技場などが、席を半分以上間引いて、細心の注意を払って対策を講じているのと比べると随分と不公平に見えましたが、「こんなにたくさんの人を三密空間に押し込めて文句言われない?」と聞いたら、自信満々に「文句言う人、いないですね!」と返されました。

――完全にクレーマー扱いですね(笑)。

そうですね。

――クラスターが発生したらどうするんでしょうね?

知り合いに同じことを聞いたら「クラスターが発生しないことになってるんじゃないですか」と穿ったことを言っていましたが、実はそれほど穿った見方でもないのかもしれません。

――それでオリンピックをやろうとしているのもすごいですね。

「なかったことにする」という戦略を推し進めることでなんとかなると思っているんでしょうか。海外を見ていると大型イベントをどうオンライン化するかという実験もさることながら、オフラインイベントについてもさまざまな実験が行われているように見えますが、日本国内では「再開」にばかり頭が行って、この特殊な状況をテコにして新しい可能性を見出そうという機運をまるで感じませんね。

――「バーニングマン」のバーチャル版が面白かったとか、NBAやF1が無観客でゲームをどう実施しているかといったことも話題になっていますね。

特にスポーツビジネスは、いま本当に大きな分岐点を迎えているように思います。というのも、自分は観ていませんが、サッカーのチャンピオンズリーグも、NBAのファイナルも、大坂なおみさんが優勝したテニスの全米オープンも、知人に聞いたところ、無観客だからといって選手のパフォーマンスが落ちたかというとむしろ向上しているかもしれないと言っていましたので、「現場に客がいる」ことの意義は本気で再検討されることになるのではないかという気がします。

――それは大胆ですね。

そもそもスポーツ自体がここまでのビッグビジネスになったのはテレビのおかげですし、オリンピックでいえば、1984年のロサンゼルス大会を契機に放映権料ビジネスに舵をきった時点で、すでにバーチャルなものになっていたともいえます。

そういう意味では、ビッグスポーツは、とっくに「現場中心」でなくなっているはずですし、ビジネスモデルにしても、チケット収益はバカにならないとはいえ、オンライン化することによってさらに獲得しうる視聴者の数とフィジカルな現場のオペレーションコストとを天秤にかけたら、どちらを優先すべきかは割と簡単に結論が出てしまいそうにも思えます。

――そう言われたらそうかもしれないですが、残念な気もしますね。

最近はスポーツ中継をほとんど観なくなってしまったものの、子どもの頃から相撲や野球やサッカーは、そこそこ観てきましたが、これまでの人生でのスポーツ視聴体験は、おそらく95%以上がメディア経由です。逆の言い方をするなら、スポーツの面白さを教えてくれたのは現場ではなくメディアですから、むしろそっちがデフォルトの環境で「現場視聴」はむしろマイナーなオプションでしかありません。物心ついた頃から現場でスポーツを観戦してきて、あとからテレビ中継を見始めたという人がいないとは思いませんが、そちらが多数だということはさすがにないとも思うのですが、いかがでしょう。

――まあ、そうですよね。

もちろん現場には現場の面白さがあるのは否定しませんが、「現場が大事」という言説は、多くの場合、コンテンツそのものよりも、飲食であったり仲間と過ごす時間であったりといったところの体験を価値とするものが多いように感じます。そうしたことばを額面通りに受け取って、現場での体験価値が「コンテンツをじっくり味わう」というところにはないと見做すのであれば、逆に「コンテンツはなんでもいい」ということにもなります。

実際、多くの場合、コンテンツ自体の解像度は現場に行くと下がるわけですから、現場で体験するコンテンツが高解像度を要求するコンテンツである必然性は、本当はないようにも思います。

——F1などは、現場ではレースの推移がまるでわかりませんしね。お祭りに行くようなものですよね。

そうなんです。といって、お祭りだからダメだと言いたいわけではありませんし、お祭りを否定したいわけでもありません。「お祭り」としての価値と「コンテンツ」としての価値を、これまでのイベントは不分明のまま興行化してきたのではないかということなのですが、言ってみれば、「花火大会」のテレビ中継がテレビ番組としてはまるで面白くない、みたいな話です。現場での体験価値が高いからといってメディア上のコンテンツ価値が自明のこととして高いかといえば、そんなことはありませんよね。

コンテンツのオンライン化によって、これまで明確化されてこなかったことが明確化され、分離していくことになるように思いますので、イベントの価値が「体験」にあるのか、それとも「コンテンツ」にあるのかを、イベントを制作する側がきちんと定義しながらつくらざるを得なくなるのではないかと思います。

——実際、現場で観るなら草野球でも楽しかったりするわけですもんね。

随分前にベルリンのウニオンベルリンというサッカーチームに関する記事[※1]をつくったことがありますが、記事に登場する英国人サポーターは、プレミアリーグの拝金主義とそれに伴って必然的に起きた「現場の劣化」、つまりスタ

※1

ジアムがライトユーザーばかりになっていくことに嫌気が差して、毎週末にわざわざドイツまで出向いて下部リーグのチームを観戦しているわけです。
　彼がここで問題にしているのは、スタジアム体験のクオリティであって、それは試合を行っているチームや試合そのもののクオリティとは別のものなのだと思います。

――面白いですね。スタジアム体験を向上させることと、コンテンツの内容レベルを上げることは必ずしも一致しないということですよね。

　もちろんコンテンツは重要ですが、世界トップクラスの超一流コンテンツをもってくればスタジアムでの体験価値が上がるのかといえばそうではなく、要は、「体験」と「コンテンツ」のクオリティを測る尺度は、実はそれぞれ違うということなのではないかと思います。

――難しいですね。

　ものごとがどんどんオンライン化していきますと、それまで対面でなされていた行為やリアル空間に集ってやっていた催しなどが、「これって、なんの意味や価値があったんだっけ？」といちいち問い返されるようになります。そして、よくよく考えていきますと、「それ以外にやりようがなかったからそうやっていた」だけのことが多いという事実に気づかざるを得なくなったりします。
　つまり、人がいかに空間に縛られていたかを悟るということですが、それが明らかになることでいっそう明確になるのは、私たちの社会生活が、いかに不動産ビジネスに囲い込まれてきたかということでもあります。

――今週の〈Field Guides〉のお題は「ホームオフィス」ですが、コロナ対策として一般化したテレワークによって、少なくとも「オフィス」というものについては、まさにそのような根源的な問い直しが求められることになっています。

「在宅テレワーク中の昼寝に罪悪感を抱く必要はない※2」（Why you shouldn't feel guilty for napping while working at home）という記事は、就業時間中に昼寝をすることをタブー視してきた社会と、そのような規範を内面化してしまったワーカーたちを、その軛から解放すべく昼寝の効用を盛んに謳っていますが、これは、そもそも「なぜ昼寝はダメなのか？」という問いに私たちを立ち戻らせるものですし、「在宅ワークの服装に求めるべきは、『快適さ』よりも『ときめき』※3」(Don't dress for comfort when working from home—dress for joy) という記事は、仕事場のユニフォームであるところのスーツやジャケット、ブラウスやハイヒールが不要になったときに何を着るのかを問題にしていますが、そうやって問題化されますと、そもそも「部屋着って、どういう意義をもっていたんだっけ」という問いが発動されます。そうやって考えてみますと「部屋着」には、仕事をしている「オン」の時間との対比のなかで、補足的な役割しか与えられていなかったことが明らかになりますよね。

——下着の延長みたいな役割しかないですね。

「家ではだらっとした格好でいいじゃないか」という考えを支えていたのは、「その代わり、外ではバチッとキメるんで」という前提だと思いますが、その前提がテレワークによって消滅してしまいますと、ずっと「部屋着」で過ごす人は、ただの「いつも、だらっとした服を着ている人」になってしまいます。そのことに不満や不安を覚え、「それはよくないな」と思い始めれば、必然的に、「家にいる私」にふさわしいルックを自己開発していく必要が出てくるわけですね。先の記事は、そうした欲求やニーズに応えたものですが、結論として、大した解決策ではありませんが、「なるべく自分がときめく服を着るようにしよう」と勧めています。

——「こんまり」じゃないですか(笑)。

「こんまり」だからといって、即座にバカにしたものでもないと私は思っています。近藤麻理恵さんのブームが明かしたのは、自分が何かを選ぶときに、必ずしも自分の内発的な欲求で選んでいるのではなかったことだと思うのですが、この気づきは重要なものだと思います。

自分が「好き」だと思っているものが、案外、外からの要請や外

※2

※3

に対する適応戦略を、さも自分の欲求であるかのように自分を偽ったものでしかないことは、少なからずあるはずです。こんまりさんは、そうした心理の機微を「ときめき」ということばで揺さぶることで、私たちの根拠のない欲求やそれに基づく無駄な消費に気づかせてくれているように思います。

――自分も、好きだと思って買ったのに、あまり着ないTシャツとかあります。それって、こんまりさんの言い方をするなら「ときめいていない」んでしょうね。

逆に、ときめきの理由を探してみますと、色やデザインよりも、素材や服の重さやサイズに要因があったりすることがわかったりもします。そうした発見は、小さな発見ではありますが、自分の身の回りの環境に対する解像度が上がるという意味では、意味のないことではないように思うんですね。

――とすれば、「ホームオフィス」をどう快適化していくかというお題は、言うなれば、自分の仕事に「ときめき」を再び見出していくプロセスなのかもしれません。

「ハッピーなホームオフィスをデザインする※[4]」（How to design a happy home office）という記事は、例えば「ノイズキャンセルヘッドホン」や「メディテーションアプリ」の活用、部屋の「緑化」、あるいは「壁をブラウンにする」といった具体的なアイデアを提供しています。それをやったからといって、そもそも「クソみたいな仕事」が耐えられるようになるわけではないと思いますが、この記事において注目すべきは、そもそも「家で仕事をすることはいつから当たり前ではなくなったのか」を問うている点ではないかと思います。

――そうか。テレワークはオフィスの再定義と同時に「家」の再定義も促しているわけですね。

はい。記事は『Easy Living: The Rise of the Home Office※[5]』という新刊を紹介しながら、仕事を家から排除していく「当たり前」が一般化するのは、十九世紀後半であったことを明かしています。

イギリスでは、それまでは、住居と「ワークショップ」と呼ばれる仕事場とが一体になっていた「ワークハウス」というものが一般的だったそうで、記事は「theworkhome.com[※6]」という、まさにそうした「ワークハウス」の研究に特化したウェブサイトを紹介しています。そこに掲載されている論文[※7]は、「ワークホーム／ワークハウス」と呼ぶべきものに関する研究は驚くほど少ないと嘆いています。分類学の父と呼ばれる植物学・博物学の父祖カール・フォン・リンネは十八世紀の人ですが、その当時すでに「住居と仕事場が同居する家」について「それは呼び名もなく、それに関する知識はすでに失われている」と書いていたそうです。

――不思議ですね。それと気づかぬ間に、いつの間にか失われていた、という感じなんでしょうか。

先の記事は、産業革命によって大量の男性が工場労働に駆り出されたことから家と仕事場の分離は始まるとしていますが、それでも「家でやる仕事」が世の中からなくなったかといえばそんなことはなく、小売店、自営職人、教師、聖職者といった人たちは家を仕事場にしていたといいます。

　ところが十九世紀後半になると「空間が人の表象になっていくことが進行し、公共圏は生産活動に、私圏は生殖、子育て、消費の空間として切り分けられていった」と『Easy Living: The Rise of the Home Office』は説明しています。そしてさらにこう続きます。

「『家庭第一主義』や『真の女性性』をめぐるカルトによってビクトリア朝時代の中産階級の家はかたちづくられ、家は危険に満ちた都市生活・近代生活における安全な避難所として、男性女性双方の居場所となっていった」

――つまり、都会生活、あるいは近代化された生活が「家族」という観念をより強化し、家を「仕事から切り離されたプライベートな空間」へとつくり変えていったということですね。

　この記事は、別の興味深い記事も紹介しています。「The Conversation」というメディアの『「家で働く」をめぐる空間の奪い合いにおいて、女性はノマド化させられている[※8]』(In the work-from-home battle for space, women are the reluctant nomads)という記事ですが、ここでは「都市家庭」において、

※4　※5　※6　※7　※8

男性は20世紀を通じてまだかろうじて「書斎」という空間をもつことができていたと指摘されています。中産階級の家に「書斎らしき場所」をつくるという流れは、20世紀を通じて通信業者や不動産業者によってずっと温存されてきたと言うんですね。

——たしかに、お父さんにはなぜか「書斎」らしき個室が当たり前にあったりしますね。

その対比として、家計簿をつけるといったちょっとした事務仕事をするために女性にどのような空間が割り当てられてきたかといえば、キッチンや食卓や寝室にある小さなテーブルしかありません。

——ドラマや映画でも、お母さんは必ず食卓で仕事していますね。

記事は、これが当たり前である状況を、「家が20世紀を通じてずっと『ジェンダー化』されてきた」と評しています。

——いま、テレワークによって変更を迫られているのは、そうした「家」のあり方そのものなのかもしれませんね。

ここで紹介したのは主にアメリカの話ですが、日本においても同様の状況は少なからずあるのではないかと思います。家というものの構成・編成自体が、リモートワークはおろか、「共働き」にすら対応していなかったということなのかもしれません。

——あまり関係のない話かもしれませんが、つい先日、中国ブロック選出の衆院議員で問題発言の多い方が、「女性は平気でウソをつく」といった発言をしたとかしないとかで話題になっていましたが、この方は典型的な「家族第一主義」「真の女性性」のカルトみたいな存在だと思うんです。「女性の価値は『生産性』に宿る」といった発言は、こうした考えを背景にして出てくるのだと思いますが、いまのお話を聞いていますと、右派にありがちな「家族が大事」といった考え方は、いかにも伝統的で古くからある考えのように見えて、典型的に20世紀的なものなのかもしれませんね。

これには歴史学や社会学の検証が必要だとは思いますが、よく歴史ドラマなどで「お世継ぎ」問題が話題となって、大奥での女性同士のどろどろが喜んで取り上げられますが、「家の存続」が重要だったのはそうだとしても、江戸時代などは、かなり融通無碍な養子縁組制度もあったはずですから、「家が第一」が即「女の価値は『生産性』」というナラティブに結びついていたのかどうかはわかりませんよね。20世紀的な家族観によってデフォルメされたナラティブが、「歴史」の名を借りて、さもそれが普遍的であるかのように強調されている可能性はあるかもしれません。あまりうかつなことは言えませんが。

——そうですね。

今回の〈Field Guides〉で気がかりなのは、とはいえ、まさにその点です。先に挙げた「ハッピーなホームオフィスをデザインする」は、記事そのものが、いま問題にした20世紀型の「家族」や「家」というものを、どうも当たり前のものとして前提にしすぎているきらいがあるんですね。

——共働きの家庭でも働きやすい「家」をデザインしようという考えは、たしかに「家」と「核家族」を自明のものとして結びつけすぎているようには見えます。

「テレワーク・ブームが首都圏郊外に新たな住宅需要を生み出す可能性がある」とドイツのエコノミストたちが喜んでいるといった記述を読むと、まさに20世紀的な「核家族＝家」のモデルで郊外を再開発しようという話に聞こえて、なんだか萎えますね。これを放っておくと20世紀モデルのただの焼き直しになりかねません。

——ほんとですよ。

最近日本でも、「デジタル田園都市国家構想※9」なるものが提案されていまして、これはかつてあった故・大平正芳元首相の「田園都市構想」のリブート版ですが、行政DXを促すそれなりに真摯な提言だとは思うものの、都市ワーカーの分散化をもって、地方や非都市部エリアの不動産開発を推進しようという発想が根強く残っているように感じられてなりません。

大都市の大企業のワーカーを地方に住まわせるというだけのことなのであれば、日本全国が「通勤

※9

圏」として、より広域に大都市に従属させられるということにもなりかねません。

――ふむ。

この構想の有用性は、単純な思考実験で検証できるようにも思います。リモートワークで地方や非都市部に暮らすということが、例えばシングルマザーと子どもや、LGBTQのカップルといった「家族」でも、同じように安心・安全に実行できるのかどうか。もしそれが困難で、これがただ単に都会の会社に雇用された人に、リモートワークを前提に家賃や生活費の安い地方に住めという話なのだとすると、都市の大企業を守るためだけの施策のようにさえ思えてきます。

――そういえば、昨日だかに政府が、都市の企業に勤めていて地方移住する人に100万円支給するといった政策を発表[※10]していました。

これもなぜか「単身」だと補助金が減額されるといった縛りがありまして、やはり「家族での移住」が前提になっているんですね。家族と家が1セットで、しかもそれが1カ所に固定されないといけないという発想が、そもそもデジタルがもたらす可能性と矛盾しているように思うのですが。

――ほんとですね。

そうした観点から見ると、「ハッピーなホームオフィスをデザインする」で紹介されている「モバイルワークプレイス」というアイデアは面白いと思います。

――移動小部屋みたいなものですよね。

はい。記事内ではモジュール型のスモールスペース「KitHAUS[※11]」やサンフランシスコのスタートアップ「Vital」が提案しているモバイルワークスペースが紹介されています。後者は、仕事に特化したバン[※12]なのですが、こうしたモジュール型のソリューションは、固定化した家族という観念を柔軟化させる上で、いいアイデアだと思います。

――女性にとってもありがたいものになる可能性がありそうです。

ちなみに、2018年に「IKEA」

が出したレポート[※13]によると、世界中の約30％の人が「家にいるのが落ち着かない」と感じているそうなんです。

——そんなに少ないのか、とさえ感じます（笑）。

では「落ち着く場所」としてどこが挙げられているかと言えば、アメリカ人の45％は「クルマのなか」と答えているそうですし、さらにミレニアル世代になると「ソーシャルメディア」と答える人が20％近くいるそうです。

——面白いですね。最初の話ともリンクしてきますね。「家」もまたフィジカルな不動産から離れていくという。

本当ですね。

——ソーシャルメディアが「家」なら、田園だろうが、都市だろうが、関係ないですもんね。

デジタルデフォルトの環境というのは、そもそもフィジカルな場所を無効化してしまうはずのもので、それが最大の価値ですよね。最初の話に戻りますと、例えばオリンピックが配信前提のものになったら「開催都市」という概念は意味を失いますし、毎回都市を移動させる意味もなくなります。そうした前提に立って考えれば、オリンピックというイベントの建て付けは、極めて不動産開発的なものですよね。

——万博なんかも完全にそうですよね。

これは民俗学者の畑中章宏さんが『五輪と万博：開発の夢、翻弄の歴史』[※14]という本で書かれていたことですが、かつて90年代半ばに「世界都市博」という万博に類するイベントを、当時の鈴木俊一都知事が構想したことがありまして、これは次の都知事の青島幸男さんによって中止に追い込まれましたが、この都市博の主眼は、新しい通信・IT技術の見本市をお台場で開催することで、そこを来るべきIT産業の集積地にすることにあったとされています。

鈴木都知事は、このイベントをテコにお台場エリアを開発することで新たに「9万人の雇用」を生むことができると語っていたそうですが、ここでいう「9万人の雇

※14　※13　※12　※11　※10

用」とは、煎じ詰めると、オフィスの床面積が9万人分、ということですよね。

――不動産開発。

けれども、情報化社会というものは、本来的には不動産開発を必ずしも必要とはしないものですよね。これは別にいまだから言える話ではなく、当時すでに、こうした矛盾を指摘していた方がいたことを『五輪と万博』は明かしています。

逆に言えば、世界都市博の構想から四半世紀経った現在も相変わらず「デジタル技術」を不動産開発に結びつける発想から抜け出ていないことに、むしろ驚いてしまうほどです。最後に引用しておきますね。

――ぜひ。

「都市博には、先述したように『高度情報社会に向けて、マルチメディアの実験をする博覧会』という側面があった。これに対して、Ⅲ章で丹下健三論を紹介した松山巖は、都市博中止決定の直後に、こんなふうに語っていた。

〈都市博以前の、テレポート構想についても、これは情報化社会の中で新しい都市をつくる必要性から出てきたのですが、現実にオフィスは今や余っている。それに、本当の情報化社会であれば、必ずしも固定された土地にオフィスをつくる必要性はないのではないか。つまり、土地・建物という土木的な政策と、情報化との間には、矛盾があるのです。（「世界都市博覧会とは、いったい何だったのか。」）〉

松山が抱いた、情報化社会の到来と土木的イベントとの矛盾、あるいは新しい時代にオフィスは必要であるのかという問題提起は、四半世紀近く経ったいま、いっそう現実的なものとなっている。しかし一方で、都市博が開催されるはずだったお台場は順調に発展し、楽天的で空虚な歓声が聞こえてくるばかりだ。そして、鈴木が抱いた開発の夢はかなわずに終わったが、博覧会の誘惑は人々を捉えて離さず、都市博が中止になったあとも繰り返し浮上していくのである」

Field Guides
を読む
#23

The home office handbook

Sep. 27, 2020

https://qz.com/guide/home-office/

◉ハッピーなホームオフィスをデザインする
How to design a happy home office

◉あなたのWi-Fiを「スーパーチャージ」するためのステップ
Follow these steps to supercharge your wifi

◉リモートワークの経験は、あなたの仕事の「次」に生かせる
Use your remote work experience to get your next job

◉在宅テレワーク中の昼寝に罪悪感を抱く必要はない
Why you shouldn't feel guilty for napping while working at home

◉在宅ワークの服装に求めるべきは、「快適さ」よりも「ときめき」
Don't dress for comfort when working from home—dress for joy

◉世界のホームオフィスをのぞき見
A peek inside home offices around the world

#24

The virtual, borderless team

October 4

リモートチームの黄金時代

ここでイメージされているのは
会社がトップダウンでワーカー間の関係性を調整するのではなく
ワーカー同士の力でさまざまな問題を調停していくような
仕組みなのだろうと思います。
大きな「秩序」をあてにするのではなく
小さなグループのなかで、個々人の事情や環境に見合った
秩序を探る実験をし続けるという考え方は
宇野重規先生が「実験としての民主主義モデル」として
説明されていた内容にも合致するところがあるように思います。

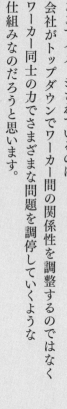

——トランプ大統領が新型コロナに感染したことで大騒ぎになっていますが、いかがですか？

うーん。どうなんでしょう。本日、土曜日の時点で、重篤の可能性があるとも報道されていますが、大統領選への影響は大きいんでしょうね。

——「国辱」と酷評された第1回目の討論会の直後のことですし。

討論会、観ました？

私はトーク番組「The Tonight Show」のホストのジミー・ファロンと「The Daily Show」のトレバー・ノアによるサマリーをYouTubeで観たほか、ソーシャルメディアに投稿されたニュース番組のハイライト映像を観たくらいなのですが、ふたりとも「CMがこんなに恋しかったことはない」と言っていましたので、推して知るべしというところなのでしょう。「今回の討論会の敗者はアメリカ国民だ」とあるメディアは評したそうですが、「政治討論会」というもの自体が、もはや意味をなさないのだということが明らかになったのかもしれません。

——討論会の結果が投票行動に変化をもたらすことはなさそうだと新聞でも語られていました。投票者がすでに投票する候補を決めてしまっている状況のなかでの討論になんの意味があるんでしょうね。

理屈上は、さまざまな社会的イシューについての改善策を戦わせることで、よりよい政策を提案した候補者に投票できるようにする、ということなのでしょうけれど、と言ってイシューごとに投票できる仕組みがあるわけでもなく、ものすごくざっくりしたところで選ばなくてはいけないことになりますから、候補者も相手との違いを際立たせるためにエクストリームなことを言い募ることになりますし、分断がすでに進んでしまった社会では、議論を聞いた上で投票先を変えることが起きないのであれば、候補が自陣営に向けてメッセージを繰り出すだけにもなりますよね。

トランプ大統領は、そうした分断を生み出す「分断線」を明らかにすることにかけては天才的にうまい人だと思いますが、例えばコロナ対策における「マスク」が分断線として有効だと見抜くあたり、言葉はあれですが、本当に感嘆してしまいます。

――不思議ですよね。なんでマスクをすることが「アメリカン・ウェイ・オブ・ライフ」に抵触するのか、まるで謎です。

たしか「Fast Company」の記事だったと思いますが、一部のアメリカ人がマスクを嫌う心理の奥底には、「イスラム嫌悪」や「科学嫌悪」といった要因が底流にあるのではないかと分析されていました。

――へえ。

イスラム嫌悪についていえば、これはわかりやすい偏見だと思いますが、「顔を隠す」ことがイスラム教徒、特に女性が纏うブルカを想像させることから、抑圧性の象徴と感じられることがあると、記事は書いています。これはフランスをはじめ欧州で打ち出されている「ブルカ禁止」の流れと通じ合う心性なのかもしれません。

とはいえ、こうした人たちが、トランプ大統領の言うように「法と秩序」を重視して警察のミリタリー化を支持しているのは、なんだかよくわからないところもあります。ミリタリー警察はもはや個々の顔がわからないように武装しているわけでして、それこそ、この連載でも随分前に、ボブ・マーリーの「Burnin' and Lootin'」という歌の歌詞を引用したことがありますが、そのなかでも警察は「顔を見分けることができない」と描写されています。「抑圧」「画一化」をいうなら、警察とマスクは相性が良さそうなものですが。

――一方で、反社会的勢力も「顔を隠す」じゃないですか。西部劇に出てくる昔ながらの銀行強盗から反体制ゲリラまで、身元が割れないよう顔を隠しますよね。

顔というものが自己同一性、つまりIDのひとつの大きな根拠である以上、顔がもっている情報性を覆い隠す行為は政治的な意図をどうしたって孕むということですよね。体制側から見れば、「顔を隠すヤツはやましいヤツだ」ということになるのでしょうけれども、その論法でいくと、警察が一番やましいことにもなってしまいますよね。

映画『スター・ウォーズ』でも帝国軍と反乱軍は、ともに顔を隠しますが、反乱軍は個々人を着ているもので特定ができて個性がより重視されていますが、帝国側はみなが寸分違わぬユニフォームを身に纏って個々が識別できません。

——ユニフォームというアイデア自体が権力っぽいんでしょうか。

マスクをしたがらない人が反発しているのは、「官僚制の匂い」みたいなものかもしれませんね。これは先の「Fast Company」の記事が指摘していた「科学嫌い」の心性と通じているのかもしれません。

官僚主義と科学主義は明確に通じ合っていまして、組織や社会を官僚制度でもって動かしていこうという発想の背後には、科学的合理性や科学的客観性を重んじる姿勢がありますから、「マスクをしろ」という政策の背後に、官僚的な科学の匂いを感じとって嫌悪する人が少なからずいるということなのかもしれませんね。

——トランプ大統領支持は、官僚組織や職業政治屋への嫌悪・侮蔑を基盤にしているところがありますしね。NIAID（アメリカ国立アレルギー・感染症研究所）のアンソニー・ファウチさんあたりを、ことあるごとに目の敵にする姿勢に、そうした心理はよく表れています。

実際イヤじゃないですか。よくわからない科学者が出てきて、さも頭よさげに科学的言辞を弄して、自分たちに「ああせえ、こうせえ」というわけですから。しかも、こちらは生来の科学音痴だったりもしますから、専門的な話を聞かされたところで、理解できないわけですよね。「どうせわかんねえだろうけど説明してやるよ」と上からバカにされたような気がして、余計腹が立ってきます。

——それはそれでわからなくはないんですが、とはいえ、そうした帝国軍的な官僚主義に抗するのであれば、反乱軍側に身を置いてもよさそうですが、そうした心性の人たちが、より強固に「秩序」を求める方向に傾斜するのは、やはりよくわからないですね。

これは、先日亡くなった文化人類学者のデヴィッド・グレーバーが『官僚制のユートピア※1』で指摘していたことですが、グレーバーは、アメリカ人は官僚制というものが実は好きだし、それを扱うのが非常に得意なのだけれども、自分たちはそうは思っていないというんですね。

――ははあ。

言われてみると、アメリカ人は、分業化やマニュアル化といった「官僚的」なシステムがやたらと好きですし、それを扱うのが得意なんですね。組織マネジメント、ビジネスモデルといったものへの執着を見てもアメリカは世界的に突出していますが、対比的に英国を見てみますと、仕事をプロ化して分業化させていくことよりも、むしろ、DIY的なアマチュアリズムを、アメリカよりもはるかに重視しているように感じられます。

――意外といえば意外ですが。

この辺、実は自己イメージと実際とがズレている可能性がありそうですし、自分が否定しているものを、実は自分が一番強く求めているということもあるのかもしれません。

「帝国軍、クソだな！」と反乱軍を応援しながら観ていたはずの映画を、実は帝国軍に惹かれながら観ていたということはありえそうです。そうした矛盾した感情を「官僚制」というものは強く引き起こすものだとグレーバーは指摘していまして、これはとても重要な指摘だと思います。

――新自由主義を奉じている人が一番熱心に国家支配を望むというねじれは、コロナ下ではたしかによく見かけました。

つい数日前に日本学術会議会員の任命を拒否された宇野重規先生は、『民主主義のつくり方※2』という本でこう書いています。

「身のまわりの個人と力を合わせることができない諸個人は、遠い国家権力に依存することになる。

※1

※2

たしかに民主的社会の個人は、特定の個人に依存することを非常に嫌う。それがただちに不当な権力の現れとしてみえるからである。ところが、遠くにある一般的な形式をとる権力に依存するのは、意外なほど平気である。それが非人格的なものにみえるため、人々のプライドを傷つけないからである」

——ふむ。トランプ大統領や安倍総理は、「非人格的」にも見えませんが。

たしかに、トランプ大統領も安倍首相も、なにやら人格的に見えますからね。ただ、それがここでいう「力を合わせること」のできる相手としての個人かというとそうではありませんし、実際、この人たちの「人格」は、それを探ろうとしても立ち現れてはきませんよね。そうやって人格性と非人格性の境界を曖昧化してしまうところに、こうした政治家のマジックがあるのかもしれません。あるいは、それこそがソーシャルメディアのような新しいメディアが政治にもたらした厄介さなのかもしれません。

——今回の〈Field Guides〉は、いまの論点につながるのかつながらないのかよくわかりませんが、「The virtual, borderless team」という原題で、コロナがもたらしたリモート世界が、人びとの働き方や人との関係性をどう変えていくかという内容になっています。

今回の〈Field Guides〉は、コロナによって自由に移動ができなくなった状況において、場所も、国籍も、文化も、技術的環境も異なる人びとが、チームとしてあるプロジェクトを推進していく際に必要なスキルやマインドセットを考察した特集ですが、いわゆるトップダウン型の官僚モデルによるチーム運営が困難になっているなか、何が今後のビジネスにおいて重視されていくかといえば、先の宇野先生の引用に無理やりつなげるのであれば、「身のまわりの個人と力を合わせる」ということになりそうです。

——ふむ。

コロナ後の環境における「身のまわりの個人」というのは必ずしも物理的に身のまわりにいる人ではなく、共にプロジェクトを推進していくチームメンバーということになりますが、この特集で語られることは、今後のビジネスのみならず、もしかしたら民主主義というものを考えていく上でも有用かもしれません。

——話が大きいですね。

というのも、この特集で何よりも重要視されているのは「信頼＝Trust」というものでして、これは、この連載でも過去に何度か指摘してきたかと思いますが、国家におけるリーダーシップのあり方といった議論でも重視されています。

——トラスト、重要ですよね。

昨今もっぱら悪役と見做されがちな「官僚的システム」というものは、本来は非常に「トラスト」の高い仕組みだったはずで、人間の「あてにならなさ」をできるだけ排除し、誰かが突然いなくなったとしてもつつがなく仕事が遂行されるように設計された機械的なシステムだったわけです。

それはそれでいまなお有効に機能する場面も多々あるはずですが、それをうまく作動させるためには、個々のワーカーを歯車として細かく管理する必要がありますし、管理が細かくなればなるほど、不測の事態に対処できなくなるという問題もあります。

——コロナによって起きたのはまさにそういう事態でした。

コロナによって、「オフィス」という、仕事に特化した無菌空間でワーカーが仕事に没頭するという環境が解体してしまい、個々のワーカーの管理がこれまでのやり方では行き届かなくなり、かつ実際に会ったこともない人たちと、お互いの情報が少ないなかで、仕事を前進させなくてはならないという事態になりました。これはどういう状況かといえば、「仕事」を「仕事」としてフレーミングしていた枠組みが溶け出しているということですから、デジタルツールを使っていくら厳格に管理しようとしても、どうにもならない場面も多々出てきます。そうしたなかで、いま一度「信頼」の枠組みが設計され直されなくてはならない、というのが今回の特集の前提といえるかと思います。

——国境を跨いだグローバルチー

ムとなれば、時差、文化、技術環境の違いなどが関与してきますから、問題はより複雑ですね。

「グローバルなチームで、いち早く信頼を築く方法[※3]」(How global teams build trust quickly)という記事は、「INSEAD」という組織で組織行動を専門に研究しているマーク・モーテンセンという研究者のことばを紹介しています。特集内において、これは最も印象的なことばだと思いますが、彼は「信頼」をこう定義しています。

「信頼とは自分の身をどれだけリスクに晒す意欲があるかである」

——いいですね。これまでの「信頼」って、主にリスクを減らすところに焦点があったように思うのですが、これは逆の視点ですね。むしろ進んでリスクに身を晒す。

これがそこまで馴染みのない話でもないように思うのは、友だちができるときの基準値って、こんなところにあったりするように思うからです。何か困ったことがあったときにリスクを冒してくれそうだなとか、自分がリスクを冒してでも助けてあげたいなと思ったりすることは、誰かと友だちになる上では、大事なところですよね。仕事で信頼できる人とそうでない人の分かれ目も、似たようなところにあるのではないでしょうか。

——そうですね。

ここで重要なのは、これまでのシステムが、むしろそうした周囲の人との関係性にできるだけ依存せずに済むように構築されていたということをきちんと理解しておくことではないかと思います。

——官僚的な仕組みというのは、隣で働いている人が誰だかわからなくても回るように構想されてきたということですね。

はい。「信頼が大事」と言うと、「そんなの当たり前じゃん」と思われる方もたくさんいるかと思いますが、重要なのは、これまでのシステムではそれが当たり前ではなかったということです。

ですからここで議論されているのは、人間同士の信頼がなくても作動することを念頭につくられたシステムが回らなくなってきているので、人と人との「信頼」を中心にした別のシステムをつくっていかないとダメだということです。

――どう実現するんでしょう？

問題の射程が広いわりには、実際にやれることはそんなに大したことではなかったりもします。この特集で語られているのは、煎じ詰めれば「個々のチームメンバーのことをちゃんと理解し尊重しよう」ということで、まずはそれぞれのワークスタイルやパーソナリティ、技術的な得意不得意をちゃんと知ろう、といったことです。先のモーテンセンさんは、そのために、各人が自分のホームオフィスをツアーさせ本棚やレコードのコレクションや家事の痕跡などを見せることを、オンラインチームのアイスブレイクの方法として推奨しています。

――ちゃんと腹を割ろう、みたいな話なんですかね。

だと思います。もちろんそれだけではないのですが、まずは相手の人となりを知ることで「相手の事情」を慮ることができるようになることが大事だとしています。「オレはこんなにやってるのに、アイツはサボってるんじゃないか」といった疑心暗鬼に陥ることは、リモートチームを崩壊させる大きな要因になるそうです。

――そうなんですね。

また、「グローバルチームリーダーに学ぶリモートマネジメントのレッスン」※4（Lessons in remote management from the leaders of global teams）という記事では、仕事の環境をきちんと構造化する必要が論じられています。コミュニケーション空間においては特にそれが重要だそうで、構造化・明文化されていないコミュニケーション空間は、見えないヒエラルキーに支配されることになりがちだとしています。平等で新しい人が入ってきやすいコミュニケーション環境をつくるためには、役割、責任範囲、締め切り、規範、ワークフローなどが「ガードレール」として設定されることが必要だと、先のモーテンセンさんは語っています。

――やるべきことを明確化するということでしょうか。

はい。ただ、こうした構造やル

※3　※4

ールをつくればいいかといえばそういうことではなく、ガードレールはあくまでも透明なものでなくてはならず、また、柔軟に変更しうるものであるのが望ましいと記事は語っています。

「来るべき国境なきグローバルチームの黄金時代[※5]」(We are entering a golden age for borderless, global teams)という記事は、「ThoughtWorks」という世界14カ国に７０００人の従業員を抱えるソフトウェアコンサルタント企業の北米ＣＥＯのこんなことばを紹介しています。

「バーチャルなグローバルチームを抱えるということは、あらゆる業務に対して意識的になることを意味しています。どのようなデザインが必要かを考慮し、時差や言語を考慮し、ワーカーたちの仕事前、仕事後の時間の使い方も考慮します」

——なかなか大変ですね。

リーダーやマネジャーたちが考慮すべき内容が突然増えて、それはそれで非常に大変だとは思うのですが、それは、いままで存在していなかった仕事が増えたかのように見えて実はそうではないようにも思います。実際は、これまで表に現れず暗黙のうちになされていた規範や行動様式などが、全面的なリモート化によって表面化し、再考を迫られているだけといえなくもありません。

いずれにせよ、「個々人のワーカーの事情を尊重して、より柔軟な働き方を実現する」と口では言っていた多くの企業が本当にそれを実現しようと思えば、遅かれ早かれこうした「考慮」は必要になっていたはずで、新型コロナがもたらした労働環境の急激な変化によってこうした課題が急に表面化しましたが、実際はこれまでずっと議論されてきたものでもあるはずです。

——多様性のあるチームであればあるほどよりクリエイティブなアイデアが生まれる、といったことはよく言われますが、現実にはなかなか実現していませんよね。

日本では年齢や性別、国籍がバラけているような会議は、ほとんど見掛けませんしね。ただリモートツールによって海外の人たちとの接続性は上がっているはずですから、これを機にもっと多様なチーム編成や会議体が増えていくといいですよね。

「グローバリゼーションの次の波は、リモートワークが実現する※6」(The next wave of globalization will be made possible by remote work) という記事は、コロナによって引き起こされた状況がもたらす楽観的な未来を「真のグローバルビレッジの実現」という言い方で語っています。

　リモート環境がもたらしたグローバル化を最大限に活用できる企業や国、ワーカーにとっては、これはたしかにチャンスではありますが、一方で、そこからこぼれ落ちる国や人びとも出てくることにも注意は必要で、IMFのリサーチ※7によればテレワークによってすでに収入格差が広がっているそうで、そうした問題に目を向けることの重要性も、この記事は強く説いています。

——デジタルテクノロジーがもたらす効果が、逆に組織や国家を内向させる方向に進むというわけですね。

「みんながグローバルなゲームに参加できるわけではない」ということへの失望や落胆が、国家をナショナリズムに傾斜させているという危惧が記事でも明かされています。こうした内向化が危険なのは、そうやって内向化していくうちに、どんどん前に進んでいってしまう国や組織との差がさらに広がり、失望がますます大きくなっていくことではないかと思います。

　とはいえ、実際のところ、テレワークによってもたらされたポジティブな効果は、まだ現れてはいないとも言われていまして、ノースキャロライナ大学で国際ビジネスを研究しているヴァシル・タラス准教授は、こうコメントしています。

「私たちはテクノロジーによってもたらされた新しいコネクティビティを有用化しているというには程遠く、相変わらず自分の朝食をFacebookに投稿することに使っている。だが、効果はやがて現れるはずだ。それは、やがて電気の発明に匹敵する効果をもたらすだろう」

——デジタル化の恩恵は、むしろこれからということですね。

　リモートワークの一般化は、仕

※5　※6　※7

事をより柔軟に、よりパワフルにしてくれる一方で、「そこにいればお金をもらえる」ような官僚的な仕事を排除し、個々のワーカーの負荷を増大させうるものですから、そこにすべてのワーカーを参画させ、みながその環境に適応できるようになるまでには、それなりの時間と多くの困難があるだろうことは予測されます。

ここでもう一度、先の宇野先生のことばを思い出しておきたいのですが、今回の〈Field Guides〉で語られている「グローバルチームの黄金時代」というのは、「新しい弱肉強食の世界の到来」ということでは必ずしもなく、むしろ「身のまわりの個人と力を合わせることができない諸個人」が、「身のまわりの個人と力を合わせること」を回復していく運動でもありうるということです。ここでいう「身のまわりの個人」は、もちろん、今回の〈Field Guides〉で見てきたように外国にいる同僚でもいいのですが、必ずしもそうである必要はなく、物理的に身のまわりの人や同じ興味や関心に従って集まった人たちでもいいのだと思います。そうやって個人同士が小さなエリアや圏域のなかで「力を合わせる」ことをリモートツールを通して強化していくということが、今回の主題なのだと思います。

——「公助」頼みではなく、デジタルツールを使って「共助」の仕組みを強化していくために必要なスキルセットとは何か、が今週のお題ということですね。

はい。ここでイメージされているのは、会社がトップダウンでワーカー間の関係性を調整するのではなく、ワーカー同士の力でさまざまな問題を調停していくような仕組みなのだろうと思います。大きな「秩序」をあてにするのではなく、小さなグループのなかで、個々人の事情や環境に見合った秩序を探る実験をし続けるという考え方は、それこそ宇野先生が本のなかで「実験としての民主主義モデル」という言い方で説明されていた内容に合致するところがあるようにも思います。

——「自助・共助・公助」を言い出した政権が、なぜ宇野先生を排除しちゃったんでしょうかね。

きちんとお読みになっていないからでしょう。ところで余談ですが、この金曜日に、Blackpinkという韓国の女性グループ※8が初めてのアルバムをリリースしたんです。

——はあ。いきなりですね。

私たちはとかく、アメリカ中心のポピュラー音楽世界というものを自明のものとして想定して、BTSやBlackpinkといった韓国のグループのこの間の活躍を、アメリカ市場のバリアをブレークスルーしたという見方をしがちですが、今回の記事を読んで、違う見方もできるのかなと思ったりしました。

——どういうことでしょう。グローバルチームというお題と関係あることですか？

Blackpink はYGエンターテインメントという韓国の大手レーベル・事務所の所属アーティストでして、Teddy Park というラッパー／サウンドクリエイターを中心にして音づくりがされているのですが、彼を中心に、制作陣には、アリアナ・グランデやヴィクトリア・モネ、ゲストにもセリーナ・ゴメスやカーディ・Bが参加していまして、それこそさまざまなバックグラウンドの人が集まってつくられているんですね。もちろんいまどきのプロダクションシステムは、とっくにそうやって細かく分業化されたハリウッドシステムのようなものになっているのはその通りなのですが、今回のアルバムを聴いていると、そうした機械的なグローバルマニファクチャリングのイメージで理解するのは、ちょっと違うのかもなと思ったりもしました。なんというか、ゲストの参加の仕方とかも、もうちょっとちゃんと「トラスト」があって参加しているという感じがしなくもないんですね。

——そうですか。

単なる贔屓目なのかもしれませんが、そもそも韓国語のアルバムですし、純粋に英米圏がターゲットというよりは、もっと意識的に「グローバル」を目指すような感覚があるのかなと思ったりします。ということを意識した上でのグローバルチームの編成なのだとすると、そこにはもしかしたら単に「アメリカ市場を制圧」という以上にポジティブな価値があるのかもしれません。

※8

——BTSの人気も、もしかしたらそういうところにあるのかもしれませんね。

「精緻なマーケティングをやって、お金をかけて世界のトッププロデューサーを使えば、グローバルヒットをつくるのは簡単だ」という批判的な見方もありますが、それだけでグローバルヒットが生まれるなら日本人にだってできるはずですが、できていないところを見ると、言うほど簡単な話でもないはずです。

——ですよね。

BTSが「BLM」を支持するといって1億円相当をぽんと寄付したことが数カ月前に話題になりましたが、その行動がなぜ好意的に支持されたのかが、この間とても気になっていまして。要は、なぜ韓国人の彼らが語る「連帯」がグローバルな世界で価値をもつのかということなのですが。

——単に時流に乗ったように見えなかったのはなぜか、ということでもありますよね。

同じように、Blackpinkが、レディ・ガガやデュア・リパ、そして今作でセリーナ・ゴメスやカーディ・Bと共演することに取ってつけたような感じがしないのはなぜなのか、という点はとても気になります。

今回の〈Field Guides〉の原題である「グローバルチームの黄金時代」という観点から、彼女らとその周辺の人たちのマインドセットや働き方を検討し直してみると、ただのグローバル商業主義とは、また違った見え方がするのかなと思っただけなのですが。

——面白いですね。気にしてみます。ちなみに10月14日にはNetflixでドキュメンタリーも配信※9されるみたいですね。

アルバムのリリースから間を置かずにドキュメンタリーの配信とか、さすが、ビジネスとしても周到ですよね。観るのをとても楽しみにしています。

※9

Field Guides を読む #24

The virtual, borderless team

Oct. 4, 2020

https://qz.com/guide/borderless-team/

◉来るべき国境なきグローバルチームの黄金時代
We are entering a golden age for borderless, global teams

◉グローバルなチームで、いち早く信頼を築く方法
How global teams build trust quickly

◉リモートワークが続くなら、引っ越しすべき？
Should you move if your job is staying remote?

◉グローバルチームリーダーに学ぶリモートマネジメントのレッスン
Lessons in remote management from the leaders of global teams

◉グローバリゼーションの次の波は、リモートワークが実現する
The next wave of globalization will be made possible by remote work

組合

#25

The data deluge

October 11

データの洪水

新しいアイデアを生み出すための踏み台として
いかにデータを有用化するかという視点がない
「データ戦略」はただの現状追認になってしまいます。
データはすべて「過去に起きた事柄」に関わるものですから
それでもって未来をつくるためには
それなりに高度な変換が必要なのではないでしょうか。

――こんにちは。

はい、こんにちは。

――今回の〈Field Guides〉は「データ」というお題なのですが、案外さっぱりした内容で、「%をどう理解するか」、「データを読むときに季節を考慮しよう」、「ピボットテーブルをうまく使おう」といった感じで非常に実利的な趣です。

そうですね。とりわけ新型コロナに関するデータをどう読むかが話題の中心ですが、いずれにせよ、データを読むのは実際とても難しいものですよね。

つい先日、ソーシャルメディアのトレンドに「東洋経済オンライン」の記事が上がっていまして、「ネット炎上参加者『実は高年収』という仰天実態～『暇な若者』でも『低学歴ひきこもり』でもない※1」というタイトルで、いかにもバズりそうな記事ですが、ここには2回にわたる計6万人に対する調査に基づいたデータと「炎上参加者の肩書き分布」という円グラフが掲載されています。

――面白いですね。

ざっと見てみますと、こんな結果です。

主任・係長クラス以上の役職：31％
一般社員：30％
個人事業主・店主：9％
無職・主婦・バイト・学生：30％

――ふむ。

これに、炎上参加者と非参加者の世帯年収平均を比較したデータが加わっていまして、それによれば、炎上参加者は「670万円」、非参加者は「590万円」となっています。であればこそ、「参加者は『実は高収入』」というタイトルにもなるのですが、コメント欄を見ていて面白いなと思ったのは、多くの人が盛んに「金持ちは心が貧しいってことか」とか「高収入と引き換えに大事なものを失った」と、おそらくタイトルに釣られる格好で「炎上参加者は金持ち」という認識をそのまま鵜呑みしているように見えるところです。ところが、非参加者の平均と比べても年収は80万円しか違わないわけです。月額で見れば6・66万円しか違いませんから、「炎上参加者」が劇的にお金持ちということにはなりませんよね。

——「その6~7万の差が大きいのだ」という言い分もありそうですが、その人たちがまったく異なるクラスターに属していると言い張るのも難しそうです。

役職付きといっても「主任・係長以上」ですから、まわりを見回して「主任・係長以上」をもって「金持ち」と呼ぶのは、ちょっと厳しいのではないかという気はします。ちなみに「貧乏人は炎上に参加している暇はない」といったコメントも比較的目についたのですが、２０１７年の日本全国の平均世帯年収は「５５１・６万円」だといいますから、ここでデータを取った「非参加者」がとりわけ貧乏というわけでもなく、むしろ平均よりも高かったりします。

——そもそもTwitterをやっている人口の世帯年収は平均より高い、というようなことがあるんでしょうかね。

というようなことも考えられますよね。もちろん、データ自体の信憑性を疑うつもりはまったくなく、ここで言いたいのは、タイトルに「格差」という論点が強く打ち出されてしまっているがために、読む側が自動的に、その論点に沿うように数字を見てしまっている可能性があるのではないか、ということです。

——なるほど。

これはあくまでも余談で、自分の見方が正しいと主張する気もないのですが、自分がこの記事を読んで感じたのは、むしろ、「炎上」というのは極めて中産階級的な現象なのだな、ということです。係長以上の肩書きのうち、その大半はおそらく「中間管理職」として定義すべき人たちのように思えますが、仮にそうだとすれば、「炎上参加」へと向かう人たちのモチベーションは、上にも行けず下には行きたくないというところで

※1

「中」にスタックした人たちの心理にあるように思えてきます。

――中流の中間管理職ですか。

2014年にロシアのカルト教団について、元・外務省主任分析官の佐藤優さんにインタビュー※2をさせていただいたことがあるのですが、そこで佐藤さんはこんなことをおっしゃっていました。記事から引用させてください。

「中産階級は信仰をもちません。自分たちの生活が第一で、何に対しても不満をもちます。これは世界的な傾向ということができるでしょう。けれどもその一方で、そうした中産階級層がなくなりつつあるという傾向も、いま世界的には起こっています。高給取りになるか、低所得者層になるか、そうした二極化がどこでも起きている。ユニクロの柳井（正）社長の言う『年収1億か100万か』の世界です。国や会社はもはやあてにならない。そんななか、自分の収入が1億か100万かと言われればほとんどの人が、100万円になるかもしれないという恐れを抱きますよね」

佐藤さんがここで、中産階級は「何に対しても不満をもつ」とおっしゃっているのは本当に面白い指摘だと思います。

――上も気に入らなきゃ、下も気に入らない、と。

佐藤さんのことばを敷衍すれば、そもそも中流という層そのものが、独善的なものだとも言えるわけですね。と考えると「一億総中流」と呼ばれた状態が崩壊しているなかで、多くの人を蝕んでいるかもしれない精神的不安は「金持ちの不安」ではなく「中産階級の不安」なのかもしれません。

しかも月額数万円の世帯収入の差を「格差」と認識して、そのなかで「金持ちは心が貧しい」と言っていること自体が、すでに「何に対しても不満をもつ」、極めて中産階級的な意識のようにも感じられます。といって自分もその中産階級の一味なので、あらゆることが気に入らないのは同じなのですが（笑）。

――本当のお金持ちが、そんなふうにほいほいと炎上に参加するのもなんだか想像しにくいですしね。

データの話から逸れてしまいましたが、そもそもの難しさとして、データを取るためには「肩書」や「世帯収入」といったパラメータの設定が必要となるわけですが、そうしたパラメータは、データを取る側の仮説をもとに設定されることになりますから、その仮説がズレていたとするとデータそのものが意味なくなってしまいます。

——えーと。

例えば、「炎上参加者には猫好きが多い」ということを示すデータがあったとして、それがデータとして厳格なものであったとしても、それをデータとして取り出そうと思うからには、まずは仮説として「炎上参加」と「猫好き」に因果関係があるのではないか、と推測する必要があるわけですよね。

あるいは、ランダムなデータのなかからそうした傾向を抽出しうることもあると思いますが、その因果関係にフォーカスするためには、まずそこに「意味」を見出す作業が必要で、そこに意味が見出されなければ、その傾向はきっと放置されることになるはずです。

——ややこしい話ですね。

そういえば、昨年、中国の平安《ピンアン》保険という会社に視察に行ったのですが、そこは中国屈指のデジタル企業でもありまして、そこで、AIを用いた事例として、人の顔面の画像解析から自動車事故を起こす可能性の高い人を割り出すというサービスを見せてもらったのですが、これって、パッと聞くと反射的に「おいおい、そんなことやって大丈夫か」と思ってしまうものですよね。

——交通事故を起こしそうな顔があるってことですよね。

「それはさすがに問題だろう」と視察に同行した日本人からも轟々と非難が上がりまして、もちろん私も相手方にあれこれ詰問したのですが、相手は、たしかAIの開発責任者だったはずですが、結構しれっとしているんです。お話を聞いているうちに、なんだか「あれ？　こっちが何かを見落としているのか？」という気分になってきて、あれこれ考えてしまったのですが、要は、相手方は「データはそういう傾向を示している」ということを、ただ言っているだけ

※2

なんですね。かつ、「そのデータをサービス化できるので、それをサービス化しただけだ」と非常にドライに捉えているわけです。

——どういうことなんでしょう。

そこで感じたのは、おそらくこちらは「そこに明確な因果関係があることが説明できない限り納得しない」と思っているのだけれども、相手は「AIがそう言っているのだから因果は明白だろう」と思っているのではないかということです。

——「データが猫好きと炎上参加者の因果関係を示しているのであれば、そうなんだろう」という感じですか。「それに意味あんのか？」とか「猫好きに対する冒瀆だ」とかは思わないんですね。

そうなんです。ここ、なかなか微妙なところなのですが、おそらく彼らの観点からいくと、彼らは「炎上参加者」を定義しようとも「猫好き」を定義しようとも思っていないんです。けれども、私たちは、どうしてもそれを「猫好き」あるいは「炎上参加者」の「属性」として理解しようとしてしまっているように感じます。「猫好きへの冒瀆だ」という反応があったとしたら、それは、そのデータが「猫好き」を定義しているように感じられるからですよね。

——でも別にそういうことではない、と。

よくわからないのですが、どうもその辺に明白な違いはありそうで、どちらがいいとか悪いといった話でもないとは思うのですが、自分たちがもっている思考のバイアスを突きつけられたような気はしました。

——面白いですね。

これはずっと統計モデルによる「説明」をめぐって指摘されている問題で、これもだいぶ前に自分が編集した記事ですが、「ことばと世界：コンピューターはいかにそれを理解するのか[※3]」というもので、世界的な言語学者のノーム・チョムスキーが、いわゆる統計モデルによる「説明」というものを、伝統的な「説明」を擁護する立場から行った批判が解説されています。

「チョムスキーは、この手法を昆虫行動の統計モデルと比較する。例えば、ハチの群れのヴィデオ映像が十分にあれば、研究者はハチが次に行うかもしれない行動を予測できる統計モデルをつくり出せるかもしれない。しかし、チョムスキーに言わせれば、その統計モデルでは、ハチがなぜそのようなダンスをするのか、その真の理由を説明したことにはならない」

さらに世界的な数学者であるピエール・ドリーニュによる批判が、こう続きます。

「コンピューターによる証明をわたしは信じません。わたしはとても自己中心主義なのです。わたしが理解できて、明らかだと思えれば、その証明を信じます」

——うーむ。「信じるか／信じないか」の話になってきてしまうのだとすると、これは、なかなかに厄介な問題ですね。

自分なりに「意味」が見出せるかという話になってしまうと、これはもう科学的客観性の話ではなくなってしまいますよね。というより「科学的客観性とは何か？」という問題ともいえますが。

こうした問題は別の記事でも扱ったことがありまして、これは、すでに10年前のもので、Googleの創設者のひとりセルゲイ・ブリンと医学界の、パーキンソン病をめぐる対立[※4]を扱ったものなのですが、ブリンはビッグデータによる統計を用いてパーキンソン病の治癒法を検討すべきだと考えるのですが、医学界は「病気の原因が特定されない限り治癒はない」と反発するわけです。

——どっちがいいとも判断できないですね。難しい。

なぜブリンがこの問題に取り組んでいたかというと、遺伝子解析によって自分自身がパーキンソン病になる確率が高いと診断されたからなのですが、彼の言い分としては、データは「パーキンソン病にはコーヒーもしくはカフェインが効く」という傾向を示しているにもかかわらず、そうした知見が医療現場において採用されていないと考えているからです。

——因果関係が証明されていないものはダメ、となるわけですね。

※3　※4

はい。ところが、患者サイドから見ると、因果関係の特定よりも、当然ながら、自分が治るのかどうかのほうがはるかに優先度は高いわけですね。

——うーむ。

この記事には面白い話が載っていまして、鎮痛薬の「アスピリン」は、1899年に開発されたそうなのですが、それがなぜ効くのかは、1960〜70年代になるまで謎だったというんです。つまり、効能のメカニズムが発見されるまでに60年以上のタイムラグがあったということです。

——てか、アスピリンって、そんな昔からあるんですね。

そして、60〜70年代以降にアスピリンのメカニズムの研究が進み、今度はさらに面白いことに、80年代後半になって「どうもアスピリンは心臓発作に効くらしい」ということが解明されたんだそうです。

——へえ。

ここには知識というものをめぐる面白いサイクルがあります。アスピリンが開発された当初は「理由はよくわからんが、痛み止めになんかよく効く」という一種の経験に基づく統計があっただけだったのが、そこから因果関係に関する研究が進んでいくと、今度はそれが心臓発作にも効くということがわかってくるのですが、それまでアスピリンがよもや心臓発作に効くなんて誰も思っていませんから、90年近くアスピリンと心臓発作の因果を指し示すデータはどこにも存在せぬままになっていた、というわけです。

——統計も、因果関係の解明も、どっちも重要だということでいいですか。

ブリンは、そのことから、そこで失われていたデータがいかに貴重なものだったかを指摘し、少なくとも医療についていえば、各個人が摂取した薬とその時々の体調のデータをモニタリングし膨大な数を集めることができれば、それまで誰も気づかなかった因果を見出すことができると語っています。

——新型コロナの感染予防対策でも統計モデルの専門家が随分と世

間を賑わせていましたが、そうした統計分析の方と、ここまでの話でいう伝統的な意味でのウイルスの専門家は、どちらが重要なんでしょうね。

感染者を追跡したデータは、言ってみれば、ウイルスの振る舞いから、そのあり方を捉えようというものですよね。先ほど紹介した「ことばと世界：コンピューターはいかにそれを理解するのか」という記事では、その価値は「状況説明をつくり出す」ことだと書いていますが、こうした「状況説明」と、ウイルスそのものの属性を明らかにしていくことで得られる理解・説明は、特に感染を封じ込めるという目的に対しては、おそらく双方がともに大事なように思えます。

——ここまで聞いてきて思うのは、ある種の「目的」が、結局はデータの有用性を決定しうるということなのかもしれない、ということです。

中国のデジタルビジネスに関して第一人者と目される藤井保文さんは『アフターデジタル2 UXと自由』※5 という本のなかで「データ」というものにまつわる幻想を明らかにしています。

藤井さんが「アリババ」の国際UX担当の元役員に「データの売買という考えは、すべて幻想だよ」と喝破されるシーンは、本書のなかでも個人的に好きなパートなのですが、そこで元役員の方がおっしゃるのは「データはソリューションにしないとお金にならない」ということなんです。

——ははあ。目的がないと意味がないということですね。

先の平安保険もセルゲイ・ブリンも、あるいは統計モデルによる感染追跡も、まず第一に、それがソリューションになりうるからこそデータを重視しているわけですよね。そして、そこでは「どういうメカニズムでそれが起きるのか、必ずしも人間が納得いく説明がなくともソリューションはつくりうる」と考えられています。というのも、ソリューションとしてのデータ利用というのは、そもそもが限定された目的のためだけのもので、伝統的な科学のような普遍性を目指すわけではないからです。

——なるほど。

※5

これも藤井さんが指摘していることで、デジタルビジネスにおいては、「属性データ」ではなく「行動データ」がより重視されることになるというのですが、いささか飛躍はあるかもしれませんが、これまで見てきた話の流れで言いますと、「属性データ」というものが、伝統的なウイルス研究と同様に、いわばその人の属性を説明していくものだとすれば、「行動データ」は、感染経路を追いながら、その振る舞いを通して迫っていく「状況説明」からのアプローチを人に対して当てはめたものと考えることもできそうです。

——おお。

そんなふうに対比をしてみますと、平安保険の事例は、もしかすると、私たちは顔面を「属性データ」とみなしているけれども、彼らは、それを一種の「行動データ」とみなしているのかもしれないと思えてきたりもします。といって顔は、「今日のランチは何を食べよう」といったように自分の意思で変えられる「行動」ではありませんが、やや乱暴な言い方をすると、デジタルソリューションにした瞬間に、「属性データ」は「行動データ」へと変換されるといったような理解がありうるのかもしれません。

——不思議な話ですね。

データに表れた「状況説明」を信じることと、因果関係を特定しない限り説明されたとはみなさないと信じることの間には、実際、大きな隔たりがありそうですし、今後、それが対立しあうことが頻繁に起こるとも考えられます。

前者に対しては、ソリューショニズムだという批判もありうるとは思いますが、ある意味ではプラグマティックともいえる考え方でしょうし、後者はもう少し古典的な近代科学の考え方に立脚しているものですが、これは、どちらがいいというものではないとは思いながらも、デジタルテクノロジーが前者と極めて相性がいいというのは間違いないような気がしますので、前者の考え方は、より加速するようにも思います。

——うーむ。「データ」と一口に言っても難しいですね。

今回の〈Field Guides〉のタイ

トルは「データの洪水」ですが、データというものがことさら難しくなっているのは、これまで世の中に存在しなかったようなデータが、まさに洪水のように世に溢れ出ているからで、それはとりもなおさずデジタルテクノロジーが引き起こした状況ですが、アリババの元役員が「データ売買は幻想」と言うのも、データそのものが溢れすぎて、希少価値をすでに失っているからということもあるのだろうと思います。

調査会社というものが世の中に存在しビジネスとして成り立っていたのは、現在のようにデータが遍在しておらず、苦労をしないとそれを得ることができなかったからだと思えば、いまデータ売買で儲けようと考えてもなかなか成り立たないだろうというのは、自明といえば自明でもあります。

――それでも「デジタル庁」などと合わせて、「データ戦略」といった言葉が政治の上のほうでは勇ましく飛び交っています。

もちろん行政府は、おそらくいまでも最も巨大なデータ収集機関ではありまして、政策決定に役立てるべく、国勢調査をはじめ、あらゆるデータの収集をしています。そうしたデータがオープン化されることで、公共政策に限らずさまざまなサービスなどが生まれてくる下地にはなるとは思いますが、そのときのデータはあくまでもインフラであって、それをもっているからといって、それ自体が特段価値を生むものでもありません。

これは何も行政府に限った話ではなく、民間でもおそらく同じで、銀行は多くの口座情報をもっていますが、それをＡＰＩとして公開し、それを用いたサービス事業者が出てくることで初めてその価値は見出されるわけでして、黙って口座情報を寝かせておいても、それが価値を生むはずもありません。英国やＥＵで実施されている「オープンバンキング」の根底にあるのは、このように銀行がもっているデータを一種の公共インフラとしてオープン化するという考えです。

――なるほど。「データは21世紀の石油」だとよくいわれますが、そのアナロジーが案外正しいなと思うのは、石油があれだけの巨大産業になったのは、石油の使い道が多数開発されていったからだという点においてです。石油の価値を生んだのは石油産業自体ではなく、むしろプラスチック産業や、自動車産業をはじめとする交通産業であったわけですよね。
「ソリューションにしなければ価値を生まない」というのはデータに限らず石油もそうだったはずで、その価値をつくり出すために石油産業は自動車産業にテコ入れし、自動車中心の生活や都市空間を広めていったといわれますから、ソリューションをどんどん生み出していかない限り、「石油＝データ」の活用はただの空疎なお題目になってしまいます。ちなみに藤井さんは、あるサービスから得られたデータをＵＸ改善のために再投資することが「アフターデジタル」のビジネスの中核戦略だと書いています。

――なるほど。なんかモヤッとはしているんですが、データをめぐる考え方を大きく転換しないといけないのではないか、という気はしてきました。

おそらくデータというものはサービス開発のための基盤インフラだと思うんですね。であればこそ、それ自体を価値化するのは困難なのではないかという気がしますし、それができるとしても、ごく限られた領域のごく限られたプレイヤーだけなのではないかと思います。

――天気とか、地図とか、株価とか、そういった領域でしょうか。

はい。ただ、そのデータも、それを用いたサービスが出てくることによって、さらに価値が出てくることになるわけですね。今回の〈Field Guides〉には、「ネット上で見つかる、コロナウイルスにまつわる最高のデータ集[※6]」（The best coronavirus data resources on the internet）という記事がありまして、新型コロナに関するデータが、「感染そのものに関するデータ」「世界各国の行政府の動きを追ったデータ」「ワクチン開発に関するデータ」「人びとの反応に関するデータ」「グローバル経済に関するデータ」「貿易に関するデータ」「旅行に関するデータ」に分類されています。当たり前のことを何度も言っているようで恐縮なのですが、読む側がそのデータを何に有用化したいかによって個々のデータの意義や価値は当然変わってきますし、逆に言えばデータそれ自体が、ある機能を半ば前提として集められているわけですよね。

——そりゃそうですね。それにしても、面白い、いいデータがあるものですね。

　特に目的もなく漫然と見ているだけでも「へえ」と思うことはたくさんありまして、データはどんなものであれ、それがきちんと解析されると、あるやり方で世界のある姿を見せてくれるものなのだなと改めて思わされます。ただ、そこからどういったインサイトを取り出すことができるのかとなると、やはりこれは非常に難しいもので、冒頭にお話しした例のように、なんらかの偏向に左右されることなく「意味＝インサイト」を抽出するのは、言うほど簡単でもないと感じます。

——そうですよね。

　自分はマイケル・ルイスの『マネー・ボール』[※7]が大好きなのですが、ビリー・ビーンという人がデータを有用化できるようになるためには、野球というゲームの見方をかなり大胆に再考しなくてはならなかったわけです。彼は「野球とは点を多く取ったほうが勝つゲームである」という定義を、「野球はアウトにならない選手が多いほど負けないゲームである」と読み換えることで、打率・本塁打数・打点といった「得点」に関わるデータが優先されている状況を覆し、「出塁率」の重要性を初めて見出すことができました。出塁率というデータはずっとあったにもかかわらず、誰もその価値を見出せていなかったわけですが、これに注目するにいたったインサイトこそがビリー・ビーンのイノベーションであって、データを使ったことでは決してないんですね。

——ああ、なるほど。イノベーションはソリューションの鮮やかさに宿るのではなくて、インサイトの鮮やかさに宿る、と以前にも言っていましたよね。『マネー・ボール』はまさにそれですね。

　そうなんです。ただ、そのインサイトを導きだすためにはデータが必要なんです。それがあるからこそインサイトが生まれるし、そのインサイトがあればこそ、また

※6　※7

新しいデータの必要性も見出されるわけですから、データは、当たり前ですが、とても重要です。

——日本政府のコロナ対策は、そういう意味では、データをまったく説得的に使えていなかった印象です。

それは政府だけでなく、ビジネスセクターも同様に思えます。データのないところでもち出されるインサイトはただの「思いつき」ですし、自分の考えをただ補強するためにだけデータを使うのは、ただの独善か政治的なムーブですよね。新しいアイデアを生み出すための踏み台としていかにそれを有用化するかという視点がない「データ戦略」は、ただの現状追認になってしまいます。

——未来のためにデータをどう使うかってことですね。

データはすべて「過去に起きた事柄」に関わるものですから、それをもって未来をつくるためには、それなりに高度な変換が必要なのだと思います。

Field Guides を読む #25

The data deluge

Oct. 11, 2020

https://qz.com/guide/data-deluge/

- ◉パンデミックによるデータの氾濫に、いかに対処するか
  How to get to grips with the pandemic data deluge
- ◉ネット上で見つかる、コロナウイルスにまつわる最高のデータ集
  The best coronavirus data resources on the internet
- ◉「パーセント」への変換という挑戦
  The challenge of percent change
- ◉COVID-19は、データの「季節性」への注意を促している
  Covid-19 is a reminder to beware of seasonality in data
- ◉経年変化するデータを正しく比較する方法
  How to compare data that change over time
- ◉スプレッドシートにおける最強ツール、ピボットテーブルの歴史
  The history of the pivot table the spreadsheet's most powerful tool

#26

Consulting's new challenges

October 18

コンサルの持続可能性

作品主義というのは完成品を最初に描き出して
それに向けてプロセスを構築していく作業だと思いますが
これからの時代は完成したモノの出来よりも
プロセス自体を重視していく方向に
向かっていくのではないかと思います。
それはなぜかといえばとても簡単で
完成予想図というものをつくるのが
どんどん困難になっていくからです。

——こんにちは。だいぶ寒くなってきましたね。

そうですね。

——最近は何で忙しいんですか？

この連載の単行本化の準備を進めていまして、この数日、ひぃひい言いながら過去の原稿を整理していました。

——単行本になるんですね。

そのつもりで動いてます。年内には出したいです。

——いいですね。読み直してみていかがですか？

うーん。どうなんでしょう。面白いような気もしますが、よくわかりません。とにかく雑に書き散らしているものなので、あとで読み直すと何を言っているのかわからないところもたくさんあります。あまり手を加えないつもりでいたのですが、結局だいぶ手を入れています。言いっ放しの感じをできるだけ残したいので、論旨は基本そのままにしてあります。「つまらないこと書いているな」と思うところも多々ありますが、それはそれでそのときに思いついたことなので、それでいいやと思っています。

——そのときの考えのまま残すということですね。

同時代性というのは大事なんだと思うんです。話のコンテクストが、あと1～2年もしたらつかめなくなるだろうと思われるような箇所も結構あるのですが、そういうところこそがむしろ大事なのかなと思ったりします。

世の中の出来事って、最初はあまり情報がないところで体感するしかないもので、俯瞰して見ることができるようになるのは、むしろあとになってからですよね。かつ、あとで起こることによって、前にあった出来事の意味も変わってきますから、あとになってからですと、そのときの状況は見えなくなったりもします。11月のアメリカ大統領選で誰が当選するかによって、ここで書いてきたことの意味も変わってきてしまうでしょうし、11月以降には意味を失うような内容もあるのかもしれませんが、そういう内容のほうが、むしろ面白いはずなんです。

——過去が未来によって常に上書きされてしまうということですよね。

先日、Big Thiefというインディロックバンドの動画を観ていたら、ボーカルのエイドリアン・レンカーがアルバムというものについて、「アルバムというのは、そのとき、その場所で起きたことの結果であって、それ以上の意味はない」といったことを言っていて面白いなと思いました。曲の選定やアレンジ、並び順などには、これがベストというものはなく、ほかに膨大な選択肢があるもので、アルバムとして提出されたものは、そのときその場の選択の結果でしかないと彼女は言うんです。

「そのあとライブでそれらの曲を演奏していくのは、アルバム制作時には見出せなかった選択肢を新たに探すようなものだ」とも言っているのですが、これはどういうことかといいますと、物事には完成というものがない、ということではないかと思うんですね。

——ほお。

つまり私たちは、出来上がったプロダクトというものは選択に選択を重ねていった結果選びとられた「ベスト」なもの、あるいは「完全」なものと認識してしまいがちですが、そこには普遍的に客観的な正解というものはなくて、どちらかといえば決断のすべてが「そのとき・その場」の状況への応答でしかないということなのではないかということです。

——あらゆる選択がその場限りのものだということですね。

そうなんです。ですから別にその選択でなくても全然いいんですね。ある時間においてしっくりくるものを選びとっていくと、その次にまた別の選択が生まれて、そうやって次々とドアを開けていくみたいなことなんじゃないかと思います。で、次のドアの先に今度はどんな選択肢が待っているのかは本人もわからないんです。完成品というのは、あくまでもその結果として出てくるだけのものなので、ほかの選択肢と比べてそれが優れているかどうかもわかりませんし、その比較自体も意味がないんですね。そのときにふさわしいと思えたことをやるだけですから。

——ふむ。

音楽の世界ではアルバムづくりというものが、どんどんそういうものに変わってきているように感じます。つくってみたらできた。そのプロセス全体を「経験」したドキュメンタリーとして「作品」と呼ばれるものが残った。そんな感じにどんどんなってきているように思います。作品主義からどんどん離れていっているんですね。

出版物でもそういう感じのものをつくってみたいんです。ミックステープをサウンドクラウドにあげるとかプレイリストをつくるみたいな感じですかね。

——プレイリスト、好きですよね。

好きですね。やたらとつくります。昨日は俳優や女優の名前がタイトルになっている曲ばかりでプレイリストをつくってみました[※1]。

——SZAの「Drew Barrymore」とかですかね。

ご明察。

——それ、なんの意味があるんですか?

どういうプロセスでそれをやるかと言いますと、先日、Phoebe Bridgersの「Demi Moore」という曲を聴いていたら、ふと「そういえば、俳優のフルネームがタイトルになった曲って、もしかして結構ある?」と思いつき、記憶をまさぐってみたら5曲くらい思い出したので、プレイリストにしてみるかとなったわけです。そこから検索するわけですね。すると知らない曲がいっぱい出てきまして、「へえ、面白い」と集めていくのですが、そうやっていままで知らなかったり気にも留めていなかったアーティストの曲を聴くことになるのですが、そのプロセスのなかで色々と考えたりすることになります。「なんでダニー・ブラウンがモリー・リングウォルドの歌を歌っているのだろう」とか「アーネスト・ボーグナインについての歌って、どゆこと?」とか。

――謎ですね(笑)。

わけわからないんです。しかも集めてみたところで意味がないプレイリストにしかならないんです。ジャンルはまちまちですし名曲揃いというわけでもありません。でもそれがかえって面白いんです。

プレイリストを編集する行為って、どこか合目的になるんですよ。「元気が出る!」とか「寝る前に」とか。それって「機能」に音楽を従属させることになりますよね。意味を制限してしまうといいますか。

逆に「タイトルが人の名前」みたいなお題の設定は、面白いかたちでランダムなものになりますし、機能も発動しません。「意味」というものも、立ち上がってきそうでこないですし。そういうことを「編集」という作業としてやるのは楽しいです。

――なんの話なんですかね、これ。今回のお題は「コンサルタント」なんですが(笑)。

なんの話なんでしょうね。

――いまおっしゃったようなお話は、仕事には役に立っているんですか?

わかりません。ただ先ほどお話しした「作品主義」のようなものからの離脱という話は、自分の仕事に役に立つというよりは仕事一般を考える上で大事なことのような気がしなくもありません。

――そうですか。

作品主義というのは完成品を最初に思い描いて、それに向けてプロセスを構築していく作業だと思いますが、これからの時代は完成したモノの出来よりもプロセス自体を重視していく方向に向かっていくのではないかと思います。それはなぜかといえばとても簡単で、完成予想図というものをつくるのがどんどん困難になっていくからです。

――予測不可能な時代とよく言われます。

※1

まさにそうです。この困難は、例えば、不動産会社が手がける大型の開発などを見ているとかなり切実でして、というのも彼ら／彼女らは2030年完成予定のプロジェクトの計画をつくることを仕事としてやらないといけないからです。

――それは厳しいですね。2030年をいま想像したところで、なんの意味もなさそうですしね。

そうなんです。昨年末の時点で2020年がこんな1年になるなんて誰も思っていなかったわけですから、そんななか10年後を想像することは、よほどうまくやらないと本当に無意味なものになってしまいます。とはいえプロジェクトは動いていますし、手続き上の観点から言えばいまから動かないとダメはダメだったりしますので、それはもう、みなさん頭を抱えざるを得ませんよね。

――苦しいですね。

そうなんです。いままでの「計画」というものをめぐるプロセスを変えていかないと、思考も体もひたすらフリーズしてしまいますので、完成予想図から逆算して「いま何をやるか」を考えるのではなく、「いまやれること」からスタートして、そこから始まるプロセス自体を「開発」とみなしていくような、そういう思考の転換が必要な気がします。

――うーん。

「これからはモノ消費ではなくコト消費になっていく」といったフレーズをこの5～10年、耳にタコができるほど聞かされてきたかと思いますが、要は、それと同じことなのだと思います。ただし、これまでのビジネスは、そうは言いながらも、実際に「コト」を商売にすることはできていなかったように思うんです。

――と言いますと。

「コト」を「モノ」のように扱っていただけのような気がするんですね。「コトが大事」というなかで、イベントやフェスなど体験型のサービスに傾斜していく流れはありましたが、それはよくよく考えてみると、「体験型のモノ消費」でしかなかったような気もします。

「コト」をビジネス化するというのは、本当はもっとラジカルなことのように思えるのですが、そこで重要なのは最終的なアウトプットに意味を与えないことだと思うんですね。

――難しい話ですね。

「プロセスが面白かったらそれでいいじゃんか」というようなことです。そのプロセスを作動させるために完成品としてのサービスやプロダクトが想定されるだけで、そのサービスやプロダクトは起点ではあっても、ゴールでも中心点でもないと考えるということです。

――どうしても「ゴールがゴールである」という考えに縛られてしまいそうです。

コト消費という考え方のキモのひとつは、ゴールとされるものが、そこでつくられる「モノ」ではなく、むしろ、その「モノ」を通じて人に起きる「変化」だというところだと思います。これは、「アウトプット」と「アウトカム」という語の違いとしてよく語られる対比ですが、前者はあくまでもあるプロジェクトを通じてつくられた「モノ」に焦点がありますが、後者は「それを通じて起きる変化」に焦点がありまして、その後者こそをゴールとすべきだとする考え方は、まだビジネスセクターにまでは深く入りこんでいないと思いますが、公共セクター、もしくはソーシャルセクターでは一般化しています。

――ふむ。

ゴールはあくまでも、それを通じて起きるであろう「変化」ですから、「アウトプット」は望む変化が最も効果的に起きるなら基本的になんでもよく、それが最も効果的に起きる「アウトプット」が正しい選択という考え方になります。これによって少なくとも、つくられる「モノ」の重み付けはかなり相対化されます。

――最近、投資の世界では「インパクト」ということばがよく使われますが、いまの「変化」ということばとこれは対応していますね。

まさにそうです。SDGsやESGといった文脈で、広い意味で私たちの生きている環境の改善に寄与する取り組みに対して行われる投資を「インパクト投資」と言いますが、現在ビジネスセクターで起きているのは、資金の流れが、どんどんそっちの方向に向かっているということです。という意味でいえば、「変化」に寄与しない事業は、今後どんどん資金が干上がっていくことになりかねません。

――モノからコトへというのは、そういう意味で理解すべきなんですね。

　無理やりつなげるとそういうことになるのだと思いますが、少なくともインパクト投資という文脈においては、ビジネスセクターも「変化」にコミットせざるを得なくなりますので、「売れるプロダクトをつくればいい」という意味で「アウトプット」にひたすらコミットしてきたマインドセットは変更を余儀なくされるのではないでしょうか。

――今回の特集の内容に、だんだん近づいてきているようにも思えます。

　どうでしょう。今回の〈Field Guides〉はコンサルティングビジネスがパンデミックによって打撃を受けている状況と、今後のビジネスの見通しを語っていますが、「COVID-19下のコンサルティングが不可欠なものとして認められるには[※2]」（How consulting is casting itself as essential during Covid-19）という記事にはこう書かれています。

「企業がコンサルを雇うのは、すべてを自分たちでカバーする知識も余力もないからだ。その欠如は常にある。であればこそコンサル業界は、パンデミックが終わったら（それが何を意味するにせよ）ビジネスはすぐに上向きになると楽観視している」

――そうなんですね。

　もちろんコロナ下の非常事態においてコンサルにかけていたコストをバッサリと切り落とした企業は少なくありません。デルタ航空やウェルズ・ファーゴなどがコンサルタントにかけていた費用を大幅に削減するといわれています。ただその一方で、自分たちのキャパシティを超える事態であればこそ新たな需要がもち上がってもいて、資金繰りから社員のリモート対応まで、コンサルが求められる局面は多々あるとされています。

記事でも指摘されていますが、現在のコンサルタントの仕事はマネジメントや戦略に関わるものは当然ありますが、テクノロジーに関わる仕事も大きな割合を占めています。

日本でも政府主導で本格的に「ＤＸ」が進めば、企業も対応せざるを得なくなりますから、コンサル需要もそこでいっそう高まることになるのではないでしょうか。

――間違いないですね。

世の中がこれだけスピーディに動いていきますと、企業は状況にキャッチアップするだけでも大変ですが、「ＤＸ」をすればことが済むのかといえば、そうもいかないと思います。というのも、この一年でクローズアップされた問題は、今後の企業のあり方を確実に変えていくようにも思うからです。

――と言いますと。

「Black Lives Matter」の運動でクローズアップされた不平等や格差、差別の問題は、今後の企業のガバナンスにおいて不可避の論点になるでしょうし、パンデミックによって進行したエネルギーシフトへの対応も同様です。ステークホルダーキャピタリズムといった論点も、おそらくデフォルトになっていくことになると思いますので、企業は相当ドラスティックな転換をＤＸと並行して行う必要が出てくるように思います。

――先ほど話題に出た「変化にコミットする」ということをより意識的に行わなくてはいけないということですね。

はい。先日、とあるＩＴ企業の「サステイナビリティ部」の方とお話をする機会があったのですが、その部門の仕事は何なんですかとお尋ねしたら、非常に秀逸な答えが返ってきまして、その方が言うには、「企業における財務以外のパフォーマンスを見ること」だそうです。

――って、それってめちゃ広くないですか。

広いんです。エネルギー効率やプラスチックの使用といったことから、社員の働き方、取引先との関係性の健全さまで、膨大な領域をカバーしなくてはならず、加え

※2

てESGの文脈で機関投資家と相対する必要もあります。

——大変じゃないですか。

そうなんです。逆に言えば、それらの領域についてのマネジメントは、おそらくほとんどの企業が完全にガラ空きの状態なんだろうと思います。

——ヤバくないですか？

聞くところによりますと、これまでこうした領域をカバーしていたのは、いわゆるCSRと呼ばれる部門だったそうで、こうした部門は、ことばは悪いですが、本業に対する余技のような位置付けのなかで窓際に近い扱いをされてきたそうですが、企業のパフォーマンスが財務一本だったところから、より包括的に360度から測られるようになっていきますと、「非財務におけるパフォーマンス」を測定する部門は、財務と並ぶ基幹部門になっていく必要が出てきます。

——そこまで行きますか。

例えば、BLMのような運動に対してどのようなスタンスを取るかは、単なるコミュニケーション戦略を超えて、経営戦略そのものに大きく関わってくるようになっています。これは、第22話の「テレビコマーシャルの瀬戸際」でお話ししたことですが、人種問題に絡んで美白化粧品が槍玉に上がった際に、ジョンソン&ジョンソンが問題になった化粧品を廃止したのに対し、ユニリーバは「リブランディング」という対応を取ったことで猛烈に批判を浴び、明暗を分けました。

——ジョンソン&ジョンソンがそれを根本的な経営戦略として捉えていたのに対し、ユニリーバはそれをコミュニケーション／ブランディング戦略で収めようとした、という違いでしょうかね。

そう思います。これまで、こうした問題への対応は各部門に任されていたのかもしれませんが、その対応が結果として商品ラインナップの変更にまで及ぶのだとすれば、できるだけ経営に近いところに置かれる必要がありそうです。

——とはいえ、日本にそんな部門

を取り仕切れる人っているんでしょうか?

先のIT企業の人は、「自分しかいないですね」と冗談でおっしゃっていましたが、半分は冗談でもなさそうでした。聞けば海外ですと国際NGOのトップなどが大手民間企業のCSO(チーフ・サスティナブル・オフィサー)として呼ばれているようですが、財務から環境、人権といった領域をカバーできる人材は、きっとすぐには見つからないでしょうね。

——とすれば、そこもまたコンサルの出番ですね。

そうかもしれません。ただ、いまお話ししたような、労務管理まで含めた広い意味での経営のサステイナビリティに向けたトランスフォーメーションを担える人は、コンサル業界にもそこまで多くはないと思いますが、そこを強化できたら間違いなく儲かるでしょうね。そのときはおそらく、コンサル業界も「変化に向けたコミット」を強いられることになるはずですから、当面はまず、そうした未来に向けてコンサル業界自身が変わっていく必要があるのかもしれません。

——コンサル業界自体のESG対応が必要ということですよね。

少なくとも、クライアント企業にそれを促すなら、まずは自分たちから、ということになりそうです。

——コンサルタントにも当事者性が求められるということですね。

そうでしょうね。これからの社会は非当事者という抽象的な立場から何かを言うことが本当に難しくなってくると思います。

ちなみに今回の特集では、経営者のストレスマネジメントなどを行う、いわゆる「コーチング」の専門家6人のインタビューを掲載した「6人のエグゼクティブコーチ(とそのクライアント)は、パンデミックにいかに対処したか※3」(How 6 executive coaches (and their clients) are handling the pandemic)」が面白かったのですが、上役に対するコーチングのようなことが、ここに来てますます重視されてきているのは、前提として、いま言ったように「企業を変えていくなら、まずは人が変わっていかなく

※3

てはならない」という考え方があるからだと思います。
　社内の不平等などが問題になっている状況下にあっては、上役の一挙手一投足が地雷になる可能性がありますので、あらゆるハラスメントを組織内から除去していくためには、まずは経営陣に向けた指導が必須事項にならざるを得ませんよね。って、自分のようなパワハラ気質の人間が言うのもなんですが。

――コーチングとか、受けようと思います？

　それこそ先日、友人と会食していてある発言をしたところ、「それはパワハラだ」と厳しく問い詰められまして、それにまた自分がムキになって反論したので余計みっともないことになってしまったのですが、おそらくこうした状況は、自分だけでなく、世のおじさんのすべてがあらゆる空間で頻繁に出くわすことになると思いますので、少なくともそうしたときの対処を身につけておく必要があるように感じました。

――そうですか。

　口論となった相手の女性が言うには、彼女自身もつい最近「ダイバーシティ」に関するコーチングを受けたそうで、それがかなり面白かったそうなんです。彼女は、それは言ってみれば一種の振る舞いのレッスンであって、さまざまな局面における振る舞いの引き出しをもっておくことは、ためになりこそすれ損することはないと言っていました。

――そうなんですね。

　「コト」が中心になっていく世界像というのは、決まった人たちと決まった暗黙の了解のなかで「モノ」をつくっていくのではなく、ハプニング的に自分の知らない人や対象と向き合うなかで体験を共有していくことが真ん中に置かれる世界なのだろうと思います。仕事というものも、どんどんそうした方向に動いていくのだとすれば、そうした環境における振る舞いのスキルが重要なものになっていくのは間違いないのではないかと思います。

――他者とコラボレーションするスキルみたいなことですよね。

「相手の言ったことを決して否定しない」といった簡単なルールでもなかなかうまく実行できなかったりするわけですから、そうしたことを自然にできるようになるには、それなりの訓練と習慣化が必要なのだろうなと最近思い始めています。

——意外ですね。

それこそ前回の「データの洪水」で、これからの時代は「属性データ」ではなく「行動データ」が重視されると書きましたが、「属性」というものは、言ってみれば、その人の「モノとしての定義」ということじゃないですか。一方で「行動」は「コト」のなかに自分を置くということで、それはまわりとの関係性をめぐる動きの軌跡ですよね。おそらく、そっちの方向に自分の興味が傾斜しているということなんでしょうね。

——面白いですね。

コロナのさなかに自分が仕事として始めたプロジェクトは、どれもそういうものなんです。行動そのものに意味があって、そこから生まれるアウトプットは、どちらかというと二義的なものだったりします。「これ、なんのためにやってるんだっけ」と、ずっと思いながらやっているんですが、それをずっと考えるためにやっているようなもので、この連載も実際そんなものなんですよね。

Field Guides を読む #26

Consulting's new challenges

Oct. 18, 2020

https://qz.com/guide/consulting-challenges/

◉6人のエグゼクティブコーチ（とそのクライアント）は、パンデミックにいかに対処したか
How 6 executive coaches (and their clients) are handling the pandemic

◉今、コンサルタントになるにはいい時期であり、ひどい時期でもある
It's a good time to be a consultant, and a terrible time to become one

◉コンサルタントはホワイトボードなしにコンサルティングできるのか
Can consultants consult without whiteboards?

◉COVID-19下のコンサルティングが不可欠なものとして認められるには
How consulting is casting itself as essential during Covid-19

#27

The podcast business

October 25

ポッドキャストの時代性

音声メディアが動画メディアと決定的に異なるのは
「こっち側」と「あっち側」を隔てる
「スクリーン」がないことなんですよね。
映像は空間に直接作用することができませんが
音声にはそれができます。
という意味で、音声は最初から「没入型」のメディアですし
「VR」でもあるのだと思います。

——お疲れさまです。

いや、ほんとに。

——大統領選もいよいよ大詰めです。どうなりますかね。

バイデン氏が優勢と言われていますが。どちらが勝っても大荒れになりそうです。

——すでに早期投票に行った人が5000万人を超えたともいわれてます。

すごいですね。週刊誌の「TIME」が、創刊以来初めて表紙から「TIME」のロゴを外して、その代わりに「VOTE」の文字を掲載していましたし、昨晩、オンラインでさまざまなサイトを覗いていましたら、投票に行くよう促すメッセージがいたるところに掲出されていました。時代の大きな分岐点であるという認識なのだと思いますが、これはきっと両陣営が同じように感じている危機感なんでしょうね。

——トランプ陣営もきっとそう思っているわけですよね。

そうだと思います。自分が見ているメディアからは右派の心情があまりわからないのですが、そちらはそちらで必死なのだと思います。そういえば、非常に面白いエッセイが「The New York Times」に掲載されていました。

——どういうものですか？

アメリカ中西部のインディアナ州の小さな町に暮らすブライアン・グローという小説家が書いたもので、タイトルは「アメリカの小さな町のラジカライゼーション[※1]」(The Radicalization of a Small American Town) です。

——ラジカライゼーション？

「過激化」ということですね。エッセイは、謙虚で穏やかだった町が２０１６年を境におかしな気配に包まれていったことを綴っているのですが、その異変の最初の兆候として、自分の暮らす家の裏庭で人の頭蓋骨が見つかるというエピソードが、まず語られます。

――え。こわいですね。

警察が来て調べたところ、どうやらオピオイドの過剰摂取で亡くなった若者のものだったそうで、頭蓋骨以外の骨は裏山で見つかったことから、おそらく雨などで頭蓋骨が下の町まで流されてきたというのが警察の見解だったといいます。

――はあ。

その出来事自体は特に事件性があったわけではありませんが、そこがターニングポイントになったと小説家は書いています。その後、彼はロードサイドのお店でトランプ支持の旗を見かけるようになります。「Trump 2020 : Keep America Great」といった文言が書かれた旗ですが、しばらく経つと、その文言が「自由か死か」「リベラルをまた泣かしてやれ」といった、より攻撃的なものになっていることに気づきます。

――ふむ。

すると今度は、近所の家が南部連合旗を掲げていることに気づきます。あるいは地元のハイスクールの門前でマスクをしたふたりの男が「ＫＫＫ」の旗をもって立っているのが目撃されたりもします。彼らは若者をリクルートしにハイスクールの前で網を張っていたんだそうです。

――ヤバいですね。

こうした事態をグローはこんなふうにまとめています。

「これらの出来事は、どこかホラー映画のようでもある。日を浴びた牧歌的な農家の幸福な景色から始まるのだけれど、やがてゆっくりと暗黒に包まれていく。ゆっくりと起きる変化はうっかり見過ごしてしまう。そしてある日、自分の故郷が、もはやそれとわからないほど変わってしまっていることに気付くのだ」

――本当にホラーですね。

※1

グローは、トランプの旗を掲げているお店を訪ねて、そこで「自分はろくでなし」(I'm a Deplorable)との文字が書かれたTシャツを見つけるのですが、その自虐的なことばから、彼は第二次大戦中にナチスドイツから逃れてこのインディアナの小さな町へとやってきた祖父母のことを思い浮かべます。

「祖父母がドイツで感じていた気持ちは、こういうものだったのかもしれない。誰よりも汗水垂らして働くつもりはあっても、境遇は何も変わらずよくもならない。寛容な気分のときであれば、近所の人たちのゼノフォビアもレイシズムも、チンピラ風のトランプ愛も、見捨てられ見下された人びとの孤独の表れと認めることもできる。これも、自分の一部が、どこかでこの町に深くつながっているからだろう。とはいえ、この数年にこの町で起きた醜い出来事には心底ぞっとさせられた。弱まりゆく八月の光のなか、祖父母が残した古びた農家を眺めながら思案する自分がいる。いよいよ荷物をまとめる時が来たかと」

――良さげなエッセイですね。

いま引用したのがラストの文章ですが、うまいですよね。母国の苦難を逃れてアメリカにやってきて汗水垂らして働いていまの暮らしを手に入れた、というのは彼だけでなくアメリカにおいてはほとんどの人の先祖の物語でもあるわけですから、トランプ支持者の心情は小説家にとっても必ずしも他人事ではないはずで、それを声を荒らげるでもなくさらっと描くのは、これは見事な文章力ですね。

――簡単には割り切ることのできないことがあるわけですね。

こういうエッセイがいいなと思うのは、まさにそういうところだと思います。Tシャツのスローガンやツイートは、どうしたって「キャッチフレーズ」になってしまいます。それはそれで有効なときもあるのでしょうけれど、現実というものは、そんなに簡単に語れるものではありませんよね。なんというか、簡単に割り切ってしまうことへのためらいやうしろめたさを、そうしたものは捨象してしまいます。

――こういう文章がニュースサイ

トに素敵なイラストとともに掲載されているのは素晴らしいですね。

私たちは、いわゆる「五感」を通して「現実」を認識するわけですが、そうやって五感を通して得た情報にも、言語的に「頭」に届くものと、この言い方に正確性はないとは思うのですが、「心」に届いてしまうものとがあるのではないかと感じます。

「頭」と「心」には一種の主従関係がありまして、理性というものに重きが置かれる「近代的な個人」である以上は、感情やエモーションで物事を判断してはいけないと教わりますから、感情を抑えながら、心で取得した情報も頭で処理すべく一生懸命頭のプロセッサを稼働させるわけですが、それでも、どうしても処理できずにあぶれてしまう何かが残ってしまうんですね。

――「モヤモヤ」って、きっとそういうものですよね。

そうした「モヤモヤ」が残るのは気持ち悪いものでもあるのですが、デジタル化によってあらゆる物事が情報化されていく社会にあっては、余計にそうした「モヤモヤ」が切り捨てられていくことになりますから、私たちはそうした「モヤモヤ」に対してよりいっそう耐性を失い我慢が利かなくなっていっているのかもしれず、そうした「モヤモヤ」への耐え難さが陰謀論や先に見たような言説の「過激化」を招き入れているのかもしれません。

――余白のない「言い切り合戦」においては、ことばも思考もどんどんエスカレートしていきます。

そうなんです。それはとても疲れることですよね。今週の〈Field Guides〉は「ポッドキャスト」がお題ですが、ポッドキャストへの需要の高まりは、案外こうしたこととも関係があるのかもしれませんね。

――突然本題に。

自分が今年に入ってかなり熱心にポッドキャストに取り組んでいることもあって、この分野には非常に興味がありまして、昨年から今年にかけてポッドキャストをめぐる状況をレポートにまとめる仕事などもしたのですが、「なぜいまオーディオメディアが熱いのか?」という問いをめぐる答えは、簡単であるように見えて実はそうでもないんです。

——よく言われるのは「何か他のことをやりながらでも聴ける」ということですよね。

家事であれ、仕事であれ、運転であれ、手と目が塞がっていても消費できるコンテンツであるというのは、もちろん音声メディアの優位な点ではあるのですが、それをいえば音楽だってずっとそうだったわけですし、ラジオというメディアは昔からありましたので、特に目新しい話でもないですし、「いま改めて、人が音声メディアに惹かれている」ことの説明にはなりませんよね。

——通勤や通学での需要が増えているとも聞きますが。

そのことについては今回の〈Field Guides〉の「コロナウイルスのパンデミックで変容するポッドキャストの聴かれ方※2」(The coronavirus pandemic is changing which podcasts people are listening to)という記事でも真っ先に指摘されているのですが、ロックダウンによって通勤・通学の時間がなくなったにもかかわらず、今年の1月から9月までの間に番組のダウンロード数は150%も増えたそうなんです。

——ほほう。

家での時間が増えたことで、かえってポッドキャスト需要が増えたということについて、何らかの根拠を見出すことはできるようにも思いますが、そうした説明は、ほとんどが結果を説明するだけで、「なぜ」の答えにはなかなかならないとも思うのですが、以前ポッドキャストについて調査したときに見たあるリサーチが、個人的には、その「なぜ」に迫る有力な手がかりになるのではないかと思っています。

——ほお。どういうものですか?

こちらソースがすぐに出てこないのですが、こんなことが言われていました。自分が作成したレポートからの抜粋です。

「イギリスの研究グループの調査によると、テレビ/新聞/ラジオの3つの異なるメディアコンテンツに、それぞれ嘘を埋め込んだところ、嘘を見破ったテレビ視聴者は全体の半数であったのに対し、音声リスナーは4分の3が嘘に気づいたという」

——へえ。面白いですね。

確かソースの資料に書かれていたのは、視覚情報は情報の真偽や人が嘘をついていたりすることを覆い隠してしまうことが多いということでした。一方の音声情報は余計な情報がないところに「声」というものがダイレクトに入ってきますので、自分たちにもよくわからないセンサーと判断基準で、真実めいたものとそうでないものを識別するのだろうと。

　この研究結果は、もしかするとポッドキャスト、あるいは音声メディア全般の不思議な魅力を言い当てる、ひとつの切り口になるのではないかと思います。

——先ほど頭で受容するものと心で受容するものの違いという話がありましたが、音のほうが直接心に届くようなことがあるんでしょうかね。

　ポッドキャストは他のメディアと比べてもオーディエンスのエンゲージメントが極めて高いのが特徴とされていまして、離脱率が低く「リスナーの86%は1エピソードのほとんど、ないしすべてを聴いている」という数字も出ています。

　〈Field Guides〉のなかの「Spotifyがつくるポッドキャストの新時代[※3]」(How Spotify is shaping the next era of podcasting)では、ポッドキャストのホストが広告を読み上げた場合、広告をスキップされる率が動画などと比べて低いとされています。

——信頼性が高いメディアであると認識されているということになりますね。

　その「信頼性」をどう理解するかはさまざまあると思いますが、それでも先の記事「コロナウイルスのパンデミックで変容するポッドキャストの聴かれ方」は、コロナ禍のなかニュース番組の需要が一気に高まったとしていまして、なかでも「The New York Times」の「The Daily[※4]」と、「Vox Media」の「Today, Explained[※5]」が飛躍的に伸長し、さらに「True Crime」

※2 ※3 ※4 ※5

と呼ばれるジャンル、いわゆる「実録モノ」も伸びたとされています。

――「The Daily」は、その日のトップニュースを書いた記者が記事の裏話を解説するという内容ですよね。

いまこの原稿を書いている時点での最新のエピソードは、ちょうど大統領選の討論会についてのものですが、記者が進行係にいたずらをするところから始まっていまして、非常にリラックスした雰囲気のなかでフランクに討論会が振り返られていて、やっぱりいいんですね。台本がある感じがしないのもいいですし。

――「そこに人がいる」という感じがしますよね。

そうした「当事者性」というのもポッドキャストのひとつの重要な魅力だと思いますが、音声メディアが動画メディアと決定的に異なるのは「スクリーン」がないことですよね。

――と言いますと。

スクリーンって「向こう側」と「こっち側」を明確に隔てるものじゃないですか。

――あ、たしかに。

映像は空間に直接作用することができませんが、音声はできますよね。という意味で、音声は実は最初から「没入型」のメディアですし、「VR」でもあるのだと思います。

ポッドキャストは「リスナーに、その場で話を聞いているような近しい感覚を与える」といったことがよく言われるのですが、私がやっているような雑談ポッドキャストでも「部室で先輩の話を聞いているようだ」と言われたりしますので、「そこにいる感」が音声、特にトーク番組では聞き手に強く作動するのだと思います。

――そのことと、さっき話題に出た「信頼性」は関係がありそうですね。

はい。おそらく、ここで問題になっている「信頼性」というのは、情報の客観的な信頼度というよりは、むしろ、ある情報を扱うときの身振りや息遣い、そしてそこから察知することのできる心の動きのようなものに宿る「信頼性」なのではないかと思います。つまり、人としての情報や出来事への向き合い方や距離感の部分ですよね。空気の振動として伝わる「信頼性」みたいなことなのだと思いますが、何がどう作用することでこれがもたらされるのかは、正直よくわかりません。

——そうですね。

「Quartz Japan」のニュースレターに、これまた面白い指摘がありまして、Spotifyがこの9月に提出した「Culture Next 2020※6」というレポートがソースなのですが、若者のポッドキャストをめぐる動向についてこう解説されています。

「レポートによると、米国のZ世代（同レポートでは、15～25歳）とミレニアル世代（同じく、26～40歳）の73%が、ストレスや不安に対処するために音声コンテンツを使用していることがわかりました。若者の大多数にとって、『音』は『感情的なもの』で『治療的なもの』であり、『パーソナルなもの』。Z世代の54%がより頻繁にポッドキャストを聴くようになり、4人に1人がメンタルヘルス関連のポッドキャストを聴いていると答えています」

——ああ、なるほど。一種の「癒やし」なんですね。

とはいえ、それが必ずしも逃避的なものでないことは次の指摘からわかります。

「現在のところ最も注目されているテーマは、政治に関連するもの。今年1月から8月の間に、次期大統領選挙で投票を予定しているというZ世代の割合は65%から72%に増加しています。また、Z世代の71%が、政党との提携よりも『前進』を重視しており、若者は政治家よりも政策に関心をもっていることがわかっています」

——「政治」への関心を高めながら、それが「癒やし」として作用するというのは面白いですね。先ほどから話題になっている「信頼性」というものと「癒やし」とが同居するというのは、情報の信憑性、フェイクなのかそうでないのかをめぐっていたるところで殴り合いが展開しているなかでは、なんだかとてもリアルですね。「信

※6

頼」できるものを見出すことが癒やしになる、というのはよくわかるような気がします。

　また、こんな指摘もあります。

「Z世代とミレニアル世代はまた、異文化とのつながりを大切にしています。これは、業界が現在のようにグローバル化していなかった時代、ストリーミングサービスを利用する前には実現できなかった概念です。両世代の80%が、音楽ストリーミングサービスは異文化への入り口になると回答。さらに、69%が音楽を通じてコミュニティの感覚を見つけるという考えを支持しています」

――面白いですね。「政党」よりも「政策=イシュー」が重視されるという話は、これまでも何度かこの連載のなかで指摘されてきたことですし、「コミュニティ」というテーマも折に触れて出てきました。若者たちの動向は、そうした時代の変化を鋭く察知しているように読めますし、同時に「音声メディア」がそうした変化のドライバーになっているのは興味深いですね。

　それが「なぜなのか」は、おそらく誰もよくわかっていないのだと思いますが、ポッドキャストがもっている当事者性、コミュニティ性、親密さや癒やしの感覚、信頼性、イシュー性といったものが、不思議と時代の要請と合致しているんでしょうね。

――簡単に始められるという手軽さもいいんでしょうし。

　それも当然ありますね。もっとも近年では手の込んだラジオドラマのような番組がアメリカでは増えていますし、「映画スタジオは映画の製作にポッドキャストを利用している※7」(Film studios are using podcasts to decide which movies to make)という記事は、ポッドキャストが映画会社のネタの草刈場となっている様相を明かしていますので、ビジネスとしても、これからさらに大きく伸びていくと見られています。

――「Spotify」と映画製作会社の「Chernin Entertainment」が提携したというニュースも紹介されています。

ポッドキャスト制作会社の最大手のひとつ「Gimlet Media」のＣＥＯは自社を「ＩＰ工場」と呼んでいるほどで、これは記事のなかでも指摘されていますが、映画会社やテレビの番組制作会社が、これまで本や雑誌記事などをネタのソースとしていたのが、今後はポッドキャストに移行していくと見られています。また、タレントエージェンシーも、ポッドキャストをより大きなビジネスに食いこむための登竜門であると見て、ポッドキャスト向けの営業担当や専任の部署を置き始めているそうです。

――ノンフィクション、フィクションにかかわらず、映画化やテレビシリーズ化は出版社のひとつの大きな収益源で、アメリカでは雑誌記事が映画になることも珍しくありませんでしたが、今後は出版業界もポッドキャストに参入していくことになりそうですね。

「The New York Times」を見ても明らかなように、ニュースメディアはすでにポッドキャストが重要なチャンネルになると見込んでいまして、同紙の例で言いますと、昨年、奴隷船のアメリカ到着４００周年に制作された特集「１６１９」※8は、紙面やウェブサイトに大々的に掲載されただけでなく、同時にポッドキャストシリーズとしても展開され、担当者に聞いたところ、その後、大手ＳＶＯＤプラットフォームでの映像化の話も動いているとおっしゃっていました。

――ひとつの題材を、文字、写真、音声、映像と、全メディアを通じてコンテンツ化していくということですね。冒頭に紹介してもらったエッセイなんかも、そのままポッドキャストになりそうですし、映画にだってなりそうです。

そうですね。ちなみにコンテンツの横展開という話で言いますと、最近私が聴いて面白かったポッドキャストは、アメリカの80年代のポルノ女優トレイシー・ローズのキャリアを題材にした「Once Upon a Time...In the Valley ※9」という実録モノで、これは企画者がリリ・アノリクという女性で、彼女は名門雑誌「Vanity Fair」のコントリビューティングエディターなんです。

――雑誌でノンフィクション記事

※7　※8　※9

を書いていたのが、そのままポッドキャスト制作に移行したということですね。

はい。個人的には、このエディターの動きに興味があったんですが、内容も非常に面白いものでした。ちなみにこの番組の謳い文句は『ブギーナイツ』と『ゴーン・ガール』と『アリー／スター誕生』が3Pしたら」というものですから、当然のこととして映画化まで視野に入れて制作されているように見えます。

――めちゃ面白そうじゃないですか。

面白いんですよ。詳細はここでは割愛しますが、トレイシー・ローズの歴史的な重要性は、彼女が単に人気女優だったということではなく、彼女がある意味「歴史上初めてのAV女優」だったというところにあるんです。

――どういうことですか?

それまでポルノ映画の配給先は映画館しかなかったんです。ところが家庭用ビデオ再生機というものが登場したことによって、日本で言うところの「アダルトビデオ」という産業が一気に勃興することになるんですね。なにせ、映画館に行かずとも家で視聴できてしまうわけですから、そこで起きた産業規模の爆発的な増大というのは容易に想像つくかと思いますが、トレイシー・ローズは、その産業を誕生させたと言っても過言ではない象徴的な存在なんです。しかも、彼女のキャリアはわずか3年で、しかも、その活動期間中、彼女、未成年だったんですよ。

――え。

デビューしたとき、なんと15歳だったんです。このポッドキャスト番組は、そのスキャンダルを中心に据えた入り組んだ社会・政治ドラマなのですが、今回の題材に関連することで言いますと、これは同時に一種のメディア史でもあるんですね。

――第3話の「ホームフィットネスの意義」で、VHSの普及とジェーン・フォンダの「ワークアウト」の爆発的人気と女性のエンパワーメントの関連性という話がありましたが、まさにそれと対をなす話題ですね。ＶＨＳの普及が男性に何をもたらしたかというのは、実に興味深いお題です。

そうなんです。ぜひどなたかに深掘りしていただきたいお題ですが、ここで言っておきたいのは、この番組で描かれているように、メディアチャンネルが映画館からＶＨＳに移行することで新たなスターが生まれ、新たな産業が生まれ、また新たな価値観やものの見方や感受性が生まれていくというようなことは、もしかしたら、いままさにポッドキャストで起きていることなのかもしれないということです。新しいコンテンツが爆発的に開発されていくなかで、いままさに新たな話法や切り口、新たなスターやプレイヤーたち、そして新たなビジネスモデルが猛然と開拓されようとしているんですね。

——ブログが流行って人気ブロガーが出てきたり、YouTube の普及とともに YouTuber が出てきたりしたときの感じに近いんでしょうか。

ポッドキャストはフォーマットとしては長らく存在してきたにもかかわらず、ずっと泣かず飛ばずでいたのが、ここ数年で飛躍的に伸びたことにはなんらかの理由があるように感じますが、もしかしたらブロガーや YouTuber らが、すくいきれなかった何かをポッドキャストがすくい取れたからなのかもしれません。

——それは何なんでしょうね。

よくわからないのですが、自分でポッドキャストをやっていて面白いなと思うのは、音声によるコミュニケーションには、ポリフォニックなところがあるんですね。

——ポリフォニック？

音楽用語としては「多声音楽」の意味ですが、要は複数の声が入り混じっているということです。

私は、面白そうな新刊本を選んで、そのなかの数ページを朗読するという謎のポッドキャスト番組[※10]をやっているのですが、それをやっていて気づいたのは、文中にある引用部分を「ここからここまでが引用文ですよ」と明示することが、朗読だとできないということです。

※10

――ははあ。たしかに。

「カギカッコ／カッコ閉じ」と読んでもいいのですが、それも聞きづらいかとそのまま読んでしまっていますが、それだと聴いている人は、どこまでが地の文で、どこからが引用で、どこで地の文に戻っているのかが、おそらくかなり不明瞭だと思うんです。これは、普段の会話においてはなおさらそうで、音声による会話は、そもそもが「誰々がこう言った」という話が話者自身の話とシームレスにつながってしまい、さらに、それが話している相手の話ともシームレスにつながっていってしまうものなんですね。

テキストというものは、誰が話者であるかを、はっきりと明示して切り分けることができますので、文章を書くにあたっては、そこを明瞭に分けるように私たちは教わりますが、会話ではいちいちそんなことはやっていないんですね。

――面白いですね。

この連載で何度も言及しているメディア批評家のダグラス・ラシュコフは、文字の読めない人が大半であった中世の時代のバザールにおけるコミュニケーションについて論じていまして、それがデジタル空間における情報のやり取りにとても似ていると指摘しています。

駄話や噂話やほら話が騒然と飛び交うバザールにおいては、情報の「客観的な真実性」なんていうものはとても見極めることはできないのですが、それでもなんらかの方法で人びとが、自分たちの現実に即した「真実性」を集団としてつかみ取ることができていたのだとすれば、音声コミュニケーションには、「ポリフォニックな合意」とでも呼ぶべきものを成り立たせる力があるのかもしれません。

――この連載を、あえて対話形式にしているのも、そうした「多声性」みたいなことと関係しているんでしょうかね。

そういうところもあるのかもしれません。実際、構成を考えもしないで、本当に出たとこ勝負で会話をつないでいっているだけですから、これが全部厳密に「自分のことばである」という感じはしないんですよね。なりゆきまかせで思いついたことを書きつけているという意味では、音声による対話に近いのかもしれません。

——ポッドキャストっぽいですよ。

そうなのかもしれません。それがいいのか悪いのかはよくわかりませんが。

Field Guides
を読む
#27

The podcast
bussiness

Oct. 25, 2020

https://qz.com/guide/podcast/

◉ Spotifyがつくるポッドキャストの新時代
How Spotify is shaping the next era of podcasting

◉映画スタジオは映画の製作にポッドキャストを利用している
Film studios are using podcasts to decide which movies to make

◉コロナウイルスのパンデミックで変容するポッドキャストの聴かれ方
The coronavirus pandemic is changing which podcasts people are listening to

◉ポッドキャスト産業が破綻させている聴覚障害者のコミュニティ
The podcast industry is failing the deaf and hard of hearing community

#Bonus Track

Conversation with Audrey Tang

April 14

オードリー・タンとの対話

全国の小中学校・高校の臨時休校要請が発動、
アベノマスクの配布が閣議決定されるなど、
「日本モデル」のコロナ対策を尻目に
デジタル技術を用いた鮮やかな対策で
世界の耳目を引いた「台湾モデル」。
その中心人物、オードリー・タン（唐鳳）に
話を聞く機会を得て、2020年4月14日に記事を公開し
大きな反響を呼んだインタビューを特別収録。
コロナ対策からデジタルガバメントの本質まで、
今後の日本の指針となるべき至言が満載。

聞き手：若林恵
協　力：一般社団法人 行政情報システム研究所

――おはようございます。

今日はありがとうございます。お話できて光栄です。音声は聞こえますか？

――こちらこそ光栄です。聞こえてます。大丈夫です。

さぁ始めましょう。

――今日は貴重なお時間をありがとうございます。今日の調子はいかがですか？

起きてからちょうど3時間ですが、これが3つ目のビデオ会議です。マスクの大量流通やコロナウイルス対策についてアメリカの関係者とお話をしました。あちらでも、かなり話題になっているようです。

――お休みは取れていますか？　それとも常に仕事をしている感じですか。週末には休めてます？

ええ、もちろん休みは取っています。ポモドーロテクニックも採用していて30分ごとに5分の休憩を取るんです。おかげで元気にやっています。

――へえ、そうなんですね。さて、このインタビューでは、行政府のデジタルトランスフォーメーション（DX）を中心にお話をお伺いしたいと思っています。その観点からCOVID-19をめぐる対策についてもお伺いすることになるかと思います。

了解です。

――いまチラと言及されたマスクの在庫管理アプリ（註1）ですが、日本でもかなり話題になりました。まずはこのプロジェクトについて教えていただけますか。どのように始まったのか、誰がどのような意思決定をしたのか、実際に誰がつくったのかといったあたりですが。

マスクについてはふたつのシステムがあります。ひとつ目は薬局のマスクの在庫管理です。薬局に行って国民健康保険証を提示するだけで、大人なら3枚（註：開始時は2枚）、子どもなら5枚のマスクをいつでも受け取れます。これは「マスク配布システム1・0」と呼んでいます。これに加えて「e-mask」もしくは「e-mask2.0」と呼ばれるシステムがあります。オンラインでマスクを事前注文して、近くのコンビニエンスストアで受け取るというものです。私も昨日注文をしましたが、作業は1分もかかりませんでした。通常、薬局ですと購入に何分もかかりますが、このシステムは前払い制ですし、コンビニは24時間営業なのではるかに便利です。唯一の難点は事前注文したマスクが近くの店舗に入荷するまで1週間待たなければならないことですが、それでもとても人気があります。今朝の時点で、すでに150万人以上が e-mask を使っています。

――すごいですね。そのプロジェクトはどのように始まったのですか。あなたのアイデアだったのか、それともチームや外部の人のアイデアですか。

薬局でのマスク配布は、蘇貞昌・行政院長（首相）のアイデアです。彼は、ユーモラスな発言や、買い占めに対して「もっと買って！」と呼びかけたことで、日本でも話題になりましたね。私がやったことといえば、市民が開発したものを首相に見せることだけでした。2月3日だったと思います。海南省のハワード・ウーとウー・チャンウェイという人がマスクの在庫とコンビニエンスストアのインタラクティブマップのプロトタイプをすでにつくっていたのです。

【註1―リアルタイムマスクマップと購入者の分散化】新型コロナウイルスによるマスク不足を受けて、台湾政府は2020年2月6日からマスクの購入規制をスタート。この購入規制は、ひとりが購入できるマスクを大人なら週3枚（開始時は2枚）に制限するというもの。身分証番号の末尾が奇数の人は月曜日、水曜日、金曜日、偶数の人は火曜日、木曜日、土曜日にしか購入できないよう制限を設けた。購入制限によりマスク販売場所に指定された薬局へ人が殺到することも予想されたが、政府が公開したデータをもとにした「リアルタイムマスクマップ」の登場で、薬局の在庫が一目でわかるようになり、マスクを求める人が1軒の薬局に集中することなく、分散化された。

――マップを制作するためのマスクの在庫データは、どのように集めたのでしょう。すでに薬局の在庫ネットワークがあったのでしょうか。

在庫データは、基本薬局が自発的に公開しています。システムの構築は、全民健康保険（NHI）のプログラマーやコントラクターがすべてやってくれました。私自身はまったく手を動かしてはいません。このシステムの考え方はとてもシンプルです。毎日、薬局にマスクが届きます。届いたら、薬局が3枚入りのパックに分けます。それを終えたら、大人用と子ども用のマスクを何パック詰めたかをVPN接続を使ってNHIのシステムに登録するだけです。とても簡単です。

――なるほど。

お客さんがマスクを受け取って、薬局がその方のNHIカードをスワイプしたら、そのデータがリアルタイムでNHIにAPIでピンバックされ、別の薬局ですでにマスクを受け取ったりしていないかなど、受取り資格が確認されます。これは二重支給を避けるためです。NHIが素晴らしいのは、1日ごとのデータではなく、数分ごとにデータを更新することに同意してくれたことで、この部分においてシビック（市民）セクターとの協働が実現しました。

――どのようにして薬局を巻き込んでいったのですか？　彼らの自主性をどのように喚起していったのでしょう。

薬局は、もともとNHIと契約関係がありましたので、そこを通じて参加を呼びかけたわけですが、すごく小規模であったり、なんらかの理由で参加が難しい薬局は参加する義務はありません。「オプトアウト・メカニズム」になっていますが、ほとんどの薬局が協力してくれています。なぜなら、衛生を国民に正しく啓蒙するのも彼らの重要な仕事だからです。おかげでいままでは、マスクはきちんと手を洗って使ってこそ役に立つということを誰もが知っています。薬局がこのように国民の公衆衛生教育の機能を果たしていることは、今回のプロジェクトには非常に役立ちました。

――どれくらいの数の薬局が登録されているんですか。

日によって異なります。「口罩儀表板※1」を見てみていただくとわかりますが、今日の時点では大人用マスクの在庫がある薬局は4254店、子ども用マスクの在庫がある薬局は6069店となっています（註：2020年11月現在は更新停止）。

――オードリーさんのチームは何名いるんですか？

このタスクフォースは巨大です。しかも私がチームをリードしていたわけではありません。今回のマスクのプロジェクトは、シビックテックコミュニティと政府内のテックチームの主導によるもので、私はあくまでも、彼らが円滑にコミュニケートするためのパイプの役割を果たしているだけです。シビックテックサイドの「g0v※2」（零時政府／註2）のCOVID-19チャンネルには、現時点で431名の市民が参加しています。政府内のテックチームにも同程度の人数がいます。私はどちらのチームを率いているわけでもありません。私はこれらのチームが協力し合えるようにするパイプ役にすぎないのです。

――「g0v」には、どんな人たちが参加しているのでしょう？　主にプログラマーやエンジニアですか？

そうですね。加えてデザイナーも多く参加していますし、東京都の「新型コロナウイルス感染症対策

【註2 ―「g0v」とは？】「ゼロから行政府の役割を再考する」をミッションとした「g0v」（Gov Zero）は2012年に立ち上がったシビックテックのコミュニティ。政府に対して徹底した情報公開と透明性を求め、数々の社会変革をもたらし、さまざまなオープンソースプロジェクトが生まれている。オードリー・タンはこのコミュニティの中心的人物で、政府とのパイプ役を担っている。現在はリードプログラマーとして大規模なプロジェクトを推進することはないが、大臣となったいまも年間1000～2000のプロジェクトにコミットしている。

※1　※2

サイト」（註3）の制作を手がけている人たちも参加していています。

——なるほど。「g0v」は台湾における「Code for Japan※3」のような組織ってことですよね。

そうですそうです。基本同じことです。サイトにアクセスすれば、誰でも参加できますよ。

——オードリーさんは「g0v」の活動にはどれくらい携わっているのでしょうか。

「g0v」は、2012年の後半にスタートしました。私が手がけた最初のプロジェクトは、2013年初頭に始めた「MoE Dictionary※4」です（註：台湾の複雑な言語事情を解消するために、台湾の北京語、客家語、閩南語に対応する英語・フランス語・ドイツ語の辞書を作成したプロジェクト）。それから7年以上経ちますね。

——現在、マスクマップ以外に取り組んでいるプロジェクトはありますか？

そうですね。マスクのオンライン注文システムは、新しいシステムなので、ここ数週間それに集中していましたが、とてもうまくいっています。これと並行して進めてきたのはデマ対策の取り組みで、これは日本からも注目を集めています。「Humor over Rumor※5」（噂よりもユーモアを）というプロジェクトです。

今年の2月にイスラエル、オーストラリア、台湾をはじめとする各国のチームがフェイクニュースにいかに対抗するかをテーマにした「U.S.-Taiwan Tech Challenge」というイベントに招待されたのですが、そこで優勝した「ドクトリンメッセージツール」（Doctrine Message Tool）は、台湾のセキュリティソフトメーカー「トレンドマイクロ」（註4）の社員が開発したものでした。

——へえ。

このツールは、日本でも使われているLINE上で利用できるボットです。まず、ロボット犬をあなたのLINEのグループに招待します。LINEグループに10人ほどの友だちがいた場合、パソコンのウイルス対策ツールのように画像やテキストをスキャンしてくれます。ロボット犬は、ファクトトラッカーによって情報をデータベースや台湾疾病管制局のものと比較します。それが信憑性のない情報だった場合は、ロボット犬が1~2秒以内にすぐにユーモラスな反応をするのです。そうすると、人びとは陰謀論や噂に憤慨する代わりに、可愛らしい犬の微笑ましい写真でなごむことになります。これは、非常に有効な手段です。また、ファクトチェックのために、より多くの政府機関に参加してもらうことにも力を入れています。

――ファクトチェックというのは非常に難しいものですよね。日本ではＰＣＲ検査の是非をめぐって医療関係者が二分されるようなことも起きています。これはどちらかがデマであると言えるような類の議論ではありませんが、どちらが正しいのかを判断するのが非常に困難でもあります。そうした際のある種のファクトチェックは誰が担うことになるんでしょう。

それはインディペンデントなジャーナリストです。

――そうなんですね。彼らが、双方の意見を聞き取って、それぞれの言い分を計るわけですね。

おっしゃる通りです。台湾疾病管制局が果たして

【註3―鳳が東京に舞い降りた!】オードリー・タンが日本で注目を集めた大きなきっかけとなったのは「東京都新型コロナウイルス感染症対策サイト」への「降臨」だった。都の公式サイトでありながらGitHubでソースコードが公開されており、ユーザーが提案を行えるオープンソース設計になっていた同サイトにオードリー氏が言語選択欄の漢字を「繁体字→繁體字」と変更するよう提案し、その内容が反映された。このサイトの構築には日本のシビックテックコミュニティ「Code for Japan」が参加している。

【註4―トレンドマイクロの出自】トレンドマイクロは、創業はアメリカで、現在本社は日本にあるが、台湾出身のスティーブ・チャンが創業し、台湾に本社があったこともある。

※5 ※4 ※3

いる中核の業務のひとつは、毎日行っている記者会見のライブストリーミングと同時中継されるリアルタイムの手話だと思います。これらの会見はセンター長にどんなことを聞いてもいい場となっています。ジャーナリストには情報にフルアクセスする権利が与えられており、聞いてはいけないことは何もありません。記者会見は、質問者がいなくなったときに終了します。ジャーナリストとのこうした協力関係、コラボレーションは非常に重要な鍵です。そして、そこでジャーナリストが得た回答は、いま申し上げたボットにも反映されることとなります。

「Humor over Rumor」は、ジャーナリストが政策決定の全体のコンテクストを理解しているからこそ機能するものです。そうでなければ、ボットの判断は、単に気分を反映したものでしかなくなってしまい、デマやフェイクニュースをむしろ助長してしまいます。

――まさにそれが日本で起きています。閣僚や官僚は回答を拒み、回答を回避するための制限が勝手につくられているような感じです。

それは文化的な相違かもしれませんが、どうでしょう。台湾では、政府よりもシビックセクター、ソーシャルセクター（註5）の方により権威があり、むしろ政府よりも支持されているほどです。現政権の支持率は、今回の事態によって非常に高いものになってはいますが、それでも多くの人びとは慈善団体やジャーナリストといったソーシャルセクターのほうをより信頼しています。

台湾には、総統選挙が行われるようになる前からコミュニティビルディングの長い伝統があります。ですから内閣は、ソーシャルセクターやその一部であるシビックテックコミュニティと敵対するよりも、むしろ積極的に協働することが文化となっているのです。

――シビックテックのコミュニティは、国民から広く支持されているのでしょうか。日本では、そもそも「シビックテック」という言葉すら、市民権があるとは到底言えない状況です。

「g0v」は非常によく知られています。それはg0vが、

２０１４年に「ひまわり学生運動」のさなか議会が占拠されている期間、通信インフラを支える技術をもつ人たちを経済的に支援[※6]していたからです。２０１４年３月以前には「g0v」という言葉を聞いたことがなかったはずです。知名度が上がったのは、その後です。

――オードリーさんが入閣し、ＩＴ大臣になったときに、何か反対意見はありましたか？　年配の人からとか？

いいえ、そんなことはありませんでした。私は、政府と「一緒に」仕事をしているのであって、政府の「ために」仕事をしているわけではないからです。先ほども言ったように、私は世代間、セクター間、文化間の連帯を構築する「チャンネル」なのです。それに反対している人はいないと思います。

――大騒ぎになったわけではなかったんですね。日本では、オードリーさんの年齢で大臣なんて、想像もできないわけです。

前内閣の大臣のもとで２年間働いていたという背景もあったと思います。加えて、行政府で働く人たちの仕事を外部から妨害するのではなく、彼らのリスクを軽減し、業務時間を効率化させ、国と公務員の信用を高めるためにいることを徐々に示すことができているからだと思います。２年間のインターンの間にそれを明確にできたので、役人たちは私が大臣に就任することに安心感があったのではないでしょうか。

――台湾政府のデジタル化は世界的に注目されるものとなっていますが、こうしたドラスティックなデジタル・トランスフォーメーション（ＤＸ）にいた

【註５―ソーシャルセクター】「social sector」とは、パブリックセクター（公共セクター・行政府）、プライベートセクター（民間セクター・企業）とは異なる中間的なセクター。非政府組織や非営利団体が管理する経済活動の分野。日本で「第三セクター」と呼ばれているものがこれに当たるが、本インタビューのなかでオードリー・タンは、この呼称を否定している。

※6

る動機はいったい何だったのでしょう？　そのプロセスはどのように始まり、どう発展したのか、少しだけ歴史を教えてもらえませんか？

いわゆる「デジタルデモクラシー」に関して言えば、台湾で最も重要な発展の契機となったのは、もちろん「ひまわり学生運動」だと思います。「オープンガバメント」の概念のないところでは、NGOを通してデザインされた権利を通して50万人もの人を路上に動員しないといけないわけです。けれども、どこにも行き着かないオキュパイ（占拠）運動や抗議運動のようにただやみくもに敵対するようなやり方ではなくとも、大まかなコンセンサスに達することはできるんです。プルーフ・オブ・コンセプト（概念実証）も、デモも行うことなく、見ず知らずの市民同士が協力しあうのはとても難しいと考えられてきましたが、それを可能にするのが、シビックテックというものの核心で、クロスセクターによる信頼というものなのです。

——ふむ。

付け加えるとすれば、ひまわり学生運動の前は、1999年に起きた「921大地震」も大きな契機として挙げられるかと思います。そこでは市民のみなさんが、復興のために通信を担ったり、物流を担ったりしました。台風や地震といったものは人びとを結びつけるものです。日本の方には言うまでもないでしょうが。

——つまりシビックテックというのは、ある意味デモの延長線上にあるものだと言えるわけなんですね。

はい。デモはデモンストレーションであってプロテストではありません。またデモは、世界に向けて行われるものでもあります。現在のコロナウイルスの状況を見て、多くの人が全体主義的な「国家統制」の必要性を感じていたり、あるいは逆に政府はまるっきり無能で役に立たないから政府の指示や権力をあてにしないで自助でやろうとなったりするわけですが、シビックテックはその間に立って、ふたつの強力なセクターが互いに補完しあうように仕向けるわけです。

――台湾には、政府のデジタルプラットフォームにアクセスするために、国民にはデジタルーDのようなものがあるんですよね。

はい、あります。全民健康保険（NHI）カードがそれに当たります。台湾は単一支払者制度で、ユニバーサルアクセスとなっています。認証はしますが、それを使って書類に署名することはできません。電子署名カードや、日本のマイナンバーカードにも似た電子住民票は4分の1の人のみがもっているカードですが、NHIカードは、誰もがもっています。

――それが行政のデジタルサービスの基盤となっているわけですよね。

マスク配布に関しては、サージカルマスクを医療品として分類し、NHIカードを利用してオンラインまたはオフラインで入手できるようにしています。

――2014年以前から、政府はDXを熱望していたのでしょうか。それとも学生運動を通じて、その重要性に気付いたのでしょうか。DXに対する政府の態度はどのように変化しましたか。

私たちは、デジタルに「トランスフォーム」（変換）するとは考えていません。どちらかというと従来のアナログのプロセスをより多くの人に届くように「増幅」していると考えています。「デジタル・トランスフォーメーション」は何かを奪うものではないんです。例えば、電子署名法を導入したときも、台湾で広く使われている木彫りの「印鑑」が「もう使えません」とは言いませんでした。印鑑は継続して使えます。電子署名も、印鑑も、どちらでもいいんです。ちなみに、印鑑の電子化を受けてマルチタッチの電子印鑑をつくったイノベーターもいて、それは印鑑を携帯電話のスクリーンに押しあてると電子印鑑として使えるというものです。これは「トランスフォーム」（変換）ではなく、既存の文化を「増幅」することを意味しています。

――デジタル化の話になると、つい話が「効率化」に向かいます。で、必ず「雇用が減る」と言われます。

いやいや、そうではありません。むしろもっと「インクルージョン」(包摂)を高めようということなんです。人びとがよりクリエイティブになり、仕事がよりインタラクティブになることで、ロボットに雑用を任せることができるようになります。日本が掲げている「Society 5・0」のビジョンもこうした考えに基づいていますよね。

——そうなんですね……ときに、オードリーさんがなんらかのプロジェクトを進めるときは、基本どんな手順で進めるのでしょうか。どうやって始めて、どのように終わらせるのでしょう。

私自身がプロジェクトを始めることはないんです。プロジェクトは常にソーシャルセクターやシビックテック、「g0v」や行政の方々のアイデアから生まれます。私の役割は、彼らの業務を可視化し効率化し、コラボレーションを最大化することだけです。私のオフィスには各省庁から派遣されているスタッフとシビックテックの人びとが半分ずついます。そして、毎週水曜日にランチやオフィスアワーを設けて、私のところに遊びに来てくださいと声を大にして呼びかけています。台湾国内から生み出される、どんなセクターから提出されたどんなに小さなイノベーションであっても、それがきちんと増幅されるように気を配ることが私たちの仕事です。ですから、私たちは絶えず何が起きているのか学び続けています。

——ファシリテーターというかモデレーターというか、シビックテックのコミュニティや政府からアイデアが出てきて、それを関係する省庁に橋渡ししていくということですね。

ええ、先ほども言ったように、私の仕事は「チャンネル」なのです。そしてこれを遂行するにあたって、私は3つの原則をもっています。

ひとつ目は、「自発的な協働」(Voluntary Association)です。私は自分からは決してアイデアを出しませんし、自分から提案にも行きません。みなさんの自発性をサポートするだけです。

――そうなんですね。

ふたつ目は、「ラジカルな透明性」（Radical Transparency）です。私が議長を務める会議や、私が行ったインタビューなどは、このインタビューも含めてすべて録音して、クリエイティブ・コモンズを使って公開しています。記録を見れば、私がどれだけ公共の利益のために活動をしているかを判断してもらうことができます。ただ公開するだけなのですが、こうした公開情報がセクターを超えたコラボレーションをもたらすことにもなります。文化の翻訳者のようなものです。

――いいですね。

そして3つ目は「空間からの自由」（Location Independence）です。これは、世界中のどこにいても私を呼びだすことができるという意味です。私はロボットとしてホログラムのなかに登場して、世界のどこの誰とでも仕事をすることができます。これが重要なのは、台湾が日本と同様多くの島で構成されているからです。あらゆる決定は首都で行われていますが、首都にいない人は、移動のための時間を取られてしまいます。つまり「情報の非対称性」が生まれてしまうわけです。

私が行っている「ソーシャルイノベーションツアー」では、みなさんに首都に来ていただくのではなく、私が首都から一番遠い沖合の島にもひとりで出向きます。そして、そこから首都にあるオフィスの業務も行います。台北をはじめ台中、桃園、高雄といった大都市の人も、私が遠くの島で開催しているタウンホールミーティングにテレプレゼンスで接続し、地元の人びとの意見に耳を傾け、意見を述べたりすることがリアルタイムでできるのです。こうすることで、地元の人たちが主役になることができますし、数時間の会合のために丸一日旅する必要もなくなります。

――面白いですね。それは、どれくらいの頻度で行っているのですか？

コロナウイルスの前は、毎週のように行っていました。隔週火曜日に各省庁が推進しているツアーを行っていますが、シビックセクターもデバイスを使って、陳情や請願書を出したりできるので、総合すると週に1回程度ですね。

――そうしたミーティングには誰が参加するんですか？ 主にソーシャルセクターの方々ですか？

地元の生協や社会起業家、先住民族の暮らす地域であれば先住民族の指導者の方が参加することもあります。

――いつからそれを行っているのでしょう？

3年間やってきました。

――それは、地域ごとの問題や課題を発見することが目的ということですよね。

そうです。いまリンクをふたつ送りました。ひとつは私が行ったツアーとQ&Aについて[※7]です。32の省庁がすべて参加しているのがわかります。もうひとつは、私たちが発見し、出会うことができたソーシャル・イノベーション組織について[※8]です。どの郡や市がSDGsのどこのゴールに注力しているかがわかります。

――実際の反響はいかがですか？

私がこのツアーを始めた頃は、台湾で5分の1以下の人しか「社会起業家」（ソーシャルアントレプレナー）の存在を知りませんでしたが、いまでは3人に1人以上の人が、社会起業家がどういう存在なのかを理解するようになっています。やがて彼らがメインストリームになっていくと思いますが、それの意味するところは、社会のマジョリティが、社会起業家がSDGsを達成するための中心的な存在であると認識するということです。

――ソーシャルセクターは基本的には非営利（Non-Profit）の組織ですよね？

利益を「伴う」（With-Profit）と言ったほうがいいかと思います。

——ソーシャルセクターで働きたいと考える若者はたくさんいますか？

ええ、とてもたくさんいます。お年寄りも多いですね。私たちのプラットフォームで一番活躍しているのは、15歳前後と65歳前後の方たちなんです。

——15歳？　ほんとですか？

ほんとですよ。彼らは時間に余裕がありますし。それに、次世代のことを一番気にしているのも彼らです。リタイアした人たちは孫のことを気にかけていますし、未来の気候変動について言えば15歳の人たちこそがステークホルダーです。ですから、地域活性化やソーシャルイノベーション、ＳＤＧｓの啓蒙などで彼らと一緒に活動することは理にかなっているのです。そしてもちろん、現役世代の人たちも、企業活動を通して、もしくは投資などを通じて彼らを支援することができます。

——同じことが日本で起きるのには、結構時間がかかりそうですが、高齢化が進む日本で、できるだけ多くの人たちにデジタルテクノロジーの恩恵が行き届くようにするにはどうしたらいいのでしょう。

定額で４Ｇの使い放題を提供することが鍵だと思います。

——そうですか。

はい。台湾では月15ユーロで、どこでも無制限に４Ｇが使えます。年配の方たちはテキストよりもビデオ通話を好みます。自由に通話できるのであれば、電話よりも人の顔が見えるビデオ通話のほうがいいですし、使い方を覚えてもらうのも簡単です。年配の方には、スマートフォンはコストも節約できるスーパーフォンなんだと思ってもらうことが理にかなっていると思います。従来の電話の通話料金は、通話時間が長くなった分、高くなります。でも無制限

※7

※8

4Gが定額であれば、1日に5時間テレビ通話しようと料金は変わりません。

――例えばそうしたデジタルテクノロジーの使い方に対する教育に、国はどの程度力を入れたのでしょう？　いわゆるITリテラシーを高めるための投資ということですが。

私たちは「リテラシー」という言い方をせず「デジタルコンピテンス」および「メディアコンピテンス」と呼んでいます。「リテラシー」という言い方は、ユーザーが読者や視聴者といった受け手であることを前提としているからです。コンピテンシーは「能力」や「適性」という意味ですが、「あなたがつくり手である」ということを意味しています。高齢者や子どもたちにデジタルセンサーの入門クラスをするとき、私たちはいつも「あなたはつくり手なのです」と伝えます。デジタルネットワークのなかでは、何かを撮影したい人は撮影をして、それをみんなと共有することができます。みんながつくり手であるという前提に立てば、ジャーナリストがどのように働き、情報ソースをどうチェックし、どんなふうにファクトチェックを行っているのかを、みんなに学んでもらうことができます。受動的な視聴者や読者にそれを教えることは大変困難です。それが社会にも生産にも役立つスキルなのだということを念頭に学んでもらい、かつ、誰もが民主的にさまざまなソースにアクセスできるようにすることが大切です。

――ITテクノロジーを行政府が最大限に活用していくにあたって、推進しやすい部門とそうでない部門とがあるような気がするのですが、いかがでしょう。行政のデジタル化は、どこから手をつけるのがいいのでしょうか。

手作業が面倒だと感じる業務があれば、それをデジタル化するのが一番手っ取り早いかと思います。フェイクニュース対応のボットがいい例です。家族とのグループチャットのなかでいちいち誰かが誤りを指摘するのは面倒で時間もかかりますよね？　そこにデジタルは関与することができます。オートメーションのチャンスがあると感じたところ、誰でも同じようにできる非常につまらない仕事だと感じたところ、最低限のトレーニングをすれば、誰がやってもスピードと正確さにしか違いが出ないところ、そこがデジタル化とオートメーション化を図るポイントです。

――政府内で、先進的な省庁と遅れている省庁のギャップはありますか？

あまりないですね。というのも国民と向き合っている省庁は、どこも同じ問題に直面しているからです。そこで台湾では、全省庁の共通のオープンデータプラットフォームである「data.gov.tw」と、共通の参加プラットフォームである「join.gov.tw」を立ち上げ、データの共有を行うようにしました。国家発展委員会（ＮＤＣ）は、長期計画を立案すると同時に、あらゆる省庁が同じＫＰＩに則って動くように監査しています。他の省庁がオープンデータのプラットフォームに参加するときのハブのようなものです。つまり省庁がすべきことは、このプラットフォームに参加し、協議や審議のプロセスをそれに沿うようにコミットすることだけです。技術的なところは、すべて国家発展委員会がやってくれます。

――地方自治体とはどのように連携しているんでしょうか？

自治体は一般的に、独自の予算とデジタル化のビジョンをもっていて、ときには中央政府よりもはるかに進んでいます。私たちは最も優れた事例となる6つの自治体を選びだし、彼らのアイデアを広めるようにしています。R&Dにおいては先行者が常にコストをかぶることになり、後続者は初期の研究開発費を負担しなくて済みます。初期の研究費はそれぞれの自治体が負担しますが、開発のところについては、中央政府が介入して、県や小規模地域、農村地域などに便乗してもらうことで負担を軽減できるようにしています。このようにいくつもの自治体が参加するような形の予算の組み方は、台湾の他の地域に広まる前に市町村の自治体レベルで始まりました。

――あるシステムやプロジェクトが機能していることが証明されれば、それを公共資産にできる、ということですね。

ええ、その通りです。私が伝えたいのは、これもオープンイノベーション・ネットワークの一例だということです。ですから、私たちは台湾の自治体と日本の自治体の区別もしていません。東京都がコロナウイルス感染拡大のためのダッシュボードを作成したら、国際化のための翻訳を手伝い、台湾の人にも読んでもらえるようサポートします。シビックテックコミュニティの情報部門も同じダッシュボードをもっていますので、東京で開発されたソリューションを台湾で実装し、台湾の状況を日本語で読んでもらうために使うことも可能です。ここ台湾でおきたイノベーションが流れを遡ってオリジナルである日本版にも貢献することができるわけです。

――それぞれの地方自治体には、オードリーさんと同じような立場の人がいるのでしょうか。

各自治体のＩＴ部門は、より短期的な喫緊のニーズを重要視しています。市民からの非常に具体的な課題に対応しなくてはいけませんので。一方で中央政府は、標準化や国際化といった仕事にあたることとなります。例えば、ＧＤＰＲ（一般データ保護規則）のコンプライアンスといったことですね。つまり、中央政府と地方自治体とが補完的な役割を担っているわけです。お互いの足を踏み合うのではなく、オープンデータに関する明確な基準を設け、それに則ったかたちで、ある地方自治体が実践したいい事例があれば、それを他のあらゆる自治体が真似することができるようにしていくのです。

――自治体がやっているいい実践例などは、どのように把握しているのでしょう。定期的にコミュニケーションを取っているわけですか？

そうですね。地方自治体の「ＣＩＯ」「ＣＴＯ」「ＣＤＯ」（Chief Data Officer）を束ねる「Smart Region」という仕組みがありますが、私たちは、都会と田舎の両方の意味をもつ「新尊」（shinzon）という言葉を使っています。それ以外にも総統主催のハッカソンのような仕組みもあります。総統ハッカソンには、市町村も含まれていますので、市町村の情報部門に向けたアイデアを提案することができます。これによって、非常に早い段階で社会福祉サービスを作動させることができます。さらに国全体のサービスを提案することもでき、受賞したアイデアは実際に国に採択されることになります。1年の間に授与されるのは5つの賞ですが、これは一種のマイクロ政策立案装置とでもいうべきもので、3カ月でまとめあげたアイデアを12カ月以内に実際の政策として実装することを首相が約束しています。

——へえ。これは年に一度ですか。

ええ、年に一度です。

——面白いです。

実は日本向けのプロモーションビデオもあるんです。YouTubeや、総統ハッカソンのサイト※9でも見ることができます。

——なぜ日本語のものがあるんですか？

インターナショナルなイベントだということです。

——実際海外からの参加者はいるんですか。

もちろんです。去年の優勝者は、ホンジュラスとマレーシアの参加者でした。

——こういう言い方をすると語弊もあるかとは思うのですが、COVID-19をめぐるこの状況のなかで、多くの政府が新しいシステムや新しい方法論を実験するチャンスだと感じているのではないかとも思うのですが、オードリーさんもそのように感じていらっしゃいますか？

比喩的な言い方になりますが、今回の状況下で、人びとはお互いの顔を、いつもよりもはっきりと見ているような感じがします。マスクをしたまま人と

※9

じかに対面するよりも、よりくっきりと相手のことがわかるというか。これが、つまるところ、一種のデモ、デモンストレーションの意義なんだと思います。普段あまりビデオカンファレンスをしてこなかったような人は、一昔前の遅くて画質の粗いビデオ会議の印象のままでいたかもしれません。でもいまは、いとも簡単にできますよね。レイテンシーも気にせずにやれるようになりました。驚くほど使いやすくなっていますので、おっかなびっくりだった人でも簡単にできるようになっています。ビデオカンファレンスだけでなく、今回の事態を通して得たテクノロジーをめぐるポジティブな体験を、人は忘れることはないように思います。

——その一方で、デジタルテクノロジーに対して、それが監視社会につながるのではないかという懸念も強くあります。そのモデルとして、かたや全体主義的な中国本土のようなモデルがあり、かたや巨大テック企業がスーパーパワーをもつアメリカのモデルがあります。

そうですね。一方にテクノクラシーによる全体主義的監視国家があり、一方にコーポレートキャピタリズムがあります。これが極の両端ですよね。公共セクターと民間セクター、それぞれにおけるエクストリームですが、このように、公共セクターあるいは民間セクターを肥大化させてしまうと、ソーシャルセクターが無視されることになります。ですから私は、「PPP」(Public Private Partnership)という言葉にアレルギーをもっています。なぜなら「シビルセクターは? ソーシャルセクターは?」と思うからです。「第三セクター」と呼んで、いかにもマイナーなもののように扱うのではなく、私たちは正しい言葉でそれを呼びたいと思っています。

私たちは、ソーシャルセクターがデータを所有すべきだと明確に主張しています。ソーシャルセクターがデータ連携、データ活用の土台を構築し、ソーシャルセクターが設定したアジェンダに対して、それを社会化することを公共セクターに促し、同時に、民間セクターに対しても彼らの保有する資本資源を提供するように説得していきます。ソーシャルセクター主導のアプローチは、官主導と民間主導の折衷案ではなく、それ自体が独立したあり方なのです。

——それは、興味深いです。台湾のソーシャルセクターが強いのは、歴史的にどのような背景からなのでしょうか。

社会民主主義的なコミュニティづくりは、少なくとも80年代から始まっていますが、それは戒厳令の解除が検討され始めた頃にまで遡ることができるかと思います。ご存じのように台湾では総統選挙は1996年まで行われていませんでしたから、ソーシャルセクターは総統選挙が行われる10年以上も前から、その存在感を高めてきたということになります。それは私たちにとっては非常に幸運なことでもあり、それが台湾という国を定義づけているものでもあるのです。

私たちは自分たちの国を「民国」(mingo)と呼んでいます。文字通り「市民の共和国」という意味です。直接参加型のデモクラシーについて言えば、これは孫文以来の伝統で、彼はその理論をヘンリー・ジョージ※10に学んだのです。ヘンリー・ジョージはソーシャルセクターの思想家で、左翼でも右翼でもなく、ソーシャルなんです。

——先ほどオードリーさんは「ラジカルな透明性」ということをおっしゃいましたが、オードリーさんと同じように徹底的に情報を公開することは、他の大臣も同じようにやられているんでしょうか。

私がこれまでに政府で開発したツールはすべてフリーソフトです。ですから、よその省庁が、たとえばオープンガバメントに関する国家行動計画のマルチステークホルダーフォーラムを開催した場合、私は内部のベンダーのようなものですから、誰でもお金を払わずに同じツールを使うことができます。そのほうがみんなの時間もコストもリスクも節約できます。だからみなさん喜んで使ってくださるのですが、といって強制するわけではありません。私のオフィスに人を送ることは、どの省庁でもできますが、といってもすべての省庁がそうするわけではなく、防衛省のように誰も送ってこないところもあります。ですから私は国防については何も知りません。すべ

※10

て、彼らの自発的な選択です。

――防衛省も参加してくれればいいのに、とは思わないですか？

あくまでも彼ら次第です。私自身にはこうしてほしい、ああしてほしいということは一切ないんです。外務省も当初は誰も送ってきませんでしたが、呉釗燮（Joseph Wu）が外交部長に就任して「Twitter アカウントを開設したところ大人気になり、私の部門に気づいたのです。とはいえ、外交を民間と協働で執り行うというようなことはなく、「Twitter 外交といった程度のことで協力を求められたわけですが、それから彼は私のオフィスにも代表者を派遣してくるようになりました。

――「ラジカルな透明性」に対して、内閣から反対意見が出たり国家安全保障との対立が起きたりしませんか？

「ラジカルな透明性」とは透明性が根底にあるということ、透明性が前提（transparency by default）だということです。もし会議中に友人の話をして、その友人が自分の話を外に出すのを許可しなかった場合、議事録を公開する前に、もちろん、その友人のことは匿名化します。それは良識の範囲内での個人情報保護ですよね。といって、これが「ラジカルな透明性」に反しているということにはならないんです。「ラジカルな透明性」は「デフォルトで開かれている」という意味でしかないので、プライバシーや望ましい判断を無視してなんでもかんでも公開してしまえということではありません。透明性と個人情報保護は、相反するものではありません。

――透明性に違反したら罰せられるとか、そういう強制力はあるんですか。

透明性がイヤであれば、私に面会ができなくなる。それだけのことです。これが私が蘇貞昌内閣に望む公式訪問の原則です。その原則に違反して、秘密裏にロビー活動をしようとしたり、業務規定、法律上の協定に違反するようなことを求められたら、私は公務員倫理の部署に報告しますが、それは法律で定められていることでもありますからね。

——マスクやボットのようなプロジェクトをリードするとき、誰がそのプロジェクトを決裁するんですか？

政策決定を行うのはもちろん、行政院長（首相）です。私たちが提案したすべての規制や予算は首相の承認が必要となりますが、私は政府を横断的にまたぐ大臣なので決められた予算もなく、自分の関わる事案は、閣僚予算から出ています。それぞれの省庁がそれぞれの役割を果たせるようにすることが私の役割ですから、「さあ、この予算を使っていいぞ」と与えられるものはありません。私には予算も人員も分配する権限もないんです。それぞれの省庁の困りごとに対してなんらかのアイデアを提案し、そのアイデアを行政院長にもっていき、彼がＯＫと言ってくれたら、各省庁がそれを実施するために必要な予算を得ることができるというわけです。

——なるほど。

完全に横断的な組織なんです。

——プロジェクトの予算はあくまでも当該の省庁に割り当てられると。

まさにその通りです。

——COVID-19対策のなかで民間企業は、どのような動きをされているのでしょうか。オードリーさんが巻き込んで、一緒に連携したりしているのでしょうか？

ええ、それもかなりやっています。社会に受け入れられる解決策があって、それを実施するために大掛かりなプロダクションが必要な場合には、民間セクターにお願いするのが一番いいかと思います。それこそが彼らの得意分野なわけですから。g0vのプロジェクトで作成したボットのプロトタイプとなった「Cofacts」は、非常にシンプルなボットから始まりました。それに「LINE」が目をつけて、彼らのダッシュボードに、同じようなものを埋め込んだのです。ですから「factcheker.me」のダッシュボードは、Cofactsのそれとそっくりなのですが、LINEがスポンサーとなったことで、開発リソースも潤沢になりサービスの展開規模も格段に大きくなります。ソーシャルセクターは、LINEがもっているようなインフラストラクチャーはもっていませんから、民間企業が入ってくることでスケールの経済を作動させることができるようになります。

――それはコラボレーションと言っていいんでしょうか。

オープンイノベーションのなかでは、プライベートセクターとソーシャルセクターの境目を見分けるのはとても難しいですよね。というのも、g0vで活躍している参加者は、本職でIT企業に勤めている人も多かったりしますし、メディア企業やTSMC(Taiwan Semi-conductor Manufacturing Company)などで働いている人も少なくありません。犬のボットもトレンドマイクロのペットプロジェクトとしてスタートしたものでしたが、トレンドマイクロの公式製品ではありませんでした。けれども受賞したことをきっかけに、トレンドマイクロは、より多くのリソースをこのプロジェクトに投入しました。オープンイノベーションに取り組んでいると、セクター間の線引きが非常に曖昧になってしまうのです。

――あといくつか個別の質問があるのですが、いいですか?

大丈夫ですよ。まだ時間はあります。

――プログラミング教育を受けるのに最適な年齢ってありますか?

150歳以下であれば何歳でも大丈夫です。150歳以上についてはちょっとわかりません(笑)。

――日本政府は小学校からプログラミング教育を始

めようとしましたが、効果があると思いますか？

台湾では、ロジックやプログラミングを教える際に、おもちゃのように触れられるインタラクティブなツールをたくさん使います。Arduinoをベースにしたものやスクラッチベースのインタラクティブなものなど、それほど高度な知識は必要ありません。子どもたちはそれが大好きなんです。そういうものに触れるのが早ければ早いほうがいいというのは、プログラミングはただの言語ではなく、思考方法だからです。コンピューテーショナルシンキングやデザインシンキングを身につけていくことが大事です。ですから早ければ3歳か4歳くらいの子どもたちに、デザイナーやプログラマーのように話しかけることは、それだけでプログラミング教育なのです。プログラミング教育とは、プログラミング言語を覚えることではないのです。

――デザインシンキングのお話が出ましたが、イギリスやデンマークのような国では、行政府もアジャイル型開発に移行しようとしています。台湾ではどうですか？

そうですね。ただ、台湾には、アジャイル開発を使うべきときと使用すべきでないときを策定した政府の「デジタルサービスガイドライン」(Government Digital Service Guideline) というものがあります。

大まかに言いますと、自分がどのような問題を解決しているのかがわからないときにはアジャイル開発を行い、解決しようとしている問題がわかっているときは、そこで必要なのは「最適化」ですから、アジャイル開発は意味がありません。そうしたこともガイドラインのなかには含まれています。

――たしかにその通りですね。これで最後ですが、情報技術やデジタルテクノロジーは、現在のこのような状況で、社会にどのような希望をもたらすことができるのか、メッセージをいただけますか。このような時に、デジタルテクノロジーがもつ力についてメッセージをいただけませんか。

お気に入りのレナード・コーエンの詩から引用し

ます。

まだ鳴らせる鐘を打ち鳴らせ
完璧な捧げ物なんて忘れてしまえ
すべてのものはひび割れている
光はそこから射しこんでくる

Ring the bells that still can ring
Forget your perfect offering
There is a crack, a crack in everything
That's how the light gets in

Leonard Cohen "Anthem"

――かっこいい。レナード・コーエンのファンなんですね。

そうなんです。

――レナード・コーエンのお話が出たところでせっかくなのでお伺いしたいのですが、文化支援のための政策やプログラム、プロジェクトにも取り組んでいたりはしますか？

はい、文化部でたくさんやっています。たとえば歴史的建造物のデータをVR用にデジタル化するために行った投資は、この間のソーシャルディスタンシングの観点からも、いま本当に実を結んでいると思います。携帯端末やVRを使って美術館に行ったりすることができます。いまは誰もが家で時間をもて余していますから、アートやカルチャーをより深く体験するには絶好のタイミングだと思います。

――音楽業界はどうですか。

最近、バンドのメンバーの半分が台北にいて、残りのメンバーが別の都市にいるのを5Gでつないでジャムセッションを行うという実験が行われました。これは、音楽業界を本当に自由にすると思います。大きなドームでなくても、文字通りどこでもライブパフォーマンスができるようになるのですから。現在のような状況のなかでもです。オンラインでジャムることができるようになれば、ほとんどのことができるようになります。音楽の演奏にとっては、何よりも通信の遅延は許されませんから。それができれば、他のことはほとんど何でもできますよね。

――うまくいきました？

ええ、かなりうまくいきました。

――すごいですね。最後にもうひとつだけ。オードリーさんのお名前は、漢字で書くと「鳳凰」の「鳳」、つまり「オオトリ」じゃないですか。「オードリー」に掛かってるのは、これ偶然ですよね？

ええ、偶然です。これを発表した途端、日本の友人が「鳳さん」って言ってきて、「悪くないね」みたいな感じでした。

――いいですね。本当にありがとうございました。これからの予定を立てるのは難しいと思うのですが、またぜひ日本にいらしてください。

もちろんです。日本に行くことをいつも楽しみにしています。

唐鳳｜Audrey Tang

中華民国（台湾）の政治家、プログラマー。「台湾のコンピューター界における偉大な10人の中の1人」とも言われ、２０１６年10月に台湾の蔡英文政権において35歳の若さで行政院に入閣し、無任所閣僚の政務委員（デジタル担当）を務める。幼い頃からコンピューターに興味を示し、12歳のときにPerlを学び始めた。14歳で中学を中退、19歳でシリコンバレーでソフトウェア会社を起業。２０１６年８月、林全内閣の政務委員に任命された。10月1日にデジタル担当の政務委員に就任、35歳での閣僚就任は台湾史上最年少。

あとがき　新しい習慣

このあとがきは11月の半ばに書いている。日本の首相は菅さん。アメリカ大統領はバイデンさんでおそらく決まり。日中韓が参加した初めての貿易協定「RCEP」が締結。コロナウイルスは「第3波」が接近中。一寸先は闇とはよく言ったもので、これが出るタイミングでは果たして何がどうなっているのかまったく予測がつかない。とはいえ、本誌ですでに何度も言ったように、これからはそうした不確実性こそが常態だ。ずっと言われてきたことだ。いまさら驚くにはあたらない。習うより慣れろだ。一寸先すら見えない世界でどう生きていくのか。その術をそろそろ本気で身につけなくてはならないというのが、世間さまの言う「ニューノーマル」の真意だろう。

とはいえ、変化はしんどい。日本が仮に明治維新以来の大転換を迫られているのだとすれば、私たちは少なくともこの150年の間に体験したことのない大転換を自分たちの手でやり遂げねばならない。そんなしんどいことは誰もやりたくはない。簡単なのは、しんどさの原因を「誰か」のせいにして溜飲を下げることだ。が、そんなことをいくらやってもしんどさはきっと消えない。

本誌に掲載した文章を執筆していた4月〜10月の期間、最も大きな救いとなったのは本誌内でも何度か言及した宇野重規先生の名著『民主主義のつくり方』だった。特にアメリカのプラグマティズムが「習慣」というものに重大な価値を置いているとするくだりに大いに感化された。宇野先生はこう解説する。

「一人ひとりの個人の信念は、やがて習慣というかたちで定着する。そのような習慣は、社会的なコミュニケーションを介して、他の人々へと伝播する。人は他者の習慣を、意識的・無意識的に模倣することで、結果として、その信念を共有するのである。しかし、それはあくまでも結果論であり、あらかじめ何らかの価値観の共有が前提されているわけではない。

社会全体としてみれば、習慣とは人と人とをつなぐメディアであり、多様な場所で行われた実験の結果を集積することで、変革への梃子となっていく社会的装置である。人々の信念がそれと自覚されることなく結びつき、結果として社会を変えていく。これはほとんど民主主義であるといってもいい」

自分がどのような「習慣」をもっていたとしても、それを声高に叫んだからといって、それが必ず社会の習慣になるわけではない。決定するのはあくまで社会全体であって、社会が何を選び取るかを誰かが計画したり決定したりすることはできない。誰ひとりとしてその全体像を見渡すことができないという意味で、社会はずっと不確実性そのものであったし、そうあり続ける。であればこそ、そこではどんな「習慣」にもチャンスがあり、どんなマイナーで素っ頓狂に（最初は）見えるアイデアでも、ゆくゆくは新しい「習慣＝当たり前」になりうる。

「ニューノーマル」とは、すでにそこにある何かではなく、これから社会が選び取っていくことになる何かだ。そして、そこにはみんな同じだけのチャンスがある。もちろんそれが社会に定着するためには長い時間がかかる。その間、幾多の幻滅もあるに違いない。目先のことに一喜一憂しすぎないのがまずは身のためか。そういえば、とあるイベントでDJのYonYonさんがこんなことを言っていた。

「『俺が世界を変えると言っているわけじゃない。だが約束する。俺が刺激した脳がやがて世界を変えるだろう』という、ラッパーの2パックが残した名言をいつも意識しながらアーティスト活動をやっています」

自分がやったことはなんでも自分で刈り取らないと気が済まないのは、私たちの一番よくない（そしていますぐにでも捨てるべき）習慣だ。

謝辞

連載時および本誌の制作にあたってご協力をいただいた以下の方々に御礼・感謝を申し上げたい。「Quartz Japan」編集長の年吉聡太さん、アートディレクター・デザイナーの藤田裕美さん、表紙イラストを手がけてくださった宮崎夏次系さん、快く写真作品を提供してくださった鈴木悠生さん、驚異の高速オペレーターの勝矢国弘さんと中村智子さん、校閲のリカさんとオノテツさん、本誌刊行に尽力してくださった（にもかかわらず私の身勝手で実現しなかった）「ニューズピックス・パブリッシング」の富川直泰さんと中島洋一さん、タイトル案構想のための駄話に付き合ってくださった横石崇さん、そして黒鳥社の面々、本当にありがとうございました。

蛇足

本誌のサウンドトラックは以下の二次元コードからどうぞ。

２０２０年11月16日　黒鳥福祉センターにて　若林恵

若林恵
Kei Wakabayashi

1971年生まれ。編集者。ロンドン、ニューヨークで幼少期を過ごす。早稲田大学第一文学部フランス文学科卒業後、平凡社入社、「月刊太陽」編集部所属。2000年にフリー編集者として独立。以後、雑誌、書籍、展覧会の図録などの編集を多数手がける。音楽ジャーナリストとしても活動。2012年に「WIRED」日本版編集長就任、2017年退任。2018年、黒鳥社（blkswn publishers）設立。主著に『さよなら未来』（岩波書店）、『次世代ガバメント 小さくて大きい政府のつくり方』（日本経済新聞出版社）、『こんにちは未来』（佐久間裕美子との共著・黒鳥社）など。

Quartz Japanの連載「週刊だえん問答」は毎週日曜配信。登録は以下から。

https://qz.com/japan/subscribe/email/

週刊だえん問答　コロナの迷宮

2020年12月4日 第1版1刷 発行

著　者　若林恵・Quartz Japan

発行人　土屋繼

発　行　株式会社黒鳥社

東京都港区虎ノ門 3-7-5 虎ノ門 ROOTS21ビル1階

ウェブサイト：https://blkswn.tokyo　メール：info@blkswn.tokyo

編　集　若林恵

デザイン　藤田裕美

装　画　宮崎夏次系

写　真　鈴木悠生

DTP　勝矢国弘・中村智子

制作管理 販売営業　川村洋介

編集補助　原田圭

印刷製本　中央精版印刷株式会社

ISBN978-4-9911260-4-8　Printed in Japan